La Scala

Gian Antonio STELLA

Il maestro magro

Rizzoli

Proprietà letteraria riservata
© 2005 RCS Libri S.p.A., Milano

ISBN 88-17-00093-0

Prima edizione: aprile 2005
Seconda edizione: maggio 2005
Terza edizione: giugno 2005
Quarta edizione: luglio 2005

www.ilmaestromagro.it
www.rizzoli.rcslibri.it

Il maestro magro

a Emanuela

Parte prima

«Forse ha visto andar giù il sole dietro le valli di Lanzo. Forse no. Ed è rimasta lì, due giorni e tre notti, sul terrazzino. Lo sguardo fisso sulle montagne che salgono verso l'Uia di Ciamarella. Così» disse il frate. E incrociò le braccia enormi come se le posasse su un immaginario parapetto, per poi adagiarci sopra il mento e fissare il vuoto: «Due giorni e tre notti».

«Morta?» deglutì Costantino Santulli, che da quando era stato alle Nuove sei mesi per aver rubato due scatolette di carne e una lattina d'olio, «sei mesi tra gente che passava le notti a piangere e invocare i figli», soffriva quasi toccassero personalmente lui tutte le disgrazie di uomini e di donne che accadevano per il mondo, da Venaria al Kerala, dall'Ontario a Garavagna.

«Morta stecchita» sospirò il frate, allargando le mani come se dovesse spianare una mappa: «Stecchita!». E si toccò il crocefisso che portava al petto: «Requiem aeternam dona ei Domine et lux perpetua luceat...».

«E nessuno si è accorto di niente?»

«Nessuno.»

«Per due giorni e due notti.»

«Due giorni e "tre" notti.»

«Ma chi era?»

«Si chiamava Ebe Marchionni. La conosceva?»

«No... Non mi pare...»

«A casa, quando hanno buttato giù la porta e mi hanno chiamato a dare la benedizione alla salma, ho visto un album di fotografie. Un album grande, con la copertina di cartone avvolta nella stoffa blu. Doveva essere una donna ordinata.

Metodica. Un po' pignolina, forse. Erano tutte incollate in sequenza. Prima la foto di famiglia col padre seduto su una sedia contadina, il cappello sulle ginocchia e la catenina della cipolla che sporge dal taschino, la moglie sulla sedia accanto con in braccio l'ultimo nato e tre o quattro figli intorno. Poi lei piccolina con un cagnetto sotto le vigne di una collina. Lei il giorno della prima comunione, con una veletta e il Vangelo stretto tra le mani giunte. Lei a scuola, in prima fila accanto alla maestra...»

«Insomma: tutta la vita?»

«Tutta» sospirò il frate. «Doveva essere una ballerina classica. Meglio: doveva aver provato a fare la ballerina. In una foto reggeva con due dita un paio di scarpette accanto alla locandina di chissà quale teatro. Il suo nome lo vedevi appena, in fondo in fondo, in caratteri piccoli. Poi, da quello che si capisce, si era sposata. Un bel ragazzone biondo, con le spalle larghe e i capelli lisci. Ma la famiglia sicuramente non era d'accordo.»

«Perché?»

«Solo loro e i due testimoni c'erano, al matrimonio. E con tutti i matrimoni che ho visto, giurerei che erano due testimoni raccolti così, all'ultimo momento... Forse uno era il campanaro e l'altro un vicino di casa. O magari un collega delle Poste.»

«E questo, scusi, come fa a immaginarlo?»

«C'è un'istantanea di lei allo sportello, mentre sbriga qualcosa. Mi sono fatto l'idea che forse, costretta dalla piega che aveva preso la sua vita, aveva lasciato il balletto per cercarsi un lavoro. Ma la sua tragedia ruotava sicuramente intorno a una foto distrutta.»

«Cioè?»

«Una foto qualunque. Lui e lei, coi calzettoni e le braghe alla zuava, in cammino su per qualche pascolo di montagna. Direi Appennini, ma non ci giuro. Quel giorno doveva essere successo qualcosa. Non so cosa, ma qualcosa. Perché la foto, in un momento di furore, era stata successivamente strappata e fatta a pezzi. Coriandoli, erano. Coriandoli di foto. Che la poveretta, però, non aveva buttato via. Se li era tenuti da conto in una scatola e qualche sera o qualche notte, chissà, presa dalla malinconia, aveva ricostruito pezzo per pezzo tutta la foto con la colla arabica attaccandola su un cartoncino. È l'ultima foto in cui c'è lui. Anzi, l'ultima foto dove c'è un cristiano.»

«E poi?»

«Paesaggi. Solo paesaggi. Montagne, boschi, ruscelli, piante, pascoli, baite... E poi piazze, campanili, vicoli, palazzi. Doveva girare con le comitive, quelle organizzate dalle parrocchie o dai circoli aziendali, ma scommetterei che se ne stava per suo conto, nei sedili in fondo al pullman, senza parlare con nessuno. Mai una persona c'è, nelle stampe. Neppure una. Neanche per sbaglio. Come se si fosse chiusa per sempre in un suo mondo inanimato. E avesse atteso, con chissà quanta pazienza, il momento giusto per fotografare il vuoto. Un mondo senza persone, capisce? E senza cani, gatti, uccelli... Un mondo morto. Come abbia fatto non so, forse si alzava all'alba per cogliere gli spazi vuoti. Certo è che pure il ponte di Rialto e piazza San Pietro era riuscita a fotografare senza anima viva. Neanche gli spazzini che alle prime luci scopano via le bucce o le cartacce. Mah...»

«Poveretta.»

«I vicini dicono che abitava lì (ha presente i palazzoni rossi dietro la chiesa?) da quando avevano costruito il condominio. Saranno un sei o sette anni. Sorrideva a tutti, dicono. Gentile. E tutti rispondevano al suo saluto. Ma non ne ho trovato uno che mi abbia detto di averle mai parlato. Manco uno!»

«È l'alienazione del mondo moderno» disse pensoso Santulli. «Io ci contavo, sull'arrivo di questi anni Sessanta. Ci contavo. Non che mi immaginassi il paradiso, perché basta vedere le baracche alle Basse di Stura o quelle in fondo a corso Polonia per capire come anche qui a Torino, Fiat o non Fiat, macchine o non macchine, è ancora dura, per la povera gente. Ma ci avevano fatto una testa, con questa attesa del centenario dell'Unità d'Italia, che forse forse qualche illusione...»

«Tutte le sere la meschina si portava una sedia sul terrazzino, posava un cuscino sul parapetto e si sedeva lì, le braccia incrociate sul guanciale, il mento posato sul dorso delle mani. Ore e ore, stava lì. Con uno scialle nelle serate più fresche. Una copertina a ottobre, come oggi. Una coperta pesante nella stagione fredda.»

«E che faceva?»

«Le piaceva guardare il tramonto, dietro le gru e i cantieri delle case popolari in lontananza. Il medico dice che deve avere avuto un ictus. Non ha sofferto, pare. È rimasta lì nella stessa posizione, come le dicevo, per due giorni e tre notti. Senza che un vicino, dico uno, si rendesse conto di niente. Se n'è accorto il postino.»

«Ciccio?»

«Non so come si chiama, vengo a dare una mano in questa parrocchia solo da poco, non conosco ancora nessuno.»

«Uno grosso, basso, pelato, sempre sudato?»

«Sì.»

«Ciccio.»

«Doveva farle firmare non so che carte e cominciò a gridarle da sotto: "Signora Ebeeee! Signora Ebeeee!".»

«Come ha detto che si chiamava?»

«Ebe Marchionni. Magari la vedeva in chiesa.»

«Può darsi. Non l'ho presente.»

«Qualche lira per i suoi funerali, però, me la può dare? Sto facendo un giro per il quartiere proprio per questo. Non so quanti condomini ho già battuto, prima del vostro. Non aveva una lira, in casa, la poveretta. Non una. Pare avesse donato tutti i risparmi a un convento di benedettine in Abruzzo. Abbiamo trovato una busta dove aveva messo i soldi per il suo funerale. Ma non ci stava più con la testa. Non ci compri manco la bara oggi, nel 1961, con quei soldi. Allora?»

«Allora cosa?»

«Un'offerta...»

«Padre, lei è nuovo ma... Insomma, io, economicamente, con sette figli, poi... Aspetti, arriva il maestro.»

* * *

Ariosto Aliquò veniva avanti pedalando liscio liscio, il bavero della giacca appena rialzato e i pantaloni stretti alle caviglie da un elastico bianco. Come vide la mole immensa del cappuccino, davanti al portone del condominio dove viveva, ebbe una specie di brivido. La bici scartò di lato, come se l'uomo avesse perso il controllo. Rallentò e continuò ad avvicinarsi piano piano, guardingo, quasi dovesse studiare il percorso con la massima cautela. Anche il frate sembrò colto da un dubbio. Si grattò la barba, strinse gli occhi per mettere a fuoco il nuovo arrivato. Si sentì di colpo la bocca impastata. Si passò nervoso la mano sulle labbra mentre quello, lo sguardo duro, le mani inchiodate al manubrio, fermava la bicicletta e posava i piedi a terra.

«Tu?»

«Tu?»

«Io vado» soffiò Costantino Santulli filandosela via, folgorato dall'improvvisa e scomoda certezza di essere di troppo.

«Che ci fai vestito da frate, Santino?»

«Un frate sono, Osto. Un frate cappuccino» rispose.

«E da quando li prendono in convento i picciotti mafiosi, ah? Da quando li prendono in convento? Ha messo una buona parola don Bastiano?»

Il frate pareva schiantato dalla sorpresa. Pallidissimo, il respiro corto, le spalle enormi scosse dalla tensione, si accasciò sui gradini dell'ingresso tormentandosi il cingolo: «Ti vorrei raccontare…».

«Cosa? Come mi hai rovinato la vita? Come hai fatto impazzire mio padre? Come hai spaccato la mia famiglia? Da dove vuoi partire, eh? Da dove vuoi partire?»

«Ero andato ad ammazzare uno. Dio mi fermò.»

«E non aveva altro da fare che salvare a te, Dio, quel giorno?»

«Fu un miracolo. La svolta della mia vita.»

«Ti ho odiato, bastardo.»

«Lo so.»

«Non ho mai odiato nessuno quanto ho odiato te.»

«Lo so.»

«Se avessi potuto, quella sera, forse ti avrei ammazzato.»

«Lo so. Forse me lo meritavo pure. Grazie al cielo, Dio ci ha fermati tutti e due. Lo dico per te. Non è facile vivere se hai qualcosa che ti rode dentro. Mi puoi credere.»

Osto gli piantò gli occhi in faccia e lo fissò finché Santino non abbassò i suoi. Gli guardò i sandali, i piedi sporchi, il cingolo, la tonaca, i capelli rasati quasi a zero. Lo pesò per qualche interminabile minuto. Pesò il suo pallore, la sua contrizione, la puzza del suo fiato che sapeva di pane e cipolla. Pesò il rancore che portava dentro da tanti anni. Finché tirò un sospiro lungo lungo e sbuffò amaro: «Non restiamo qui, in strada. Vieni su e raccontami».

Cinque minuti dopo, davanti a due bicchieri di spuma posati sul tavolo della cucina, i due si immergevano in ricordi che affondavano nella Sicilia di tanti anni prima.

* * *

Santino Fugazzotto aspettava da un pezzo che don Bastiano Ficarotta gli desse un'occasione. Figlio di un lavorante della pasticceria di un paesone dell'entroterra, era stato imbottito per anni dal padre con tutte le pastarelle e i cannoli e la crema tolti dal bancone un istante prima che, andati a male, mandassero qualche cliente alla lavanda gastrica. La fame non l'aveva patita mai, manco durante la guerra. Ma il vedere gli altri patirla e l'avere a disposizione tutto quel ben di Dio (sia pure a volte di sapore vagamente salmastro) gli aveva fatto ingurgitare per anni ogni schifezza con una devastante bulimia, così che a ventisei anni era alto quasi due metri (colpa di una nonna slava che il nonno aveva rimorchiato facendo il militare a San Giovanni al Natisone, dicevano in famiglia) e pesava un bel quintale e quaranta.

Un volume che, unito ai capelli di un fiammante rosso pannocchia, l'aveva esposto fin dalle elementari a essere, sempre e inevitabilmente, il primo a venire scoperto e denunciato ogni volta che con le cattive compagnie ne combinava qualcuna. E di compagnie cattive, Santino, ne aveva frequentate davvero tante. Finché, di Lucignolo in Lucignolo, trascinato dalla sua violenza idiota e animalesca, non era finito, appunto, nel ruolo di monumentale guardia del corpo di Ficarotta. Il quale se ne serviva, le volte che voleva far sapere a tutti dove stava, per segnalare appunto che lui stava qui o stava lì.

Don Bastiano era anzi l'unico che, con maligni sorrisetti, non lo chiamava Santino ma col nome registrato all'anagrafe che, sempre per via di quella nonna slava, spiccava nella Sicilia di allora come una zucca gialla in un campo di trifoglio: Svetina. Che voleva appunto dire più o meno Santo, Sante o Santorio, ma veniva storpiato fin dalle elementari nel modo che si può immaginare.

«Te lo ricordi, Osto? "Sveltina" mi chiamavano. Tutti.»

«Ti pesava?»

«Un incubo. Grosso com'ero, dato che stavo sui sessanta chili già in seconda, mi sentivo pure la testa pesante. Non so se mi spiego: ero più grasso, sudato, ansimante dentro la testa che… Insomma: la ciccia nel cervello mi sentivo. E arrivavo sempre dopo. Su tutto. Sempre dopo. E più mi sentivo tonto, più tonto diventavo. E quel nomignolo mi andava dritto alla testa mandandomi in corto circuito: Sveltina, Sveltina, Sveltina. In apnea, andavo. In apnea!»

«Vabbè, psicologia: diventasti un picciotto perché ti chiamavamo Sveltina!»

«Così fu. Don Bastiano era l'unico che, motivi suoi, mi dava un po' d'importanza. Finché un giorno, diverso tempo dopo quella serata in cui tu mi hai maledetto, per mostrare a Ninì Farabola che non doveva darsi delle arie perché ad ammazzare sono buoni tutti, mi mandò ad ammazzare uno.»

«Tu?»

«Io.»

«Chi?»

«Non importa. Lui voleva solo mostrare a Ninì che a uccidere sono buoni tutti. Fu la mia salvezza. Dovevo andarci la mattina presto. Mi avevano dato una pistola, una Lancia rubata ma non ancora denunciata, l'indirizzo e tutto. Passai una notte d'inferno. Bagnato di sudore. Luglio, era. La mattina la macchina non partiva. Non c'era verso. Allora la lasciai lì e me ne andai a fare il lavoro con la Bianchina familiare della pasticceria. Pensa che stupido: andare a un omicidio con la scritta "Pasticceria Maccarone, specialità cannoli" sulla fiancata! Arrivai che quello era già in strada. Inchiodai, la macchina andò a sbattere contro il marciapiede, aprii la portiera e mi buttai fuori. Meglio: ci provai. Grasso com'ero restai incastrato. Fu un attimo. Mentre mi divincolavo, terrorizzato dalla figuraccia che stavo facendo più ancora che dal resto, quello si girò, mi guardò e capì tutto. Fu lì che capii anch'io. Fu come un embolo. Un embolo che mi passò per le vene e mi saettò nel cervello: un assassino. Stavo diventando un assassino. Non tornai neppure a casa. Andai dritto da don Salvo, il prete. Ci parlai un'ora. La sera stessa ero in treno, diretto a un convento di amici suoi dalle parti di Isernia.»

«Che anno era?»

«Estate del '52. In treno c'era uno che cantava *Vola colomba*. Lo Stretto era agitato. L'ultima cosa che ricordo della Sicilia era un ragazzino zoppo, all'imbarco di Messina, che vendeva spiedini di fichi secchi e bicchieri di granita. Non ci sono tornato più, al paese.»

«Mai?»

«Mai.»

Restarono così, a guardare l'uno il bicchiere dell'altro. Muti. Che senso c'era, a ricordare il resto? Sapevano tutti e due com'era andata.

Cienzu 'u Frac contro Gano di Maganza

Era una sera di maggio del 1946. Una sera tiepida, da cicale.
Il Grande Teatro Lodovico, tirato su in un deposito abbandonato di arance dove ancora galleggiava un certo odore di
muffa, era pieno pieno. Le panche erano state occupate fin
dalle sette e mezzo, una cinquantina di spettatori si era portata le sedie da casa, la vendita di cartoccetti di simenza e ca-
lia, i semi di zucca e i ceci abbrustoliti, era andata a meraviglia, e così quella di gazzosa. Le donne si facevano aria coi
ventagli o certe copertine rigide di riviste, gli uomini tiravano lunghe boccate da sigarette senza filtro, il ragazzino che
stava al pianino meccanico seguiva concentratissimo ogni
battuta, il sorvegliante allungava di tanto in tanto la bacchetta per colpire i discoli delle prime file che esageravano con
gli strilli e i commenti: «Bonu!».
   Nessuno, fino a quel momento, aveva badato al vecchio
Innocenzo Antico. Né alla doppietta che s'era portato dietro. Se la portava sempre, a tracolla sul frac. Ma mai che
avesse dato fastidio a qualcuno. Era un ometto secco e rugo-
so, di poche parole, piegato da un'ernia. Lo chiamavano
Cienzu 'u Frac perché trentotto anni prima, nel 1908, so-
pravvissuto al terremoto che lo aveva colto in una contrada
dalle parti di Messina, aveva recuperato in mezzo a un carico di vecchi stracci mandato dai soccorritori un vecchio frac
da orchestrale con l'etichetta che diceva «F.lli Antonacci,
abiti di scena, p.zza Cavour, Roma» e una scritta ricamata:
«Primo Violino, Maestro Carlo Ernesto Ferrante, bn».
   Cosa volesse dire, quella sigla finale «bn», non l'aveva
mai capito. E la giacca gli stava larga. Lui l'aveva letto, però,
come un segno del destino. L'annuncio, in stoffa e colletto,

code e revers, che un giorno forse la sua sorte sarebbe cambiata. E se l'era tenuto da conto, quel vecchio frac, per tutta la vita, indossandolo con rispetto solo nei giorni buoni. Tra i quali c'era appunto la rappresentazione dell'opra dei pupi.

Tutto sapeva, dell'opra. E scrutava con occhio critico lo strabismo di Orlando giacché un Orlando senza gli occhi torti un vero Orlando non era. E venerava i grandi opranti del passato come don Gaetano Greco o Ciccio Puzzu, del quale suo padre si vantava di aver fatto in tempo a sentire un *Don Trabazio*. E rimpiangeva di non aver mai abitato in un paese più grande perché sapeva che c'erano teatri dove mettevano in scena il ciclo completo per 555 giorni: «Cinquecentocinquantacinqueggionni!».

Senza mai aver saputo leggere, poteva da un dettaglio riconoscere una per una le opere annunciate nei cartelloni a riquadri: *Morte di Guidon Selvaggio, Ricciardetto uccide un fauno e libera una bella donzella, Rinaldino l'emulo di Guidosanto*. Sapeva come cominciavano, sapeva come finivano e sapeva seguire perfino con la bocca, parola per parola, certi momenti epici come la morte di Grandonio: «Cadde Grandonio / ed or pensar vi lasso / alla caduta qual fu quel fraccasso. / Levosse un grido tanto smisurato, / che par che 'l mondo avampi e il ciel ruini».

Lui pure s'avvampava, in quei momenti. E sudava, sudava, sudava… L'odiava, il perfido Grandonio. E odiava la spocchia, l'opulenza e l'avarizia di Carlomagno che come tutti i padroni non dava niente a nessuno e perciò era «Carrumagnu cu lu pugnu chiusu». E il tartaro Agricane. E Solimano di Nicea, che aveva ucciso i valorosi Geldippe e Odoardo. Ma su tutti odiava lui, Gano di Maganza, il marito in seconde nozze della bella Berta, l'infame e fetuso patrigno traditore di Roncisvalle.

Poteva parlarne per ore e ore. Lo chiamava, schifato, «'a favazzana» accostandolo a quell'insetto nero che divora la fava. Lo sputava in faccia agli infidi: «Pegghiu di Gano, sei!». Approvava compiaciuto il fatto che certi spettatori, accecati dall'odio, avevano scaraventato addosso al pupo torsi di mela e sassi e uova marce, e una volta, nella zona di Cefalù, un carrettiere che aveva fatto i soldi si era tolto il lusso di comprare all'oprante la marionetta e se n'era salito con quella su per i Nebrodi, dove l'aveva appesa per il collo a una quercia e impiombata rinfacciandole uno per uno tutti quelli che aveva tradito: «Chistu pi Ollannu! Chistu pi Rinardu! Chistu pi...».

Lui pure se l'era sognato mille volte, di scaricare così il suo odio su Gano. Il simbolo del potere pronto a ogni compromesso, della slealtà, del tradimento. Della specie invisa del ricco sfondato che non si accontenta. Di quelli che hanno un sacco di terra e corrono come pazzi con le macchine da corsa spaventando le galline dei poveri cristi. Come avevano fatto poche settimane prima i fratelli Marzotto al Giro di Sicilia guadagnandosi quelle righe di cronaca sul giornale che il cavalier Liborio Musumeci aveva letto dal barbiere: «Avanzavano a ritmo incendiario gli inseguitori e uno ad uno rosicchiavano al fuggente Taruffi i secondi e i minuti di ritardo...». Pure il titolone, si ricordava: *Nell'11° Giro di Sicilia superati i 100 all'ora.* Cento all'ora!

Saltò su di colpo, senza pensarci, al terzo tiluni, cioè al terzo atto. «Che le tue carni possano essere distrutte dalla lebbra!» aveva tuonato Orlando. Puntò il fucile mentre la bambina che aveva davanti addentava un croccante. Il brigadiere e l'appuntato, che si tenevano un po' discosti per controllare che non saltasse fuori il pupo Perdomani a propagandare certe recite eversive tipo *Vita e vendetta del brigante Giuseppe Musolino* o *I mafiusi della Vicaria*, non fecero nemmeno in tempo a portare la mano alla fondina. Sparò. La prima scarica portò via al pupo l'orecchio destro, la seconda gli fece scoppiare la testa.

Il ragazzo del pianino si rovesciò sulla sedia, gli aiutanti mollarono le marionette che si accasciarono in un fragor di metalli, i carabinieri si voltarono di scatto. «Ma che minchia succede?» urlò l'oprante venendo fuori dal suo angolo dietro il fondale. Un attimo e Cienzu se li trovò tutti addosso: «Piano! Piano! Il frac!».

«'Sa l'è 'sta storia? 'sa l'è 'sta storia?» lo tempestava il brigadiere Mariano Martegani, che veniva da Cairate e pur essendo in Sicilia ormai da oltre otto mesi non riusciva a capacitarsi di cosa fosse successo.

«Lo dovevo fare, brigadiere. Lo dovevo fare.»

«Lo dovevi cosa?»

«Gano. Gli dovevo sparare.»

«A una marionetta? Mettendo in pericolo quelli che lavoravano dietro?»

«Dovevo.»

«Terrorizzando i bambini?»

«Voi non potete capire.»

«Cosa c'è da capire?»

«Non potete capire.»

*   *   *

In caserma, sulla parete davanti alla panca della saletta d'aspetto, c'era un vecchio manifesto con la «Nuova composizione dell'improvvisatore Decimo Baldi». Tutte le caserme d'Italia erano tappezzate di manifesti così. «Truce delitto d'una barbara madre che taglia le braccia e le gambe a suo figlio e poi lo brucia nel caldaio.» Come gli cadde l'occhio sul titolo, Placido Aliquò si alzò dalla panca, si avvicinò, tirò fuori gli occhiali e cominciò a leggere: «Popol se ascolti mie parol leggiadre / Ti parlerò di una barbara madre / Col cuore peggio di tigre o di una jena…».

«Minchia! "Parole leggiadre", dice. Cose di pazzi!» Si girò verso il piantone: «Storia vera è?».

«Vera» rispose l'altro distrattamente, girando appena la testa. Era un ragazzo sui vent'anni, grassoccio, la sfumatura dei capelli alta, l'accento veneto. Aggiunse, per non sembrare sgarbato: «Disse che il piccolo piangeva. Piangeva sempre. E lei non lo sopportava».

«E gli mangiò il cuore?»

«Così c'è scritto…»

«Cose di pazzi…»

L'oprante seguì raccapricciato le strofe ispirate a un fatto di cronaca. Pensò a quante volte gli era parso di esagerare, raccontando certe storie di crudeltà e follia coi pupi. La realtà poteva essere peggiore. «Dopo mangiato scrive un bigliettino / Dicea: Marito mio, questo è il motivo / per desinare mangerai Gigino. / Ché io l'uccisi perché fu cattivo / e così scritto non volle trandugiar / subito alla giustizia si andiede a consegnar. / Torna il marito e resta stupefatto / vide i carabinieri i quali han detto / "Guardate vostra moglie cosa ha fatto". / E quindi gli presentano il biglietto. / Mentre lo legge e vede il figlio là / cadde svenuto in terra senza poter parlar.»

«Cose di pazzi» tornò a fiatare il puparo. «Perché tenete appesa questa roba?»

«Boh... È lì da anni. Tutti quelli che aspettano il loro turno, come lei, se la leggono. Gli analfabeti guardano le figure...»

«Educativo...»

«Non è che la realtà di oggi sia poi così diversa» rispose il piantone.

Il vecchio Placido, tornato a sedersi, afferrò un settimanale buttato sul tavolo che aveva nella controcopertina la pubblicità del «latte condensato Berna». La più stupida di tutte: «Perché attendere il lattaio? Suona la campanella, aprite la porta, ecco la mucca Berna! Se di notte desiderate una tazza di latte non dovete aspettare il mattino finché giunga il lattaio... La mucca Berna sarà sempre pronta per voi!».

Si voltò verso il piantone: «Ma lei questo latte se lo beve?».

«Boh...»

«L'ha provato?»

«Sinceramente no.»

«Io sì. Cattivo non è. Ma ti lascia una bocca...»

«Aliquò!» urlò il brigadiere sporgendosi con la testa in corridoio. Placido sobbalzò. Posò il giornale sulla panca come se scottasse. Tirò un respiro profondo: «Eccomi».

* * *

«Cognome e nome?» chiese il brigadiere.

«Aliquò Placido, di Felice, nato a Paternò li 15 febbraio...»

«"Il" 15 febbraio.»

«Sulle carte ho sempre letto "li".»

«Sbagliano: "il" 15 febbraio...»

«1886.»

«Professione teatrante?»

«Non ci si mangia coi pupi, brigadiere. Faccio il tappezziere. E il falegname. Il teatro solo la sera. Con mia moglie alla cassa, due amici e il ragazzo più grande a muovere le marionette per una mancia, il più piccolo al pianino.»

Era un tipo magro, alto, pallido, aveva i capelli bianchi squadrati, gli zigomi alti, un molare d'oro che luccicava appena rideva o intonava certi passaggi delle sue opere: «Ah lasso! io non potrei (seco dicea) / sentir per mia cagion perir costei».

Figlio di opranti e nipote di opranti, spiegò che viveva con la moglie Agata e i figli in una vecchia casa, comprata al ritorno da dieci anni di lavoro in Argentina, dietro il cimitero di Randazzo, dove teneva pure il laboratorio. Aveva imparato a leggere sui quattro volumi della *Storia dei paladini di Francia cominciando da Milone conte d'Anglante fino alla morte di Rinaldo*, l'opera somma di Giusto Lo Dico, e raccontò che su quelli aveva insegnato a leggere e scrivere ai due figli: «Osto e Ludovico. Osto è maestro. Non è ancora riuscito ad avere un posto ma ha studiato da maestro».

«Proprio Osto si chiama? Che razza di nome è?»

«Ariosto, si chiamerebbe. Ma tutti lo chiamano Osto perché Ariosto pesa troppo, come nome. Mia moglie dice ridendo che pesa più di un pupo catanese.»

«Eh?»

«Pure sedici chili può pesare, un pupo catanese. Ci si suda, brigadiere. Ci si suda.»

«Ariosto...»

«E Ludovico il fratello. L'Ariosto per me è una passione.»

«Il militare l'hanno fatto?»

«No.»

«Perché?»

«Il piccolo perché non è ancora la sua ora. Lei l'ha visto: è il ragazzo che stava al pianino. Il grande la naja l'ha saltata, invece, perché si ruppe una gamba tre giorni prima di partire per la Russia e...»

«Guarda che coincidenza.»

«Lei ci offende» si irrigidì Placido.

«Ah sì?» chiese sferzante il brigadiere.

«Se la ruppe cercando di bloccare un carretto che stava per travolgere un gruppo di bambini. Una pazzia, fu. E il brigadiere che stava prima di lei questo scrisse, nel rapporto che ricordo parola per parola: "Trattòssi di un gesto di encomiabile pazzia dell'Aliquò che con sprezzo del pericolo...".»

«Scusi...»

«E siccome gliela aggiustarono pure male, la gamba, si perse pure la leva successiva e quella dopo ancora. Finché, tornato il suo momento che ancora zoppicava, le sue carte andarono a fuoco nell'incendio del distretto di Catania.»

«Quello appiccato dai delinquenti di Antonio Canepa nel dicembre del '44?»

«"Delinquenti" non è la parola giusta, brigadiere. Canepa un professore comunista era. E i ragazzi che gli andavano dietro non accettavano la ricostituzione, in quel modo, del regio esercito sotto i Savoia. Come se non ci fosse stato l'8 settembre. Io pure sarei stato con loro, se l'avessi saputo. Un delinquente, sono?»

«Lasciamo stare. Era la prima volta?»

«Cosa?»

«Che sparavano ai suoi pupi.»

«Certo. So che era successo ad altri, raramente. A noi mai.»

«La facciamo questa denuncia?»

«Contro chi?»

«Innocenzo Antico, ovvio.»

«No.»

«No?»

«No.»

«Ma il danno è serio?»

«Abbastanza.»

«E allora?»

«Lo odiano, Gano. La povera gente che segue i pupi lo

odia. E vorrebbe essere al posto di Peppeninu e degli altri popolani che alla fine squartano l'infame. Perché sono loro, i popolani e non i cavalieri, che lo squartano.»

«Sta dicendo che anche lei...»

«Per me è diverso. In qualche modo sono tutti figli miei. Anche i diavoli e i draghi e la maga Alcina che per punire Angelica che ha respinto troppi spasimanti la costringe a innamorarsi follemente di tutti i cavalieri che le capitano intorno. Tutti figli sono. Gano compreso. Certo, Orlando e Rinaldo sono speciali... Sa cosa si dice, tra di noi?»

«Cosa?»

«Che "Ollannu e Rinardu sunnu chiddi ca fannu calari a pasta". Quelli che fanno buttare la pasta, che danno da mangiare. Ma io li amo tutti. Cento sono i pupi, una la voce: la mia. Per la gente semplice che viene sera dopo sera, però, è diverso. Qui ci sono i buoni, lì i cattivi. Di qua c'è il bene, di là c'è il male. E più seguono una storia, giorno dopo giorno, più cresce l'astio. Sa cosa scrisse lo storico Giuseppe Pitré a proposito di quelle serate grandi e tremende in cui si rappresenta la morte dei paladini?»

«Continui.»

«Scrisse che "all'apparire dell'Angelo a Rinaldo, al benedir che fa Turpino il conte Orlando, tutti si scoprono il capo come la sera del Venerdì Santo rappresentandosi il Mortorio di Cristo". Anzi, il mortorio di Cristo e la morte dei paladini incendiano le stesse passioni. E raccontò di aver sentito un operaio, che pure aveva visto e rivisto la rappresentazione, soffrirne come gli avessero conficcato il coltello nella carne sua: "Io chi cci pozzu fari, quantu voti aju 'ntisu arizzari li carni!".»

«Mica ho capito.»

«Il senso è: "Che ci posso fare? Per quante volte lo veda mi sento accapponare sempre la pelle!".»

«Robe da matti.»

«Il bene, il male. La vita.»

«Costava molto? Voglio dire, il pupo impiombato.»

«Abbastanza.»

«Antico dice che non li ha, i soldi. Sa quanto guadagna?»

«Me lo posso immaginare: seicento lire a giornata?»

«Cinquecentotrenta. Non ci compri tre etti di salame, con cinquecentotrenta lire... E a lavorare nei campi non li prende neanche tutti i giorni.»

«Lo so.»

«Che faccio?»

«Archivi.»

«E le rappresentazioni?»

«Mi arrangerò.»

Don Bastiano non si squaglia

Al cinema davano una pellicola dal titolo impossibile: *Jolanda e il re del samba*. Osto pagò il biglietto, entrò mentre partiva la sigla del cinegiornale, cercò tra le file un posto libero dove non brillassero nel buio troppe sigarette. Non lo sopportava, il fumo. Come non sopportava la «Piccola posta» della «Settimana Incom» a partire dalla presentatrice, Vivi Gioi, una bella donna dalla voce squillante e dai capelli vaporosi: «Caro pubblico, noi oggi viviamo in un'epoca che è tutta una domanda, senza una risposta. Un enorme punto interrogativo. Sono sicura che ognuno di voi, ogni giorno, si pone mille domande, a cui nessuno sa rispondere...».

«Lo sapevo: era meglio quando c'era il Duce!» si agitò nervoso il ragazzo, trovando la seggiola improvvisamente scomoda. «Allora sì, c'erano tutte le risposte. Allora sì!» Manco l'avesse sentito, la soave signorina sullo schermo lo sfidò: «Per esempio, se qualcuno ci chiedesse se a Roma c'è ancora da epurare, gli diremmo di sì, allo zoo. Dove c'è uno scimpanzé che, non leggendo i giornali, si esprime in un saluto piuttosto superato». E sullo schermo, improvviso, ecco uno scimmione che teneva la zampa destra levata come facesse, povera bestia, il saluto romano.

«Camerata Gegè! La smettiamo con queste idiozie, ah?» sbuffò Osto ad alta voce, mentre in sala partivano un paio di fischi. Il camerata scimpanzé! L'ultimo pelosissimo balilla! Lo sapeva lui, quanti fascisti avevano voltato la gabbana senza pagar pegno... E quanti compaesani erano lì a ridere, oggi, dopo aver bruciato furtivamente nella stufa la camicia nera... Non era passato neppure un anno, dalla fine della guerra, e già pareva che d'incanto nessuno fosse mai stato. . Basta. Meglio il film. Anche se, era rassegnato, sarebbe stato probabilmente una minchiata col botto.

Il padrone del «Magiestic» Gesualdo Gegè Talarico (al quale i cugini americani tornati in visita dal «Niuggersei» avevano inutilmente spiegato mille volte che doveva sostituire la «g» con la «j» finché lui si era scocciato e aveva tolto le lettere luminose contestate lasciando un buco in mezzo: «Ma» da una parte, «iestic» dall'altra) solo quel tipo di film prendeva: «Quelli che mi ispirano a principiare dal titolo». Ora noleggiava *L'amabile furfante*, ora *Baciami e lo saprai*, ora *Il cadetto di Guascogna*. E sul manifesto, quando il manifesto c'era, appiccicava il riassunto della trama che lui stesso aveva composto a seconda dell'ispirazione. Riassunti da incorniciare. Quello di *Jolanda e il re del samba* era: «Un angelo custode fasullo finge d'aiutare la vezzosa ma ingenua Jolanda a intascare una immensa eredità. Ahi, ahi... Emmenomale che c'è l'angelo vero! Avventura, pericoli, passione. Come finirà?».

Non è che a Osto piacessero molto, quei film. E gli capitava di venire al cinema, il più delle volte, solo per passare il tempo. I riassunti di Talarico, però, lo mettevano di buon umore. Una volta, a *La vita intima di Marcantonio e Cleopatra* aveva appiccicato la trama: «Pellicola cinemascope. Marcantonio, giovane assistente al servizio di un professore di scienze occulte, mediante ipnosi viene proiettato nell'antichissimo Egitto ove diventa l'amante della gustosa Cleopatra. Avventuroso, passionale, piccante! Come finirà?». L'aveva pure canzonato, quella volta, il Talarico: «Don Gegè: ma come vi passò per la testa di definire Cleopatra gustosa? Gustosa!». L'altro se l'era presa: «Al signorino maestro non ci piace la lingua popolare?».

Maestro, come aveva spiegato il padre ai carabinieri, Osto lo era davvero. Ma non erano tempi buoni, per i maestri. Aveva letto da qualche parte che c'erano scuole dove nella stessa aula stavano attaccati uno all'altro, talvolta in due per banco, fino a settantatré scolari di classi diverse, dalla prima alla quinta. «Settantatré!» sospirava: come fai a tenere settantatré bambini? Di cattedre, però, manco a parlarne. Solo una supplenza ogni tanto, in contrade lontane dove era faticosissimo arrivare e a volte ancora più faticoso trovare una stanza a pensione. Certo, a seguire fin da piccolo l'opra, aveva imparato che ogni storia ha il suo tempo. E che a volte i tempi possono essere lunghi e bisogna sapere aspettare. Restare lì sospeso, senza una classe «sua», alle prese con vuote giornate d'ozio che non finivano mai, col diploma attaccato al muro della cucina, gli dava però un alito di costante sofferenza.

Magro, lungo un po' meno del padre, gli stessi zigomi alti, gli occhi neri e vivissimi, una piccola cicatrice infantile all'angolo sinistro della bocca che ne accentuava l'espressione ironica, spalle strette, mani grandi, era stato tirato su nella convinzione che la vita, il mondo, gli uomini fossero ordinati come il vecchio Placido ordinava i pupi dietro il fondale: da una parte i buoni, dall'altra i cattivi. Di qua il bene, di là il male. Di qua l'onestà, di là il tradimento.

Non bastasse, a forza di far combattere i paladini contro i malvagi, i prepotenti, i signori, i padroni, l'oprante era stato preso a un certo punto dal fuoco della politica e da un incendiario trasporto per il comunismo, Stalin, l'Unione Sovietica. Trasporto che non solo aveva trasmesso al figlio citandogli impareggiabili proverbi russi appresi in sezione («oggi il desco è sempre vario / col frumento proletario») ma che aveva travasato pure nell'opra al punto di tentare una sera lo spericolato inserimento, tra Agolaccio e Almonte, di un pupo vendicatore delle plebi oppresse coi baffoni del compagno Josif Visarionovič. Esperimento subito abbandonato avendo il pubblico confuso i mustacchi del Grande Padre georgiano con quelli del moro Balain.

Non era facile per Osto restare lì, ostaggio del paese. E la sofferenza si acuiva quando, tra le nuvole di fumo che galleggiavano sopra le coppole degli spettatori al Magiestic, appariva sullo schermo il resto del mondo.

Come stavolta, che parlavano del «nuovo gigante dell'aria», il *Constellation*: «La prima volta che Lindbergh fece il salto da New York a Parigi lo chiamarono "il pazzo volante", ma a nessuno verrebbe in mente ora di dare del pazzo all'equipaggio del *Constellation* che ha compiuto lo stesso tragitto a velocità notevolmente moltiplicata. In tema di partire, il mondo ha fatto progressi. La graziosa signorina avverte i suoi passeggeri newyorkesi che il *Constellation* si accinge a familiarizzare coi cieli di Roma».

Il silenzio, in sala, era adesso assoluto. Nessuno osava aprire tra i denti i semi di zucca. Persino i fumatori più accaniti, i cui accessi di tosse scandivano i tempi di ogni proiezione, si trattenevano per non spezzare quel momento magico di sogno collettivo.

«Argenteo, flemmatico e panciuto come un dirigibile, questo apparecchio si beve le alte quote con un'aria dormigliona» declamava la voce fuori campo che solo pochi anni prima cantava con lo stesso tono Sua Eccellenza Benito Mussolini a cavallo a villa Torlonia, «eppure si permette il lusso di una velocità di circa seicento chilometri all'ora. In quindici ore attraversa l'Atlantico. Praticamente si può prendere il caffellatte a New York e la sera bere il Frascati a Trastevere. Porta da un continente all'altro centottanta persone con la stessa facilità con cui Carnera si porterebbe sulle spalle un neonato. Gli occhi dei suoi oblò che hanno visto...»

La Merica non era mai sembrata così vicina. Quando attaccò il film con Fred Astaire, la gente del Magiestic si sentiva già mezza broccolina.

* * *

«Agata, prova un po' a smacchiarla...» disse Placido passando alla moglie un fagotto.

«Cos'è?»

«La vedi, la testa del Gano vecchio.»

«Quella che ci tirarono addosso le uova l'anno scorso?»

«Quella.»

«L'uovo non si smacchia. Non so se era solo marcio o se ci avessero messo dentro qualcosa. Ma te lo dissi già allora, non va via.»

«Provaci.»

«Non va via.»

«E tu provaci. Non ne ho altre. E stasera Gano ci deve stare...»

Non era donna da discutere, Agata. Placido era un brav'uomo che forse se ne stava a volte un po' sulle sue e qualche volta la assediava con certe sue fisse ma, grazie a Dio, era diverso dai mariti padroni. Vero, lei pure era stata maritata quando aveva diciott'anni (i suoi erano convinti che «fimmina a diciutt'anni o la mariti o la scanni») senza quasi conoscere lo sposo. Ma non aveva mai dovuto lagnarsene.

Piccolina, rotondetta, i capelli crespi, due sopracciglia marcate e una sfumatura di peluria sotto le orecchie, dita lunghe e unghie curate, aiutava Placido alla cassa del teatrino e, da quando aveva cominciato a coricarsi mettendo sotto il cuscino una fava con la buccia, una sbucciata e una pizzicata, aveva una sola fissa: il destino. Per dirla meglio: la convinzione che il suo destino fosse segnato da una maledizione addensatasi su tutta la sua famiglia, di padre in figlio e di madre in figlia, per generazioni, dalle scabrose vicende di una nonna finita con grande scandalo nella Colonia Cecilia, una comunità anarchica brasiliana della quale evitava accuratamente di dire una sola parola ma che tirava in ballo ogni volta che qualcosa andava storto. Faceva dunque la guardia al destino ricorrendo a tutto ciò che le offriva il mercato: amuleti, santini, intrugli, piccoli riti propiziatori, maghi, preti, messe e fattucchiere con una speciale devozione per santa Zita, patrona delle serve, mestiere che aveva fatto in gioventù prima del matrimonio, quando ancora viveva in Calabria.

Si accomodò su una sedia accanto al lavello, prese uno straccio, lo impregnò di sapone, tirò fuori una bottiglia di acquaragia, ne versò sul tampone, si posò la testa del pupo in grembo e cominciò delicatamente a strofinare. Un attimo. Solo un attimo e lasciò perdere. Sarà stata l'ammoniaca o il detersivo, fatto è che sulla fronte del pupo, adesso, proprio sopra l'occhio destro, spiccava una macchia ancora più vistosa. Una specie di voglia che aveva la forma di una grande goccia scura e ricordava vagamente la Corsica.

Si alzò, raggiunse il marito, gli allungò la testa: «Un disastro…». Placido afferrò la testa in legno d'olmo, se la girò tra le mani, si grattò l'orecchio. Annuì: «Un disastro…». Raccolse il Gano decapitato che aveva adagiato lì accanto e al quale aveva sistemato la M a sbalzo sullo scudo di alpacca scheggiato da Cienzu, controllò che i cilindri di stoffa delle braccia fossero in ordine, agganciò la testa al busto. Finito il lavoro, guardò la marionetta perplesso. C'era qualcosa… Ma cosa?

* * *

La sera sembrò filare tutto bene. Buono l'incasso, composti i bambini, gentili i carabinieri che discretamente si erano piazzati fuori dal cono di luce a controllare che Cienzu 'u Frac, che per intercessione dello stesso oprante era stato ammesso al Grande Teatro Lodovico, non perdesse di nuovo il controllo. Era in forma, Placido, quella sera. Picchiava il piede sul tavolaccio per battere il tempo dei duelli e faceva rullare il tamburo e soffiava nella brogna, la tromba tronca a conchiglia, con tutto il fiato che aveva, e dava voce a questo e a quello prendendosi lo sfizio di recitare senza sbagliare una sillaba ottave su ottave dell'*Orlando furioso* mandato a memoria: «Sento venir per allegrezza un tuono / che fremer l'aria e rimbombar fa l'onde: / odo di squille, odo di trombe un suono / che l'alto popular grido confonde…».

Fu quando entrò Gano che qualcosa si ruppe. Non un grido si levò, né un'invettiva. Chi non avesse conosciuto uno per uno i presenti, dai bambini più piccoli ai vecchi seduti sulle seggiole col mento posato sul bastone, non si sarebbe accorto di nulla. Bastò che il lattoniere, il quale dalle file di sinistra non stava zitto un attimo coi commenti, ammutolisse. Bastò quello perché un misto di stupore e paura contagiasse uno dopo l'altro i presenti. L'arrotino, che non si era mai perso una serata, si alzò e si avviò lento all'uscita. Dopo di lui si levò lo stagnino, che se ne andò calcandosi il berretto in testa, e dopo ancora l'intera famiglia del ragioniere Buscemi e uno dopo l'altro se ne andarono tutti meno i carabinieri che si guardavano tra loro senza capire niente. E mentre il suo mondo andava in pezzi e moglie e figli lo interrogavano con gli occhi, Placido agguantò la marionetta, la guardò in piena luce e capì: aveva sulla fronte la stessa voglia di don Bastiano Ficarotta.

Don Bastiano! Ecco cosa gli doveva ricordare, maledetta macchia! Don Bastiano! Schiantato dalla scoperta, mentre tutta la famiglia gli si accalcava intorno, si accasciò su una panca. Le mani nei capelli. Le spalle scosse da improvvisi fremiti nervosi.

«Allora?» chiese Osto.

«È finita.»

«Non glielo puoi spiegare?»

«A chi?»

«A don Bastiano.»

«Spiegarlo a don Bastiano?»

«Sì.»

«No.»

* * *

Quindici anni dopo, davanti alla bottiglia di spuma posata sul tavolo, fissando dritto negli occhi l'uomo che gli si era improvvisamente materializzato sulla porta del condominio con la tonaca marrone del frate, Osto avrebbe finalmente sputato: «Tu lo sapevi, Santino, che si era trattato solo di un caso, vero? Lo sapevate tutti che non c'era stata la minima malizia, nello scambio delle teste, no? Me lo sono chiesto per tutto questo tempo e mi sono risposto: sì, lo sapevano. È giusto?».

«Sì, lo sapevamo.»

«Pure don Bastiano lo sapeva.»

«Sì, lo sapeva. Se lo sapevo io, spriparatu com'ero, lo sapevano tutti.»

«Tutto il paese lo sapeva.»

«Tutto.»

«E allora perché?»

«Perché?»

«Sì: perché?»

«Don Bastiano quella sera era dubbioso. Si massaggiò più volte la voglia sulla fronte prima di decidere. Sapeva degli spari di Cienzu e pure del lavaggio tentato da tua madre con l'acquaragia. Diffidava di tuo padre Placido come diffidava di tutti i comunisti, ma lo sapeva che certamente non c'era stata malizia.»

«Però…»

«Però non poteva permettersi che il paese pensasse che lui, saputa la cosa, non avesse reagito. O che girasse la voce che "don Bastiano si sta squagliando". Ti dirò di più: per una volta, mi sembrò decidere controvoglia. Come se in fondo gli dispiacesse.»

«E perché scelse te?»

«Era un lavoretto facile. E voleva che tutti sapessero ero stato io per ordine suo.»

«Vai avanti.»

«Cosa cambia? Sapere, non sapere…»

«Va' avanti.»

«Due ore dopo, ero lì in teatro con le taniche. Faceva un caldo impressionante. Inzuppai i drappi, il pianino, le panche, il tavolato e le marionette, da Beltramo ad Astolfo, da Gandellino a Cladinoro. Quando scovai Gano, gli rovesciai addosso tutta la benzina che mi era rimasta. Uscii, accesi un fiammifero e lo buttai dentro.»

La fiammata scivolò rapida sul pavimento, si allargò a ventaglio alle panche, attaccò i drappi del sipario e si avventò sul boccascena divorando per primi i quaderni dove Placido aveva segnato i canovacci, atto per atto, delle «sue» storie, poi le dame dalle vesti cucite da Agata, poi Buovo d'Antona e i paladini e per ultimi l'uomo-bestia Pulicane e i draghi e l'ippogrifo e tutti gli altri animali strani che erano fatti solo di legno d'olmo, di noce e di ciliegio.

«Lo sai, Santino? Quando arrivai feci in tempo a individuarti di spalle che giravi l'angolo.»

«Volevo vedere il fuoco. Scimunitu ero.»

«Per il teatrino non c'era più niente da fare. Ogni tanto, con un fischio e uno schianto, cedeva un pezzo della struttura. Il pianino meccanico, chissà come successe, fece tre note. Tre note e si zittì. Ti videro tutti, mentre ti allontanavi. Tutti.»

«Lo immaginavo.»

«E tutti finsero di non averti riconosciuto.»

«Dio mi perdoni… Io…»

«Ancora un po' di spuma?»

«No, grazie.»

«Fu l'ultima volta che nostro padre parlò, sai? L'ultima prima di uscire di senno. Di chiudersi per sempre in un silenzio che non siamo più riusciti a spezzare. Quindici anni di silenzio totale.»

«È ancora vivo?»

«Sta in un cronicario a Taormina, dove abbiamo dovuto lasciarlo per tentare di salvare almeno nostra madre, che mi sono portato su a Torino, prima che impazzisse lei pure. È spento. Non ci riconosce più. Un vegetale. Io vivo qui, dopo essere passato per la baraccopoli delle Casermette. Mio fratello Ludovico se n'è andato ad Adelaide, in Australia. Ogni tanto scrive. Raramente.»

«Dio mio, Dio mio…»

«Quella notte io e lui ci precipitammo nella camera dei miei gridando: "Papà, papà: il teatro! Va a fuoco il teatro!". Mamma si levò dal letto spaventatissima, cominciò a cercare qualcosa da mettersi addosso e a strillare: "È la maledizione di Colonia Cecilia! La maledizione di Colonia Cecilia!". Eravamo disperati. Urlavamo: "Brucia! Brucia! Brucia!". Lui non reagì neppure agli strattoni. "Bruci" rispose con la bocca impastata. E si girò dall'altra parte.»

Eva un maschio! Eva! Come si potevano dire delle scemenze come quelle? «La vogliamo spegnere questa luce sì o no?» lo scosse con tono ultimativo, strappandolo ai suoi pensieri, il prepotente che stava accanto al finestrino e che già aveva comunicato a tutto lo scompartimento quanto, essendo lui contabile al Poligrafico dello Stato «con un ruolo di altissima responsabilità», non sopportasse chi seminava i sedili di briciole, chi stappava i fiaschi per bere direttamente dal collo, chi teneva due bambini sulle ginocchia invadendo gli spazi degli altri viaggiatori, chi tagliava la soppressata, chi accendeva un'Alfa dietro l'altra, chi leggeva sospirando fotoromanzi e insomma un po' tutta l'umanità che, in quella gelida notte di ottobre, sudava e sbuffava e si faceva aria con le riviste nell'afa opprimente di quel treno che sferragliava verso il Nord col riscaldamento sparato al massimo «che neanche a luglio nelle Murge! Neanche a luglio nelle Murge!».

Osto si alzò, portò la mano all'interruttore sopra la porta, chiese a tutti gli altri passeggeri «spengo?» per sottolineare che non obbediva alle bizze del villano con altissima responsabilità, e uscì in corridoio, aprendo l'unico dei seggiolini laterali rimasto libero. Cercò nel buio della notte un segno che gli dicesse dove stavano. La risposta arrivò dai cartelli di una stazione che proprio allora sfilarono dietro i finestrini. Orvieto. Ricordò l'immagine del Duomo vista sui libri. Quelle strisce di marmo verde e bianco orizzontali. Un giorno o l'altro, pensò, doveva venire anche qui.

La cosa che più lo turbava, in quella notte di viaggio verso il Nord, un viaggio senza ritorno che marcava come un ta-

glio di cesoia il rifiuto rabbioso per quella sua isola che ama-
va e odiava come si può amare e odiare solo una donna di
sorridente crudeltà, era proprio quel passaggio senza tappe
dalle ginestre al carpino, dal cannolo al clinto, dal marzapa-
ne alla polenta. Aveva visto dal finestrino Reggio di Calabria
e Salerno e Napoli, e a Roma era riuscito appena a scendere
due minuti per bere alla fontanella sui binari e ogni volta
aveva giurato che lì, un giorno o l'altro, smaltito il rancore
per il suo paese e la Sicilia e tutto il Mezzogiorno, sarebbe
dovuto tornare. Non che si facesse illusioni, sull'Alta Italia.
Però...

«Tu conosci l'Alta Italia?» lo fece sobbalzare, come se
avesse intercettato i suoi pensieri, il ragazzo del seggiolino
accanto, un giovanotto sui vent'anni con la faccia coperta da
efelidi e un ciuffo a banana.

«Dai giornali» rispose Osto.

«Coi primi soldi mi ci voglio comprare una Lambretta.
Gialla. E poi una Topolino rossa. E una cucina di formica
per mia madre.»

«Tutto programmato, eh?» sorrise il maestro.

«Ho un cugino a Moncalieri. Fa l'operaio. Il giorno che
l'hanno preso alla Fiat dice che si è presentato due ore prima del turno, in giacca e cravatta, per paura di non sentire la
sveglia. Giù al paese lo pigliavamo in giro, leggendo le sue
lettere. Ma la cucina di formica ce l'ha. Verde pallido. Ha
mandato a sua madre perfino una foto. Dice che non solo ha
l'acqua in casa ma può lasciare il rubinetto aperto pure tutta
la notte e l'acqua non smette mai di uscire.» Si fermò e riprese: «Tu ci credi che l'acqua non smette mai di uscire?».

«Sicuro. Ne hanno tanta, al Nord.»

«A me mancheranno i fichi.»

«Ci sono anche in Alta Italia. Forse maturano dopo, ma
ci sono.»

«E i vastuni di san Giuseppe.»

«Quelli no, quelli non ci sono.»

«E le donne?»

«Le donne cosa?»

«Libere sono?»

«In che senso?»

«"Quel" senso.»

«Non lo so...»

«Mi sono fatto dei pensieri... Mio cugino a Moncalieri dice che su in Alta Italia è tutta un'altra cosa. Dice che portano le camicette di seta con una scollatura di tre bottoni. E chi le ha mai viste con le camicette di seta con tre bottoni aperti? Dice che alcune vanno al cinema da sole. Vero è che vanno al cinema da sole?»

«Non lo so, può essere...»

«Dici che basterà la Lambretta?»

«Per fare cosa?»

«Per fare colpo.»

«Dove?»

«Sui fimmini.»

«Ce l'hai proprio qui, eh?» rise Osto portandosi l'indice alla tempia: «Solo questo hai in testa! Solo questo...».

«Sucari vavaluci e vasari fimmini, mai sazianu, dicono al paese mio. Hai capito?»

«Succhiare lumachine e baciare donne non saziano mai: sono siciliano anch'io.»

«Sai com'è, da quando Adamo ed Eva...» ammiccò il ragazzo.

«Eva! Eva! Eva! E se fosse stata un masculo?» rispose ironico il maestro.

«Ma...»

«Metti che fosse masculo, punto e basta.»

«Hiiii! Puntu e bbasta, ciciri c'a pasta!»

«Hai letto "L'Europeo"?»

«Non li leggo i giornali, io» rispose quello, come fosse un punto d'onore.

«Male. C'è un articolo su uno che si fa chiamare P.a.p.a. Che poi sarebbe Pollini Amilcare Pietro Angelo. Un professore pazzo col pizzetto color ruggine e gli occhi spiritati che declama le sue minchiate sul piedistallo di un fanale davanti alla Galleria di Milano e che siccome è del lago Maggiore, o Verbano, si fa chiamare "Il P.a.p.a. del lago del Verbo". Dice che il sole di Napoli gli ha rivelato che l'anno cosmico è diviso in quattro stagioni di sei millenni l'una. La prima è l'U-ma-nità e corrisponde al periodo infantile della specie, la seconda la Bi-ma-nità che corrisponde all'adolescenza della specie nonché alla primavera o stagione della florizione, identificantesi col purgatorio. La terza è la tri-ma-nità corrispondente al periodo della maturità: estate, raccolto, paradiso terrestre. La quarta...»

«La quadru-ma-nità!»

«No, la Trinità perfetta. Ma la cosa più divertente te la leggo: "Nei tempi adamitici, prima che nascesse la U-manità, esistevano gli esseri preumani. Questi non avevano sessi differenziati, si riproducevano per ermafrodismo o per partenogenesi e allattavano i neonati, prova ne sia che ancora oggi l'uomo conserva i capezzoli".»

«Pazzo scatenato!»

«"Fra questi esseri preumani a poco a poco vennero a manifestarsi delle differenze: alcuni nacquero e crebbero più rozzi, altri più effeminati. Adamo era uno di questi preumani rozzi, Eva invece era un giovinetto effeminato." Adesso viene il bello: "Un giorno un serpente scaturì dalla terra. Questa, anzi questi, si spaventò e il suo spavento di essere morso si materializzò nel morso del serpente. Il serpente era velenoso e pur non uccidendo Eva, gli diede un'ebbrezza mai sentita prima di allora per cui egli guardò Adamo con occhio diverso...".»

«Minchia! Un puppo! Ti pare che Eva era puppo!»

«Fammi andare avanti: "E questa occhiata cambiò gl'innocenti pensieri di Adamo, il quale riguardò con altro occhio Eva. Costui fu ulteriormente trasformato dallo sguardo di Adamo, e dall'occhiata che gli rimandò Adamo trasse l'energia per sentirsi ancora più maschio".»

«Mi pare di vedere certi incontri al paese mio tra Fifì 'u lascivu, un puppo pieno di soldi, e un ragazzetto che ha vestito e calzato.»

«Senti qua: "Nel tentativo di capire ciò che stava avvenendo in loro, Adamo ed Eva cercarono la luce e la cercarono avvicinandosi al sole e salendo perciò sul melo che simboleggiava l'albero della Sapienza. Era un melo altissimo e, giunti in cima, Eva ebbe dal sole l'ispirazione di offrire un pomo ad Adamo. Adamo ne fu talmente stupito che per l'emozione perse l'equilibrio e cadde sbattendo di ramo in ramo. Fu durante la caduta che una costola rimase infilzata su un ramo. Questa costola doveva simboleggiare la differenziazione fisica dei due sessi, che seguì a poco a poco la differenziazione spirituale dopo che Eva, impietosito dal sangue di Adamo, decise di restare per sempre vicino a lui, di assisterlo e curarlo". Conclusione?»

«Appunto: conclusione?» rispose l'aspirante operaio.

«Questo P.a.p.a. la tira in un opuscolo intitolato *47, morto che parla.*»

«Non ci credo!»

«Carta canta» rise Osto sventolando la rivista: «Come ti dicevo, il pazzo (che si definisce "fattorino del superamento" e chiama la gente al suo pulpito davanti al Duomo cantando "Venite all'agile / barchetta mia"!) giura che anni fa i raggi del sole infuocato di Napoli gli spiegarono, leggo testuale, che "gli estremi si toccano e Dio e Diavolo sono perciò la stessa cosa. Il D'io ovverossia l'Io di oggi e di domani non è che il Di-avolo di ieri. Adamo non poteva perciò alimentare la sua creazione senza essere nel contempo divino e diabolico"».

«Come i fimmini! Pure loro...»

«Buonanotte! Solo le donne tieni nella tistuzza! Di dove sei?»

«Siracusa, terra amurusa, ccu cincu grani si mangia, si vivi e si campa la carusa.»

«E se con cinque soldi ci mangi, ci vivi e ci fai campare la ragazza, perché te ne vai a Torino?»

«E perché te ne vieni pure tu?»

«Non vado a Torino.»

«Milano?»

«Manco.»

«A Genova vai?»

«Polesine.»

«In Polesine? E che c'è in Polesine?»

«Acqua» chiuse Osto facendo spallucce. «Acqua e acqua.»

* * *

Quel dolore muto, ecco cosa lo colpì. Le donne piangevano in silenzio, il fazzoletto strizzato fra le dita, le spalle scosse da un fremito, i lunghi sospiri strappati. Gli uomini posavano la mano sulle loro spalle, con lo sguardo fisso nel vuoto. Il vecchio arciprete, che ancora non sapeva chiamarsi don Olimpo, benediceva i due corpi stesi sotto un lenzuolo: «Omnipotens, sanctissime, altissime et summe Deus, Pater sancte et iuste, Domine rex caeli et terrae, propter temetipsum gratias agimus tibi…». Tre ragazzi battevano i denti avvolti nelle coperte: «Era troppo tardi, quando ci siamo buttati, era troppo tardi». Aveva appena smesso di piovere. Le strade e la piazza erano piene di pozzanghere. Un uomo dal profilo affilato, che aveva l'aria di essere il personaggio più autorevole del paese, scuoteva la testa fumando un sigarino con il pollice infilato nel taschino di destra: «Ma si può morire così? Si può morire così?».

Osto era sceso dal pullman della Siamic senza che una sola occhiata, neppure una, si posasse su di lui. Aveva una giacca di fustagno con le toppe ai gomiti, un impermeabile troppo largo di tessuto artificiale, un cappello troppo stretto, le due mani impegnate a reggere una valigia e un pacco, la custodia di qualcosa che pareva essere una fisarmonica a tracolla sulla schiena. Si muoveva imbarazzato e guardingo in mezzo a quella piccola folla radunata in piazza senza avere il coraggio di aprire bocca. Ogni tanto, in quel brusio di parole venete sconosciute, ne coglieva una: «Aqua». Il viaggio in treno dalla Sicilia a Rovigo era stato interminabile. Prese infine la decisione di entrare in un'osteria svuotata dalla gente che si accalcava fuori intorno ai cadaveri.

«Foresto?» chiese l'oste, pesandolo con un'occhiata.

«Sì.»

«Li ha visti?»

«Sì.»

«Fratello e sorella.»

«Ah.»

«Quattro bambini lui, tre lei, che aveva perso il marito due anni fa. Poareti.»

«Ma cosa è successo?»

«Non sa niente?»

«No.»

«Annegati. Andando a rifornirsi d'acqua con le damigiane.»

«A rifornirsi d'acqua?»

La rivelazione lo colpì come una sassata. Com'era possibile morire per rifornirsi d'acqua lì, dove tutto era acqua, acqua, acqua? Dove il Po si allargava nel Delta e se spaziavi con gli occhi, come aveva fatto lui dalla corriera mentre stava già calando la sera, vedevi solo fiumi e canali e anse e pozze e canaletti e bacini e valli da pesca? In Sicilia sì, sapeva di gente che era morta per l'acqua. Uccisa perché aveva osato toccare le giarre o le gebbie con cui i padroni dei grandi aranceti avevano deviato le rogge per impossessarsene. Ma lì...

Gli aveva dunque spiegato, l'oste, che l'acquedotto del Delta Padano, promesso già «ai tempi di Mussolini e prima ancora di Giolitti e forse ancora da prima», era tuttora in costruzione. Che tutta l'acqua che vedeva era amara e imbevibile e faceva ammalare e per avere quella potabile la gente doveva attraversare in barca il Po di Gnocca per raggiungere il potabilizzatore in località Scoetta. E questo avevano fatto Bruno Quaresimin e sua sorella Amalia. Avevano caricato sulla loro batana una damigiana da cinquantaquattro litri ed erano partiti dalla contrada Oca per andare a fare rifornimento come facevano una volta ogni due giorni. Pioveva a dirotto, soffiava la bora, il fiume era agitato. Più che ottobre pareva quasi dicembre. Ma i bambini piangevano. Ed erano andati lo stesso.

Riempita la damigiana, l'avevano faticosamente riportata sulla barca per tornare indietro. Ma improvvisamente, forse perché investito da qualche grosso ramo portato a valle dal fiume, il batlìn si era piegato di lato, la pesante damigiana era slittata calcando l'inclinazione e in un attimo i due fratelli erano caduti in acqua. «Lui nuotava bene, era proprio bravo, vai a capire...» disse perplesso l'oste asciugando un bicchiere col canovaccio. «Forse è stata colpa dei vestiti. Con la pioggia che veniva giù e il freddo che faceva, si erano messi addosso i maglioni e il cappotto e gli stivali pesanti. Forse l'Amalia è andata sotto trascinata dal pastrano inzuppato d'acqua o è rimasta impigliata in qualcosa e il Bruno non è riuscito a tirarla fuori finché gli sono mancate le forze ed è andato sotto anche lui.»

Passò il canovaccio dentro un boccale e sospirò: «Mi vedo già il titolo del "Carlino": *Muoiono annegati per bisogno di acqua*». Ripose il boccale sulla mensola alle sue spalle, si voltò, scosse la testa sconsolato: «Caffè?».

«Sì, grazie. Caffè» rispose Osto, andando a sedersi in fondo alla sala.

«Lo zucchero c'è già» gli disse l'oste posandogli la tazzina davanti.

«È il posto pubblico, questo?»

«Deve fare una telefonata?»

«Sì.»

«Niente da fare. La centralinista, che ha settantasei anni ed è una delle più vecchie della Telve, è ricoverata. Siamo isolati.»

«Conosce qualcuno che affitta una stanza?»

«Da dove viene?»

«Sicilia.»

«Ah...»

«Un paese dietro l'Etna. Sa, il vulcano...»

«Ah...»

«Sono un maestro elementare.»

«Ah...»

Non sapeva niente, allora, del Polesine. Solo che era una delle aree più povere d'Italia. Aveva visto qualche foto. Lunghi filari di alberi. Distese di campi. Acqua. Tanta acqua. Il vecchio professor Paride Scianna, il punto di riferimento culturale della sua sezione comunista, uomo di grandissima sapienza e dotato di una ricca biblioteca anche se tutti laggiù in paese lo conoscevano solo per lo spropositato e paonazzo dito mignolo che fin dalla nascita aveva più grosso e più gonfio di un cetriolo, gli aveva dato da leggere una relazione sul Delta scritta da un certo maggiore Perini. Ne era rimasto così colpito che ricordava uno dei passaggi quasi a memoria: «Di quei giorni nefasti mi restano due ricordi indelebili: la durezza di cuore dei proprietari e la squallida miseria dei contadini. Conosco le miserie dei pescatori della Sila, dei contadini della Sicilia e dei terrazzieri della marina dello Jonio, ma non conosco miseria paragonabile a quella in cui mi imbattei nel Polesine».

«È una relazione un po' datata» gli aveva detto il professor Scianna, «ma mi risulta che oggi sia ancora così.» Per questo l'aveva scelto, quando aveva deciso di andarsene, pochi mesi dopo l'incendio del teatro Lodovico. Perché era una terra povera. Più povera ancora della sua. Ma nel Settentrione. Lontana da quel mondo di persone perbene e dignitose e fiere tra le quali era cresciuto ma anche dai don Bastiano Ficarotta, dai gabellieri, dai fontanieri, dagli odiati inchini domenicali a tutti i don Ciccio e i don Calogero che infestavano le piazze delle Madonie e delle piane e dei Nebrodi. «Mai più» aveva giurato a se stesso: «Mai più».

«E allora?» insistette l'oste.

«E allora cosa?» si scosse Osto, recuperando d'un tratto il vago ricordo di non aver risposto a una domanda.

«Le ho chiesto se intende fermarsi.»

«Se possibile... Sì, se possibile. Vediamo...»

«So che la vedova Gonzato, che tutti chiamano Malvi, ha una camera in più. Uno sgabuzzino, diciamo. Roba modesta. L'anno scorso, per prendere qualcosa, l'aveva data a un geometra che faceva delle rilevazioni. Quanto vuole spendere?»

«Poco.»

«È il posto giusto. Sta in una delle ultime case per andare verso Ca' Zuliani. Quella giallognola. Lasci stare la Ines.»

«Prego?»

«Niente.»

*   *   *

«Se le va bene, bene, sennò amen» disse brusca la vedova Gonzato.

«Andrà benissimo» rispose Osto, esaminando con gli occhi la stanzetta. Una branda, un materasso di foglie di granturco, che lì chiamavano el pajon, una coperta lisa dai colori incerti, un crocefisso alla parete, un vaso da notte, un catino con la brocca, un vecchissimo ventaglio spagnolo arrivato lì chissà da dove e appeso spalancato al muro come decorazione.

Ogni gamba del letto era posata su un mattone: «Sa com'è... Quando piove... Ma il tetto è buono» spiegò la vecchia.

«Andrà benissimo» ripeté il giovanotto.

«Posso chiederle quanto pensa di restare?»

«Dipende.»

«Da cosa?»

«Dal lavoro.»

«Che mestiere fa? Sa, i carabinieri...»

«Il maestro.»

«Sarà dura, per lei...»

«Conosce la legge dei maestri magri?»

«No.»

«È una vecchia legge. Fatta ai tempi del fascismo, credo. O forse prima ancora. Non sono in tanti a conoscerla, ma da noi nel Mezzogiorno è stata usata abbastanza. Io stesso l'ho già usata, una volta. Fu fatta per combattere l'analfabetismo. Sa che sono ancora sette milioni e mezzo, gli italiani che non sanno leggere e scrivere? Dice dunque questa legge che se un maestro disoccupato riesce a mettere insieme una classe di persone adulte che non sanno né leggere né scrivere, può chiedere di occuparsene e ha diritto a uno stipendio. Certo, non lo stipendio intero. Fatichi, a mangiarci. Mica per altro la chiamano "la legge dei maestri magri".»

«Un pescatore di analfabeti!» rise una voce di donna.

Osto si voltò. Sulla porta, con un vestito a fiori, una maglia e un paio di stivali, c'era una ragazza sui venticinque anni. Bella. Gli zigomi alti. I lineamenti un po' duri come quelli di certe slave. I capelli castani lunghi e sciolti. Gli

44

occhi verdi e divertiti. Alle sue spalle, rosso e trafelato, spuntò un bambino dai capelli a spazzola. Poteva avere sui sette anni.

«Mia nipote Ines e suo figlio Giacomo. O Mino, come lo chiamiamo tutti. Vivono qua. Non ricordo il suo nome...»

«Non gliel'ho detto. Ariosto Aliquò.»

«Un maestro» fece la vecchia alla nipote.

«Aspirante» precisò timido lui.

«Ho sentito» rise la ragazza. «Certo che qui pescano di tutto, da sempre: dalle anguille alle passere agli storioni, quando si degnano di farsi vedere. Pescatori di alunni, però, mai visti.»

«Mi comprerò una bicicletta e batterò le contrade. So che l'analfabetismo...»

«Ah, sì. È pieno di gente che non sa leggere e scrivere. Ma convincerli a venire a scuola... Sono curiosa di vederli.»

«C'è il comodo di cucina?» chiese Osto per cambiare discorso.

«No» rispose secca la vecchia. «Se vuole la tengo a pensione. Prezzi modici. Ma tra le mie pentole non la voglio.»

«Il caffè?»

«Se non ci sono io, il caffè può farlo. Con l'arabica sua, ovvio.»

«Va bene.»

«Si sistemi. Ci vediamo a cena.»

Ines accennò a un sorriso, prese il bambino per mano e filò via.

«Permesso! C'è nessuno?» chiese il maestro mettendo dentro la testa con cautela. «C'è nessuno?» Niente. Silenzio. Eppure qualcuno ci doveva essere. Girò dietro la casa, come aveva imparato a fare, per vedere se c'era qualcuno in stalla. Spinse la porta: «C'è nessuno?».

«Ssssch!» lo zittì brusco il padrone di casa, accennando con un gesto alla sua destra. Girò lo sguardo e nella penombra, in mezzo alle bestie e a tutta la famiglia schierata, vide don Olimpo, calvo e spettrale, con la stola ricamata e il viso coperto di quelle macchie bluastre che chiazzano certi vecchi. Il prete lo fissò severo. Restò un attimo muto per fargli pesare l'interruzione, si passò la lingua sulle labbra e riprese la sua giaculatoria: «... in stabulo nasci et inter duo animalia in praesepio reclinari voluisti: benedic, quaesumus, hoc stabulum, et defende illud ab omni nequitia vel versutia diabolicae fraudis; ut jumentis, pecoribus ceterisque animantibus efficiatur locus sanus, et ab omni impugnatione securus. Et quoniam cognovit bos possessorem suum, et asinus praesepe domini sui...».

Che razza di preghiera era? Che razza di latino era? Osto se ne restò zitto in disparte cercando di afferrare il senso delle invocazioni per il bue, l'asino, le pecore. Finché il sacerdote si avviò benedicente alla fine: «... sed te solum Deum auctorem bonorum omnium agnoscant, et in servitio tuo fideles perseverent, quatenus, de perceptis muneribus tibi gratias exhibentes, beneficia potiora percipere mereantur. Per eundem Christum Dominum nostrum. Amen». «Amen» risposero in coro il capofamiglia, la moglie e tutta la nidiata di figli, inginocchiati sul tappeto di paglia.

Dieci minuti dopo, davanti a un vermut con dentro una scorza di limone, una sciccheria che al padrone di casa doveva essere costata tanto che aveva offerto un bicchierino microscopico agli ospiti ma guardandosi bene dal versarne un po' per sé, il prete spiegava che quella che aveva visto era la benedizione della stalla e delle bestie secondo la formula del «Rituale Romanum».

«La stalla va rispettata e vanno rispettate le bestie e il frutto del lavoro delle bestie. Non solo il latte. Perché, come dice il *Catechismo agricolo ad uso dei contadini* di don Giovanni Rizzo, "lo scrigno del contadino è il letamaio".»

«Minchia, alla lettera lo hanno preso!» pensò Osto, che faticava ad abituarsi ai fetori di certe case povere. Giobatta Beltrame lo fulminò con un'occhiata, come avesse capito. Lo interrogò ostile: «Cosa podemo fare par lu, sior?».

«So che in famiglia non sapete leggere e...»

«Chi ghe lo gà dito?»

«Ora non ricordo. So che anche le lettere che vostro fratello vi manda dal Venezuela dovete andare a farvele leggere da...»

«E allora?» lo interruppe l'altro.

«Mi chiedevo, e sono certo che don Olimpo sarà d'accordo...»

«Ah, no, mi lasci fuori» rispose il vecchio prete riempiendosi di nuovo il bicchierino.

«... mi chiedevo se qualcuno di voi, lei, sua moglie, le sue cognate, non sarebbe interessato a imparare a leggere e a scrivere.»

«Perché?»

«Sarebbe tutto gratuito. Pagherebbe lo Stato. Potrebbe scrivere a suo fratello.»

«No.»

«Potrebbe esservi utile.»

«No' capisso gnanca el latin epur fasso benedir le vache e credo de esser un bon cristian lo stesso.»

«Ma...»

«No.»

* * *

«Non mi serve, so già contare» disse Marte Goretti, arrotolandosi una sigaretta e scrutando diffidente quel maestro dall'accento strano che storceva appena appena il naso davanti al letamaio: «Fastidio l'odore?».

«No, no, ci mancherebbe.»

«"Merda fa magna", diciamo noi. Saggezza contadina: "Chi gà prà gà bestie / chi gà bestie gà loame / chi gà loame gà biave". Capito?»

«Più o meno: chi ha prati ha bestie, chi ha bestie ha letame, chi ha letame ha da mangiare.»

«Ecco. Più o meno. Quello che mi serve lo so già. Grazie.»

«Sua moglie, forse... Sua cognata... È gratuito. Voi non pagate niente. Neanche i libri...»

«Grazie.»

* * *

Osto salì sulla vecchia bicicletta che aveva comprato di terza o quarta mano al mercato di Adria, una Bianchi nera che aveva tirato a lucido e ringiovanito con l'acquisto di due copertoni nuovi nuovi, e puntò ondeggiando verso la macchia gialla della casa successiva. Tirava un vento tale che non riusciva ad andare dritto. Non avrebbe mai immaginato, mai, che a causa della bora potesse essere così faticoso pedalare in pianura. Mentre premeva sui pedali, si sentì addosso tutta la stanchezza del fallimento. Non riusciva proprio a tirarla su, la sua classe. Tutti gentili, per carità. Ma aveva raccolto solo no, no, no, no. Da Boccasette a Contarina: no, no, no.

Quando fu in vista della casa di cui aveva adocchiato il tetto dietro l'argine, borbottò tra sé: «Questa poi!». Era una bella casa colonica, coi tetti rossi e la piccionaia e il porticato e tutto. Solo che era immersa nell'acqua fin quasi al primo piano. Ancora più sconcertante, però, gli sembrarono i panni fissati con le mollette sulla cordicella tesa tra un balcon e l'altro al piano superiore. Si fermò, posò i piedi a ter-

48

ra, portò alla bocca le mani a imbuto: «Ooooh! C'è qualcuno?».

«Perché urla?» lo fece sobbalzare una voce. Si voltò, vide un battelliere magro magro arrivato remando silenzioso da chissà dove. Aveva i capelli cortissimi, le guance scavate, gli occhi chiari che spiccavano sulla pelle bruna e rugosa di chi passa la vita al sole e al vento. Poteva avere trenta o quarant'anni, non avrebbe saputo dirlo.

«E lei da dove sbuca?»

«Da là» rispose quello accennando a un punto impreciso. «Ma è lei, a dire la verità, che salta fuori dal niente: mi qua ghe vivo.»

«Qua, cioè là?» chiese incredulo il maestro indicando la casa allagata.

«Esatto.»

«Non è possibile.»

«Venga, le offro un bicchiere.»

Pochi colpi di remi e furono a casa: «Abbassi la testa». S'infilarono sotto il porticato. Il battelliere legò el batlìn con una gassa a un anello conficcato nel muro e indicò a Osto delle scale che uscivano dall'acqua e salivano al piano di sopra: «Prego».

La casa era piena di bambini. Sulla porta comparve una donnona incinta dall'aria allegra che si asciugò le mani nel grembiule e gli tese la destra: «Buongiorno. Mi chiamo Rosa. Ma tutti mi chiamano Rosina».

«Perché la xé sempre sta' picola!» rise il marito dandole una pacca sul sedere e facendola arrossire.

«Ariosto. Maestro Ariosto Aliquò.»

«Un maestro? E come xelo finìo da 'ste parti?» chiese il battelliere.

«È una storia lunga.»

«Ghe credo. Xé difisile 'rivar qua par sbajio.»

«E voi come ci siete finiti? Voglio dire qui, in questa casa allagata…»

Il battelliere mise in tavola due fette di pane e delle passere fritte e versò del vino rosso nei bicchieri. Raccontò di chiamarsi Giovanni Pregnolati detto Nane, di essere nato in un piccolo borgo del Delta, di essere un «marinaio provetto e gran nuotatore di nuoto» e di avere vissuto per anni su una spiaggia della foce, con un'altra cinquantina di famiglie in un capanno «pissainpiedi», che si chiamava così perché era fatto di canne e stava su appoggiato su due pali conficcati nella sabbia «come un cristiano che pianta le gambe allargate quando fa la pipì».

Un focolare tra quattro massi in mezzo all'unica stanza, una grande cassa da pesce rovesciata come tavolo, un pajon buttato su un paio di assi per lui e per la Rosa, un altro per i bambini che via via arrivavano: Marco («come san Marco, el gran santo de Venessia»), Todaro («el primo patrono de Venessia»), Rocco («come la ciesa de San Rocco a Venessia»), Lucia («inutile spiegarlo: la santa de Venessia») e Nicolò, «el protettor dei barcaroli». Tutti nati lì, nel capanno, «sensa el dotor e sensa la comare». Per la polenta facevano un buco nella sabbia e tiravan su l'acqua: «Non era cattivissima, solo un po' salmastra. Ti lasciava la bocca un po' così…». Per farla un po' più nutriente ci mettevano dentro i fagioli.

Finché un giorno… «Era la festa della madonna di San Zanòn, l'8 dicembre. Il giorno in cui da noi si ammazza il maiale. Ne avevo tirato su uno, comprato quando era sotto i quindici chili e cresciuto con quello che potevo. Era bello grasso. Uno spettacolo di bestia. Aveva già il coltello nella gola quando mi volto e vedo che il capanno aveva preso fuoco. Avevo due secondi per decidere: il maiale o il capanno?»

Lasciò la domanda in sospeso, come se si aspettasse dal maestro una risposta: «Allora? Il maiale o il capanno?».

«Non so…» balbettò Osto indeciso e divertito.

«Sa come si dice, da noi? "Chi no gà l'orto e no copa porco / sta tuto l'anno col colo storto". Capito?»

«Mica tanto.»

«Ma sì che ha capito. Non puoi passare l'inverno senza lo strutto e il salame per dare sostanza alla polenta. A farla corta, ho scelto il maiale: il capanno l'avremmo rifatto. Amen. E ci siamo buttati tutti dietro la bestia, che correva via urlando con la lama nel collo. E vuol sapere una cosa?»

«Cosa?»

«Mai mangiato salami più buoni!»

Per questo era finito lì, dove viveva ora: «Stava per arrivare l'inverno. Me domandavo: dove vado 'desso? Ma dovevo trovare un posto in pressa. Mi è venuta in mente questa casa. Era bella, una volta, quando c'erano le risaie. Anche la Rosa faceva la mondina. Qualche volta andavo a guardarle le gambe nell'acqua...».

«Nane! Nane!» arrossì la moglie dandogli allegra una gomitata.

«Lei e le altre avevano le gonne arrotolate e annodate sulle cosce. Belle donne, ma vita da cani. Certe zanzare! La conosce la canzone? "Mamma papà non piangere / non sono più mondina / sono tornata a casa / a far la contadina." Molte risaie non ci sono più. A forza di succhiare il metano la terra si è abbassata anche di due metri e in certi posti il mare se l'è ripresa. Come qua. Insomma, trovato il posto sono andato dai padroni della risaia e gli ho chiesto di poter venire a vivere qui. Perché io non entro senza permesso in casa d'altri. Me spiego? Anche se qua xé mar, xé mar de proprietà dei siori Giuriolo Brusegan. Quel che xé giusto xé giusto.»

Si fermò di colpo: «Lu, piutosto, come xe'o rivà qua?».

Osto gli rispose spiegando senza troppi dettagli del suo addio alla Sicilia, della vecchia legge dei maestri magri, del suo progetto, delle sue peregrinazioni per le campagne, da Gorino Sullam a Pila, da Pila all'Oca.

«Cossa serve studiar?» rispose Nane. E gli espose la sua visione dei vari gironi della vita: «Sora de tuti ghe xé i siori, appena soto i farmacisti, i dotori e quelle carogne dei veterinari. Dopo vien el prete, più soto ancora i pescatori nei anni boni dei storioni, dopo ancora i pescatori nei anni cativi senza storioni. Dopo ancora i contadini col culo in aqua a masaràr la canapa ne'e vasche e in fondo in fondo i scariolanti, che sposta e mette e sistema i argini 'ndando su e so co la cariola tra i musati, le zanzare». Le uniche variabili, spiegò, erano appunto gli storioni: se c'erano, e qualche volta ne tiravano su di enormi e dalla carne favolosa e pieni di uova, era una festa. Sennò…

Comunque, troncò senza appello, «i siori sarà sempre siori, i scariolanti sarà sempre scariolanti».

«Tutto questo me lo dice per dirmi di no?»

«No, grazie.»

«Non vi costa niente. Per farvi scuola mi paga lo Stato.»

«No, grazie.»

* * *

«Le ho tolto le ragnatele» disse Ines allegra, sedendosi accanto a Osto sulla panca che stava fuori dalla porta, sotto la pergola di uva fragola.

«Le ragnatele?»

«Alla fisarmonica. È una fisarmonica, no? Quella che ha messo sopra l'armadio.»

«Sì. Per la precisione una "stradellina".»

«Cioè?»

«La fanno a Stradella, in provincia di Pavia.»

«Ma la sa suonare?»

«Sì.»

«Sì?»

«Sì.»

«Perché non la suona mai?»

«Boh…»

«Perché?»

«Diciamo che ci sono cose che non voglio ricordare.»

«Non sei l'unico.»

«Dici?»

«Non sei l'unico.»

Era una giornata d'autunno dolce. Tiepida. Un po' malinconica. Il cortile era pieno di foglie. Non si accorse, lei, di essere passata al tu. Non se ne accorse lui. La Malvi era andata a una cresima da qualche parte e si era portata via il bambino.

Andarono avanti a parlare per ore. Osto le raccontò dei pupi, di suo padre, delle serate passate a suonare il pianino al Grande Teatro Lodovico prima di cedere il posto al fratello più piccolo, di don Bastiano, di Santino Fugazzotto, della voglia di strappare e venire via. Ines gli raccontò la storia che lui, un pezzettino qui e uno lì, una battuta a tavola e un accenno all'osteria, aveva già intuito. Era una istriana di Dignano, si era sposata nella primavera del '39, giovanissima, con un veneto che era lì a fare la naja e che un mese dopo le nozze era stato spedito a conquistare l'Albania.

«Non l'ho più visto. Perfino della nascita del bambino ho potuto informarlo solo per posta. L'ha visto in fotografia, e basta. Era bellissimo, Giacomo.» Buttò indietro i capelli e rise nervosa: «E non ero male neanch'io che lo tenevo in braccio».

«E lui?»

«Devo avere ancora la sua risposta, da qualche parte. Parlava di tutto, meno che del figlio. E di noi. Come se non volesse farsi carico neanche del pensiero... Ma... Per un po' di anni, ogni tanto, mi è arrivata qualche lettera dall'Albania, dalla Grecia, dalla Russia... Lettere così, senza niente dentro... Poi basta.»

«Sarà ben tornato in licenza, qualche volta...»

«Mai. Un compaesano, a guerra finita, mi ha detto che una o due licenze le aveva anche avute. Ma non sapeva dove avesse scelto di passarle. A casa non è venuto. Le avrà passate in qualche bordello del posto. Dice quel compaesano che l'8 settembre erano insieme a Karlovaz, vicino a Zagabria. E che quando l'hanno preso i tedeschi stava tornando a casa spingendo tutto curvo lungo una stradina secondaria, avvolta in un vecchio tabarro, una pezza di grana da trentasette chili, rubata durante l'assalto dei fanti in fuga alla fureria. So che l'hanno spedito a lavorare in Germania. A Erfurt. Poi è sparito. Non una lettera, un messaggio attraverso un commilitone, niente...»

«Com'era?»

«Non lo so. Erano stati i miei, più che altro, a premere perché lo sposassi. Non ho un bel ricordo di quel mese insieme... Certe occhiate, certe sfumature, certi toni... Oh, insomma, te la dico tutta: dopo due settimane mi aveva già preso l'angoscia di avere sposato l'uomo sbagliato. O forse no, forse è stato davvero un bel mese e sono io che l'ho macerato male dentro per sopportare meglio l'assenza. Il vuoto. Non lo so. Non lo so più.»

«Ti manca?»

«Dovrei risponderti di sì, giusto? Come dovrebbe rispondere, se non così, una brava vedova di guerra?»

«Ti manca?»

«No. Sento l'assenza, questo sì. Il vuoto. L'ansia di non sapere, tanti anni dopo, se c'è o non c'è. Se è vivo o se è morto. Se mi aveva sposato perché si era innamorato davvero, come credevo fosse il caso mio, o se aveva qualche motivo suo. Magari la leggenda che girava in paese di un mio zio diventato ricchissimo nelle miniere del Sudafrica, non so. Ma se dicessi che mi manca sarei disonesta.»

«Con "La Domenica del Corriere" hai già provato?»

«Sono già riuscita a far pubblicare due volte, nella rubrica "Chi li ha visti?", la sua fotografia: "Picotto Italo, ventisei anni, che alla fine del '43 si trovava quale lavoratore a Erfurt, in Germania, non ha più dato sue notizie. Chi può dare informazioni sulla sua sorte è pregato di avvertire la moglie Toffoletto Picotto Ines, via Monteggio, 6, Noventa di Piave". Due volte. E attraverso amici ho fatto attaccare la sua fotografia anche sul tabellone dei dispersi alle stazioni ferroviarie di Roma, di Milano, di Verona, nella speranza che qualche reduce all'arrivo potesse riconoscerlo...»

«Niente?»

«Niente. Solo la lettera di un camionista che diceva di aver visto un tizio che gli somigliava, ma faceva il meccanico in Danimarca. Figurati. Non è che ci sperassi tanto. Sono quasi tre anni che la "Domenica" pubblica ogni settimana dieci foto di gente sparita al fronte, nei campi di concentramento o nei primi mesi del dopoguerra. E mi sa che "Chi li ha visti?" continuerà ancora per chissà quanto tempo.»

«Se arrivasse domani mattina? Metti che ti alzi, vai a prendere il pane e vedi lui scendere dalla corriera della Siamic.»

«Sarebbe la fine di un incubo: saprei. E fine dei problemi ogni volta che devo fare delle carte: sposata, vedova, boh... Sinceramente, però, non so se sarei contenta. Metti che sia vivo sul serio: dov'è stato tutto questo tempo? Dove? E poi... Insomma, con gli anni, via via che a Noventa la gente aveva cominciato a darmi confidenza, ne ho sapute tante che ho smesso da un pezzo di augurarmi di vederlo arrivare una mattina con la valigia in mano. Mica per altro sono venuta via per vivere qui con mia zia, che mi tiene il bambino e mi ha trovato da lavorare come dattilografa all'Agip.»

«Agip: Assistenza Gerarchi Infortunati Politici!» rise Osto ricordando una vecchia battuta che girava sotto Mussolini.

«Non è più così. Sai quanto metano viene estratto oggi, in Italia? Duecentotrentatré milioni di metri cubi. Erano sei, vent'anni fa: sei. Sta cambiando il mondo, il metano.»

«Anche il Polesine, col terreno che sprofonda.»

«Mah... Speriamo bene. Ti dicevo, non le reggevo più, le chiacchiere a Noventa. Un incubo. Tanto più che la solita pettegola si era premurata di farmi sapere che una settimana dopo avermi sposata lui si era fatto vedere da tutti mentre entrava in un postribolo di Treviso. Fatto sta che ho detto: uomini, chiuso.»

«Lo pensavi davvero?»

«Sì.»

«Lo pensi ancora?»

«Sì.»

«Tanti anni dopo?»

«Ho ancora le cicatrici: mai più.»

«Eppure, un po' alla volta...»

«Piantala, moro» chiuse Ines scoppiando a ridere. «Come va la pesca?»

«Di alunni? Malissimo.»

«Va male anche con gli storioni, quest'anno.»

«Boh... Una volta o l'altra quelli arriveranno. I miei analfabeti, invece...»

«Ma tu la sai suonare davvero la fisarmonica?»

«Cosa ne dici?»

«La sai suonare sì o no?»

«Sì. Sapevo suonarla.»

«Perché non la suoni più?»

«Troppi ricordi.»

«Anch'io non ballo più.»

«Perché?»

«Troppi ricordi.»

«Eri brava?»

«Dicono.»

«Andavi a ballare con lui?»

«Sì. Era un disgraziato, ma nelle mazurke...»

Restarono così, muti. Come non ci fosse più niente da dire. In fondo alla strada sbucò il camion del carbone che andava a rifornire forse l'oste, oppure il droghiere. Un colpo di vento fece sbattere gli scuri e rovesciò un rastrello.

«Vado a mettermi un maglione» disse Ines.

«Ti do io una copertina» rispose Osto, che aveva la camera lì accanto.

Tornò con la coperta e la fisarmonica. Ines lo guardò di sbieco, piegando appena la testa con un sorriso ironico: «Mi sfidi?». Lui aprì la custodia, se la sistemò sulle ginocchia, non provò neppure la sensibilità dei bottoni e del mantice, partendo deciso: «Con este tango que es burlón y compadrito / se ató dos alas la ambición de mi suburbio; / con este tango nació el tango, y como un grito / salió del sórdido barrial buscando el cielo...».

Si fermò di colpo: «Lo conosci? *El choclo*. Vuol dire "la pannocchia" ma non c'è doppio senso, giuro. È un tango argentino».

«E tu che ne sai, dell'Argentina?»

«C'è stato mio padre. È lui che mi ha, diciamo, indottrinato. So tutto. Quasi...»

«Continua» disse Ines.

Riprese: «Conjuro extraño de un amor hecho cadencia / que abrió caminos sin más ley que su esperanza...». Lei restò un attimo assorta, ripose la coperta, si alzò e cominciò a ballare. Prima qualche passo lento, incerto, di assaggio. Poi sempre più decisa, allegra, irruenta. Lui chiuse *El choclo* e non le diede neanche un istante per rifiatare attaccando *La*

Morocha e dopo *La Morocha* attaccò *El pechador* e dopo *El pechador* attaccò *El Porteñito* e poi ancora valzer e mazurke e candombe.

Un quarto d'ora e si affacciarono curiosi Girolamo Boscolo detto Boscoleto e la moglie Dirce, una donnona grossa due volte lui con un paio di immense, rassicuranti poppe. Seguirono l'Ottavio Calzavara detto Settimo (il papà al momento dell'anagrafe, demonio ladro, si era sbagliato a contare i figli, col risultato che il figlio dopo, per mettere ordine, l'aveva chiamato Settimo, detto Ottavio) con la moglie Ida. E poi l'Ugo e la Catina e il Valentino e la Ginestra e il Gustavo e la Gweneth, che il marito aveva riportato a casa dagli anni di emigrazione a Winnipeg e che tutti chiamavano Gineta la Canadese. Due ore dopo, quando tornarono la Malvi con Mino, eccitatissimo perché aveva trovato per terra una moneta da cinque lire e già si sentiva in bocca un bastoncino di fichi secchi e un cartoccio di bagigi caramellati, Osto stava ancora suonando e Ines stava ancora ballando circondata ormai dall'intera contrada.

Sbucando dietro l'angolo, in mezzo a tutta quella baldoria, la vedova intercettò solo un'occhiata, tra i due. Una sola. E capì.

* * *

«El señor habla español?» l'interrogò una voce alle spalle. Osto si girò, riconobbe Nane, il battelliere, e scoppiò a ridere: «Perché?».

«Mi hanno raccontato dell'altra sera. Del *Choclo*: "Con este tango que es burlón y compadrito / se ató dos alas la ambición de mi suburbio…".»

«Questa poi! Lo spagnolo conosce?»

«Gò fato la guera civile spagnola.»

«Fascista?»

«Bidonato da Mussolini, più che altro. Volevo ciapar do franchi e me son trovà a sparare par Franco. E a Malaga ghe gò quasi lassà le scorze.»

«Eh?»

«Ho detto che a Malaga ho rischiato di lasciarci la pelle.»

«Boh… Sarebbe stato un fascista di meno.»

«Comunista, eh? Me l'avevano detto, all'osteria, che lei è un rosso. Fa niente. Sono qua per affari.»

«Affari?»

«Facciamo uno scambio: lei viene a suonare alla festa di San Martino e poi ad aprile al matrimonio di mio fratello Marieto, vicino a Pila, e noi le diamo tre donne e mio cognato Bepi.»

«Non ho capito.»

«Non deve metter su una classe? Io in cambio della musica nei giorni che le ho chiesto gliene do quattro, di scolari. Oh! Gnanca on scheo! D'accordo? Gnanca on scheo!»

«Gliel'ho detto che è gratis.»

«Ecco. Senta, maestro, ho scambiato due parole anche col Giobatta Beltrame.»

«Continui…»

«Pensavamo che d'inverno, quando non c'è tanto da fare, fin che non cominciano i lavori nei campi… Anche io e lui… Solo che non è che ci piace far la parte dei bambini a scuola, mi spiego?»

«Vi faccio capoclasse.»

«Comandiamo noi?»

«Comandate "anche" voi.»

«Anche il Giobatta, però, ha un cognato che si sposa.»

«Devo suonare?»

«Lui ci conta. Primo sabato di maggio.»

«Sfruttatori…» ammiccò.

«La scuola ce l'ha?»

«No.»

«C'è un magazzino abbandonato, vicino a casa nostra. È un po' un disastro e non c'è il camino, ma se riusciamo tutti insieme a comprare una stufa a carbone… O se don Olimpo ci dà quella sua vecchia, che tiene dietro la sacrestia…»

«Gli parlerò anch'io.»

«Senta…»

«Forza…»

«Ho un fratello in Australia.»

«E allora?»

«Quanto ci metto a scrivergli da me? Con la mia firma di me?»

«Dipende da tante cose, Nane. Sa leggere niente?»

«I numeri.»

«Per cominciare…»

«C'è un'altra cosa.»

«Mi dica.»

«Voglio che lei insegni anche ai miei ragazzi. Oggi devono fare sei chilometri per andare a scuola. Sono più i giorni che perdono…»

«Va bene.»

«E un'altra ancora.»

«Dài.»

«Voglio che insegni a mio figlio Todaro a suonare la fisarmonica.»

Tarzan Carmelo tra i relitti della guerra

«Consegnatoci autorità portuali britanniche Tarzan Jungle-man, noto romanzesco abitante foreste alt chiediamo istruzioni urgenti alt rugge et dibattesi camera sicurezza.» Il telegramma dei carabinieri addetti al campo profughi di Farfa, un paese della Sabina dove venivano smistati i reduci senza più memoria, gli sbandati senza più patria, i disperati usciti senza più testa dalla guerra, strappò a Osto una risata irrefrenabile. Solo un maresciallo dei carabinieri poteva scrivere un telegramma come quello, così squinternato da lasciarti il dubbio che il sottufficiale fosse in realtà il più spiritoso di tutti e prendesse per i fondelli il mondo intero. E solo un grande come Luigi Barzini jr. poteva scovare una storia come quella.

«Ridi?» chiese Ines entrando alle sue spalle. Era allegra. Si era raccolta i capelli sulla nuca, teneva tra le dita una pera gialla addentata, si curvò su di lui e gli allacciò le braccia al collo: «I soliti dettati?».

«Non riesco a darne fuori» rispose lui posando la rivista che stava leggendo per riprendere il lavoro di preparazione per le lezioni del giorno dopo: «Se prendi un libro per scolari della seconda trovi indovinelli come questo: "Faccio tela e non la vendo / faccio reti ma non prendo / merlo tordo od altro uccello: / questo, o bimbo, è proprio bello". Dimmi tu: posso insegnare a scrivere a due contadini ruspanti come Giobatta Beltrame e sua moglie Ostiglia dettandogli delle strofette così sul ragno?»

«La vedo dura...» rise Ines.

«E immaginati Esaù Tagnin, che da mezzo secolo vive remando, sudando e gelando sul fiume e odia l'acqua e tutto quello che con l'acqua ha a che fare. Per venire a scuola deve fare quattro chilometri e per convincerlo ho dovuto contrattare una cantata all'Immacolata e il battesimo del prossimo figlio. Dimmi: posso dettargli una poesia sulle nuvole e la pioggia? "Sembra un cuscino / di piuma d'oca. / Nel ciel turchino / col vento gioca. / Gioca e rincorre le rondinelle / lei tutta candida, blu-nere quelle…" È ovvio che Esaù, se gli impongo una poesiola così…»

«… ti tira un remo.»

«Appunto. Non pensavo fosse tanto difficile fare scuola a una classe di adulti. Credevo che il problema più grosso fosse tirar su la classe, e lo so io quanti pomeriggi del sabato, quante domeniche e quante feste comandate mi sono giocato impegnandomi a suonare la fisarmonica per anni, pur di rastrellare uno per uno i miei scolari. Ma anche quel problema, come le carte che mi ha fatto fare il provveditorato prima di darmi il via libera, mi sembra oggi quasi secondario, rispetto al lavoro vero. Non ho libri, non ho quaderni, non ho carte geografiche da appendere al muro, non ho penne, lavagne, gessi, gomme, calamai… Devo andare alle elementari di Adria a elemosinare qualche vecchio sussidiario o girare per le case a recuperare vecchi libri scolastici fascisti.»

«Ne trovi?»

«Sì, ne trovo. Clandestinamente. Si corrono dei rischi, però, a usarli. So di maestri che, abituati per vent'anni a insegnare in un certo modo e con certi testi, hanno continuato anche a guerra finita e l'hanno pagata cara. Magari non erano manco fascisti. Magari non si erano mai sporcati le mani ed erano andati avanti così, per inerzia. Ma l'hanno pagata cara. Sarebbe il colmo, se dopo avermi fatto mancare tutto mi rinfacciassero l'uso degli unici libri che trovo gratis. A parte i rischi, poi, sono talmente gonfi di retorica…»

«Non dirmi che non te li ricordavi così!»

«Mah… Senti questo dettato: "Voi non potete sapere, cittadini di città, quanto sia bella una zappa, una grande zappa d'argento tra le mani nere del contadino che frange i sassi nascosti, mozza le radici vecchie, rompe la terra asseccata… Insieme allo scettro del Re, al bastone del pastore, alla spada del soldato, alla penna del poeta, essa è degna di essere lodata dalla nostra voce...". Saranno anche parole di Giovanni Papini, ma mamma mia!»

«E come te la cavi?» si incuriosì Ines.

«Strappo le pagine, Dio mi perdoni. Strappo le pagine per purgarle oppure, dove proprio non posso perché c'è a fianco un testo innocente che mi può servire, ci incollo sopra con la colla di farina della carta da salumiere blu. Gli archivisti che domani vorranno studiare il Ventennio ci malediranno. Sai cosa faccio, spesso? Uso i giornali. Ma i miei scolaretti, anche quelli di sessant'anni come la suocera di Nane, sono per un verso adulti, per un altro bambini. Parlano solo il dialetto, conoscono solo a orecchio poche parole di italiano, non ascoltano la radio... Così finisco per ripiegare su testi della pubblicità. Gli unici che, per vie misteriose, entrano anche in casa loro. Gli unici di cui conoscono tutte le parole.»

«Non oso immaginare...»

«Ieri ho fatto il dettato con l'Ovocrema. Hai presente quella pubblicità con l'ovetto che ha la corona da re, il monocolo, il panciotto e fuma il sigaro mostrando un anellone che luccica? Vorrei veder la faccia di uno che la vedrà in qualche vecchio ritaglio nel Duemila! "Il signor Uovo è diventato ricco a forza di essere caro e vi guarda dall'alto in basso. Abolite le uova e provate Ovocrema che sostituisce otto rossi d'uovo e costa poche lire. Torte, ciambelle, budini, creme e squisite tagliatelle." Non ti dico il dibattito. Col Moro che bestemmiava, "sacranón", che lui le uova delle sue galline le vende per una miseria e che poi le ritrova al mercato di Porto Tolle (le sue uova! le sue uova!) a un prezzo quintuplicato e tutti a dibattere che certo, non si capisce come sia possibile che un uovo lavorato dalle macchine possa costare meno di un uovo scodellato dalla gallina, a meno che non ci siano dentro degli intrugli chimici che chissà in che modo ti riducono il fegato. Insomma, del dettato, della grammatica, di "come" si dovesse scrivere non interessava a nessuno.»

«Anche tu, però! A usare l'Ovocrema!»

Osto scoppiò a ridere, si girò, afferrò Ines per i polsi, la guardò dritto negli occhi e si rabbuiò. Fu come quei cieli azzurri dei Nebrodi che certi pomeriggi, di colpo, al segnale di una ventata improvvisa, si incupiscono riempiendosi brontolando di nuvoloni neri neri: «Questo pomeriggio mi è venuto in mente tuo marito».

«A me no» si irrigidì lei, ritraendo le braccia.

«Fammi spiegare…»

Osto allungò la mano, prese «L'Europeo» che stava leggendo quando lei era entrata, lo aprì a pagina 22: «Guarda qua. A me sembrava divertente. Ora non lo so più». Ines prese la rivista, guardò il titolo, imperscrutabile: *Mandar uno a Farfa.*

«Perché lo fai?»

«Cosa?»

«Perché tieni da parte tutti questi giornali?»

«Lo trovi strano?»

«Beh...»

«Cominciai per mio padre. Ogni tanto, tra il *Morgante* e l'*Orlando innamorato*, metteva in scena qualche fatto preso dalla cronaca. Gli bastava lo spunto. Le disgrazie di un emigrante, un pasticcio burocratico, un dramma della gelosia... Non c'è oprante, scrittore o teatrante che possa immaginare le storie che offre la realtà. Gli direbbero: ma non è possibile! C'è tutto: l'assurdo, il comico, il fantastico... L'odio, la tenerezza, il dolore... Tutto. E chi se le poteva inventare storie come quella del Profeta del lago del Verbo? Chi se le poteva inventare certe storie d'amore?»

«Pensi alla nostra?» rise lei.

«Penso alla nostra... Chissà cosa sarebbe riuscito a farne, il vecchio Placido. Ricordo una sera che improvvisò la storia della strage del pane di via Maqueda...»

«Cioè?»

«Non credo che in Alta Italia ne abbiate saputo niente. Era l'ottobre del '44. A Palermo facevano la fame. L'esercito sparò sulla folla. Mio padre titolò il cartellone *Lamentu pi li morti a via Maqueda*. I carabinieri non furono contenti. Temevano che quelle cose scaldassero gli animi. Il brigadiere glielo disse pure: "Aliquò, al tenente non è piaciuto che abbiate usato la parola 'sbirri'. Preferisce che rappresentiate i paladini". Te l'ho detto: la verità è che certe volte il mondo reale offre delle storie che sembrano così impossibili che un oprante o uno scrittore non oserebbe scriverle. Come questa.»

Ines rilesse il titolo: *Mandar uno a Farfa*. Il sommario era appena appena più comprensibile: «Il governo vi spedisce tutti gli inclassificabili: tra gli altri vi è giunto Tarzan il Birmano, che si chiama Carmelo».

Guardò la foto: un ragazzone dalla faccia quadrata, zigomi duri, capelli impomatati, naso camuso, labbra carnose con una piega crudele, sguardo un po' inebetito. La didascalia era straordinaria: «Tarzan Jungleman, il finto birmano che, dopo una sosta al campo profughi di Farfa, in Sabina, è stato rimpatriato ad Agrigento».

Osto spiegò che, come scriveva Barzini, erano stati concentrati lì a Farfa un po' di relitti umani della guerra: «Il disertore di un piroscafo indiano, un negro della Colombia canuto come zio Tom, bellissime giovani austriache che non si sa bene da dove siano sbucate fuori, un marinaio amburghese che porta tatuati sul dorso i nomi degli eroi nazionali svizzeri», un pittore croato arrivato a vela sulle nostre sponde adriatiche perché il comunismo titino «non si addiceva alla sua pittura» e, insomma, naufraghi dei campi di battaglia e dei bordelli, dei mercati neri e dei lager di mezza Europa rastrellati a conflitto finito e dall'identità spesso incerta.

C'era Luigi Kovacs, «famoso calciatore chiamato in Italia dalla Lazio, che lo voleva far giocare mediano e sta a Farfa, aspetta e mostra a tutti il suo contratto». E Augusto Egartner, «un vecchio contadino austriaco nato in Croazia che parla l'italiano veneto dei bosniaci e tiene nel portafoglio il diploma di legionario fiumano, firmato da D'Annunzio». E poi lui, il sedicente Tarzan Jungleman, l'uomo della giungla. Messo a terra a Taranto da un piroscafo inglese che lo aveva raccattato chissà dove, aveva dichiarato di essere birmano e in questa trincea, forte di un documento della Croce rossa internazionale che lo certificava, appunto, come «cittadino birmano, domatore e pilota di professione», si era bellicosamente asserragliato.

Il dottor Placido Currò, direttore del campo, aveva notato che il selvaggio, «quando tentava raucamente di farsi intendere dalle guardie, quando rispondeva tra i ringhi e gli ululati alle domande, aveva uno spiccato accento siciliano». Dài e dài, visto infrangersi il suo sogno di essere rimpatriato dalle parti del Siam, Tarzan aveva finalmente ceduto: «Si chiama Carmelo Navarra. Era soldato di fanteria a Verona, nel 1943, quando fu condannato a otto anni di reclusione per un piccolo furto. L'8 settembre scappò ma venne rastrellato dai tedeschi e inviato a Mauthausen. All'arrivo degli Alleati il Navarra pensò che, se si dichiarava italiano, avrebbe dovuto riprendere il suo posto nelle patrie carceri. Il mondo, il vasto mondo, lo attendeva».

Così, avendo visto Tarzan al cinema, aveva approfittato «della tinta bronzea della pelle e dell'aspetto lievemente orientale» per dichiararsi Re della giungla. Gli inglesi, che sul posto non avevano il tempo e il modo di controllare neanche le storie più inverosimili e far setaccio dei poveretti impazziti nel lager, l'avevano dunque dirottato «con indiani, negri, sikh, malesi e arabi» a Londra: «Al War Office ufficiali coloniali espertissimi nei dialetti dell'Asia lo interrogarono a lungo, senza riuscire a capire quale fosse la lingua dell'uomo selvaggio. Si chiamarono i più profondi conoscitori di sottodialetti dalle università, veterani del Colonial Office, diplomatici orientali. Navarra asserisce di essere stato imbarcato per l'Estremo Oriente, tuttavia il fatto che lo abbiano sbarcato a Taranto e consegnato ai carabinieri dimostra come il solitario agrigentino non sia riuscito a sconfiggere il più grande paese coloniale del mondo».

Osto si fermò: «È fantastica o no? Per anni (anni!) è riuscito a prendere tutti per i fondelli! E ha ceduto solo quando il medico gli ha spiegato che con l'amnistia non sarebbe tornato dentro. Un semianalfabeta! Barzini gli ha pure chiesto: "Cosa c'è di notevole ad Agrigento?". E lui, senza esitare: "La nuova stazione ferroviaria". E davanti alle insistenze del giornalista che voleva sapere di qualcosa di "veramente

bello" ha corretto: "La nuova passeggiata per il manicomio".
Manco la Valle dei Templi conosce, e ha fatto fessi i professoroni inglesi!».

«E tu mi vuoi dire che è tutto vero?»

«Quasi tutto, immagino. Forse la realtà aveva troppa fantasia.»

Ines rideva, guardava la foto del Tarzan girgentino e rideva fino alle lacrime. Poi si asciugò gli occhi con il dorso della mano, rifiatò, si sollevò portandosi la mano alla fronte come avesse un capogiro e chiese, improvvisamente turbata: «Ma perché, scusa, ti era venuto in mente Italo?».

«Metti che pure il tuo fantasma, invece che essere morto...»

«Oddio...»

«Cosa faresti?»

«Oddio...»

* * *

«E questo è Momo, l'ippociccio grasso grasso, che ondeggiando se'n va a spasso» spiegò Osto dando fiato ai bassi. Mino lo guardava muto con gli occhi sgranati. Un po' stregato, un po' intimorito. La fisarmonica gli era sempre piaciuta. Come gli era sempre piaciuto vedere sua mamma ballare, con Osto che non le toglieva un attimo gli occhi di dosso, le volte che c'era una festa e se lo portavano dietro per le aie. Ma i suoni cupi e corposi che Osto cavava dal mantice col registro del bassoon, quei cavernosi borbottii che usava per fare il verso all'ippopotamo, alla «passeggiata dell'elefante indiano nelle foreste del Gran Maragià» o alla «Balena Filomena che risale il fiume in piena» lo inquietavano.

Preferiva le avventure di Lillina l'Allodolina o Annaclara la Zanzara che il maestro gli raccontava coi registri allegri del clarino, o quelle di Riccio Capriccio, dove i passettini sghembi e un po' stonati dell'animaletto erano espressi dalla musette. O la storia musicale di *Pierino e il lupo* di Prokof'ev, dove la fisarmonica riusciva a imitare, volta per volta, il flauto dell'uccellino e l'oboe dell'anitra e il fagotto del nonno e il clarinetto del gatto. Per non dire del suo gioco musicale preferito, il virtuosismo del *Volo del calabrone*: poteva restare un sacco di tempo a guardare le dita che correvano come pazze sulla tastiera. E come Osto, felicemente esausto, finiva, intimava: «Ancora».

Piaceva, al piccolo, quella figura alta e magra che si era appostata con discrezione accanto a sua madre. Gli piaceva come la guardava, gli piaceva come le parlava. Gli piaceva, quando andavano al mercato, il modo in cui lo afferrava per mettserselo in groppa così che potesse vedere tutto e tutti dall'alto. E le continue scoperte che ogni giorno gli regalava. Una domenica di sole e di vento, su una spiaggia della foce, stesi con il naso all'insù dopo una gran pedalata in bicicletta tra i papaveri con lui sul sellino che contava le oche che schizzavano rumorosamente via al transito battendo le ali, Osto gli aveva spiegato tutto sulle nuvole. Gli aveva detto come sono fatti i cirri e i cumuli e i nembi e gli aveva mostrato nuvole a forma di cuore, di tartaruga, di drago e avevano seguito insieme la corsa di una nuvoletta solitaria e avevano concordato insieme che doveva chiamarsi Betta la Nuvoletta e che scappava da Mamma Nuvola perché per gioco aveva fatto piovere su un bambino che non se lo meritava.

Più di tutto, però, gli era rimasto impresso il racconto sul colore del cielo. Osto gli aveva spiegato che questo colore dipendeva dal modo in cui i raggi partiti dal sole arrivavano sulla terra, più diritti o più storti, attraversando l'aria. E che non solo il cielo azzurro verso sera può incendiarsi fino a diventare rosso, ma che quello stesso nostro cielo visto da Marte, secondo certi professori americani, «sarebbe rosso lucente con sfumature nere come la testa di un germano reale» e visto dalla luna sarebbe nero e il nostro sole giallo da lì sarebbe bianco e insomma ogni pianeta che c'è nel cielo vede il cielo degli altri di un colore differente.

E aveva chiuso spiegandogli una cosa che però «avrebbe capito da grande». Cioè che «proprio come i pianeti anche gli uomini e le donne vedono lo stesso cielo di un colore diverso e c'è chi lo vede grigio anche quando è azzurro e chi lo vede azzurro anche quando è grigio e di solito le persone migliori sono quelle che lo vedono sempre azzurro». E aveva aggiunto, ammiccando a Ines: «Come tua mamma. Salvo eccezioni». Al che lei, ridendo, si era sfilata uno zoccolo e glielo aveva tirato addosso.

* * *

«Hai letto?» chiese Osto gettando la «Domenica» aperta sul tavolo. Ines posò lo straccio che aveva in mano, raccolse la rivista, lesse: «Hitler ed Eva Braun sono legalmente morti». «Ma dài! Non lo erano ancora, dopo tutto questo tempo?» chiese. E cominciò a leggere mentre ancora si accomodava, di sbieco, su una sedia: «Mentre ci si domanda ancora se il "Führer" e la sua amante siano veramente morti, la Legge ha ufficialmente tracciato una croce sulla spinosa pratica e – in una speciale seduta del Tribunale di Monaco – i due tragici amanti sono stati dichiarati defunti e i loro beni confiscati. Diamo qui una descrizione della curiosa cerimonia come è stata riferita in questi giorni dai giornali tedeschi...».

L'articolo spiegava che il pubblico ministero, elevata l'accusa «contro Hitler Adolf, già cancelliere del Reich, nato il 20 aprile 1889», aveva invitato la Corte a stabilire se a suo parere l'accusato in contumacia si dovesse considerare morto o altresì no: «Allora si viene a sapere che non esiste ancora una dichiarazione ufficiale di morte negli uffici dello stato civile e che quindi Hitler è legalmente ancora vivo. Posta così la questione il giudice produce due documenti relativi, una dichiarazione fatta sotto giuramento davanti al Tribunale militare internazionale di Norimberga dell'autista personale di Hitler, certo Erich Kempka, in cui egli dichiarava di aver visto a Berlino il 30 aprile 1945, nel giardino della Cancelleria del Reich, i resti carbonizzati dei cadaveri di Hitler ed Eva Braun...».

Lesse tutto d'un fiato fino alla fine: «E cosa è rimasto del patrimonio della Regina segreta del Terzo Reich? Non molto: la casa di Monaco ed alcuni gioielli del valore di 3186 franchi svizzeri. Così si è conclusa, per la Legge, la vita dei due terribili amanti. Così si è decisa, per la Legge, la sorte del loro troppo meschino patrimonio. In complesso è stato un funerale di terza classe...».

Posò il giornale sul tavolo, riprese lo straccio e tornò a spolverare la credenza: «Almeno loro il funerale l'hanno avuto... Almeno i tedeschi, loro, sanno».

Un fantasma col maggiolino champagne

Lo scherzo del Volo degli Angioli, per unanime riconoscimento, poteva venire in mente solo a Nane Pregnolati. Un
po' perché era uno che di carattere vedeva davvero il cielo
sempre azzurro, al punto che dopo aver lasciato il capanno
pissainpiedi alla foce si sentiva davvero un gran signore a vivere al secondo piano di quella casa che pareva galleggiare
dentro la barena riconquistata dalle acque, un po' perché, a
fare il battelliere là sul Delta, che conosceva canale per canale, canneto per canneto, ontano per ontano, poteva stare anche delle ore fermo a pensare.

E, se pensava, gli venivano in mente solo due cose. La
prima erano le vilote, cioè le cantate allegre da compagnia:
«La mama del mio amor me manda a dire / che su 'a gradela
la me vol rostire / e mi gò mandà a dir che me rincresse / ma
su 'a gradela se rustisse el pesse!». La seconda erano gli
scherzi. Scherzi antichi. Da povera gente. Che non costavano un bezzo e affondavano nelle tradizioni popolari vecchie
di secoli. Scherzi che potevano essere pesanti. Come la volta
che, dopo aver addormentato con una polpetta imbevuta di
sonnifero il cane di Tino Brustolon, che menava vanto d'essere stato in Africa come combattente e di aver lì partecipa-
to a una caccia grossa coi commilitoni, lo aveva pitturato con
strisce bianche e nere: «Tino! Ocio ala zebra!». O quell'altra
che, avendo visto il meccanico delle biciclette (un taccagno
che piuttosto che regalare una ciliegia delle sue avrebbe risa-
lito a piedi il Po fino a Cremona) mentre si sporgeva dalla finestra della camera per allungar la mano verso una rama
grondante di fioroni dell'albero di un vicino, era salito la
notte stessa con una scala in cima alla pianta e con una bella

siringa di purgante da bovini aveva iniettato uno a uno tutti i fichi alla portata del ladrone, col risultato che per tre giorni tutte le biciclette rotte del paese restarono senza assistenza: «Dove xé el mecanico?». «A cagar!»

Viveva dunque in paese, in una casetta ai margini dell'abitato, un certo Lisippo Prassitele Tavernel, un trevisano figlio d'arte (da lì veniva il nome: dalla passione del padre per la scultura greca) che costruiva col cemento, il gesso o il ghiaino statue e vasi e anfore per i giardini. Nel Delta del dopoguerra, a dire il vero, non è che facesse grandi affari, anzi. Fosse campato con quello che vendeva sul posto sarebbe morto di fame. Ma era riuscito a farsi conoscere anche nel Padovano e nel Ferrarese, e si era guadagnato una certa notorietà perfino nella Bassa vicentina e insomma, in quegli anni di magra, era considerato dai compaesani quasi ricco e lui stesso si sarebbe considerato un uomo fortunato. Fortunato se non fosse stato per una dannatissima balbuzie che gli fermava il respiro ogni volta che doveva entrare all'osteria per sottoporsi alla gogna della divertita commiserazione altrui e gli aveva guadagnato un soprannome pesante come il masso di Sisifo: Pi-pippo. Diminutivo di Lisippo con prefisso tatartagliante.

Più ancora di quel nomignolo maligno, pesavano però due angioli che svettavano sui pilastri del cancello. Due angioli enormi, che gli erano stati ordinati prima della guerra da un industriale padovano il quale, a guerra finita, aveva annullato la commessa. Per un po', Pi-pippo aveva cercato di venderli abbassando via via le pretese fino a un prezzo che gli pareva irrisorio. Finché non aveva deciso di tenerseli come pubblicità a tutto il suo campionario che, grazie a un vecchio libro di storia dell'arte, spaziava dai sette nani di Biancaneve alla Nike di Samotracia, dai cherubini al San Marco in guisa de leon in due versioni, col libro aperto o con la spada.

Era una sera di giugno piena piena di lucciole. Nane Pregnolati e la sua banda arrivarono davanti al cancello di Pi-pippo con scala, corde, coperte. Un po' più in là, per non rischiare coi cigolii di allarmare il padrone di casa, avevano lasciato un carro. Fu una fatica bestia. Accentuata dal caldo, dalle zanzare, da un'umidità che appiccicava le canottiere alla pelle. Chiunque altro, ma proprio chiunque, avrebbe rinunciato. Loro no. Due ore, ci misero. Due ore di sudori e imprecazioni mozzate per non dare l'allarme. Ma alla fine, passandosi i fazzoletti sulla fronte per asciugare il sudore, ansimavano soddisfatti davanti all'opera. «Cangrando!» esclamò Turibio, che faceva il muratore e aveva certi muscoli da far spavento. E lì, nella citazione di Cangrande della Scala, la cui grandezza era stata tramandata per secoli di padre in figlio senza che il padre prima e il figlio poi sapessero spesso assolutamente nulla del condottiero veronese ammazzato da una bevuta di acqua ghiacciata sotto le mura di Treviso, c'era tutta l'ammirazione dei compagni: «Nane, questo xé el to capolavoro!».

La mattina dopo, appena spalancò i balconi, Pi-pippo si sentì mancare: gli angioli! Il tempo di infilarsi qualcosa ed era in strada, a martellare i vicini e tutti quelli che passavano: «I a-a-a-angioli! Xé-xé-xé-xé s-s-sparii i a-a-a-angioli!!». Finché, come mise piede all'osteria, non capì da due occhiate che tutti, reprimendo a fatica la voglia di scoppiare a ridere, erano lì ad aspettare lui. Urlò solo «Ba-ba-bastardi!», si calcò il cappello in testa, girò i tacchi e prese a pattugliare il paese, strada per strada, corte per corte, cancello per cancello. Finché non capì, da un capannello di gente che faceva finta di niente ma era certo convenuta per lui, di essere arrivato.

I «suoi» angioli, infatti, erano lì: belli e maestosi e svettanti su due capitelli di mattoni davanti alla casa di Medeo Garbin, detto Memè. L'altro balbo del paese. Lo scontro fra i due galli, che non erano affatto di buon carattere e già si beccavano da anni ta-tartagliandosene di tutti i colori ogni volta che avevano la ventura di incrociarsi per strada, fu memorabile. «Goldoni!» esclamò il farmacista, che si reputava uomo di lettere. «A descrivere questa scena ci vorrebbe il Goldoni!»

Osto, che era stato avvertito dello scherzo e in questa segnalazione aveva visto la prova che ormai i polesani lo avevano adottato, stava un po' dietro e rideva. Quello scambio di ba-bastonate verbali, così crudele e insieme così innocente, ricordò al maestro lo sbatacchiare delle spade di latta e i movimenti meccanici degli scontri tra paladini e saraceni. Gli vennero in mente quelle serate coi pupi. Il padre che dopo il rogo del suo piccolo mondo non parlava più con nessuno. La madre che col marito ridotto così non trovava più il bandolo della sua vita e si aggrappava a santi, fattucchiere e santini. Il fratello Ludovico partito a cercar fortuna il più lontano possibile, in Australia, e ora registrato da qualche burocrate cretino come disertore.

Nane, spuntando con la testa in mezzo alla calca dei paesani venuti ad assistere al duello tra i balbi, gli fece l'occhiolino. Lui, malinconico, ricambiò.

*   *   *

«Guarda che bel seren, che bela luna / questa è la note da robar le done / e quei che roba done no' si chiama ladri / si chiama giovanoti inamorati!» Cantavano tutti, quel pomeriggio, alla festa per il matrimonio del Serse Tognotto, un cugino di Marte, con una bella tosa di Rosolina dalle gote in fiamme per l'emozione. Ines si era messa un vestito a fiori e ballava con un vecchio secco secco sull'ottantina, la zia Malvi chiacchierava con le amiche, Mino giocava con gli altri ragazzini, Osto ci dava dentro con la fisarmonica cantando e ridendo degli strafalcioni in dialetto veneto che ogni tanto, nonostante avesse mandato un sacco di vilote a memoria, gli scappavano: «Era in te l'orto che basavo el gato / m'ha visto la morosa ca zugava / e la m'ha dito: Cossa fèto, mato? / Basame mi e lassa star el gato».

Fu allora che, davanti alla carraia, si fermò una macchina color champagne. Maggiolino Volkswagen, giudicò Osto con la coda dell'occhio, colto da un'improvvisa inquietudine. Mentre tutti giravano il collo, dall'auto scese un uomo. Si abbottonò la giacca doppiopetto nera sulla camicia bianca aperta, si passò un piccolo pettine sul ciuffo, si guardò intorno come se misurasse le forze proprie e le altrui, poi venne avanti deciso. Con le mani che percorrevano meccanicamente la tastiera e il cuore che aveva preso a battere al-

73

l'impazzata, Osto spostò gli occhi, d'istinto, su Ines. Era pietrificata. Lo sconosciuto, mentre i presenti gli facevano largo scostandosi, andò dritto verso di lei, le sussurrò due parole, accennò a un punto indefinito più in là come dicesse: «Togliamoci da qui».

Con la bocca impastata, gli occhi fissi sui due che si allontanavano per fermarsi sotto un albero di gelso, la certezza assoluta di avere capito tutto, Osto continuò a suonare disperato. Gli passarono per la testa Tarzan Jungleman, gli annunci sulla «Domenica del Corriere», il ritorno di Orlando... E suonava, suonava, suonava. Finché, cercando con lo sguardo qualcosa cui aggrapparsi per non restare inchiodato lì, su Ines e lo sconosciuto che parlottavano in fondo in fondo, vide che nel Maggiolino si muoveva qualcosa. Cercò di mettere meglio a fuoco l'immagine, indovinò il riflesso di una massa di capelli rossi, vide brillare la fiammella di un accendino.

Passarono minuti lunghi un'eternità. La portiera della Volkswagen si aprì, ne scese la caviglia di una donna coi tacchi alti come si vedevano solo al cinema. Poi la gamba prese forma e sopra la gamba apparve infine, tutta intera, una bella ragazza con gli occhi dal taglio vagamente orientale vestita con una camicetta bianca e una gonna a portafoglio agganciata in vita. Si appoggiò in tono di sfida sul cofano, buttò via la sigaretta, ne accese un'altra. Dall'altra parte dell'aia, lo sconosciuto improvvisamente la vide, si girò verso Ines afferrandola per un braccio come volesse portarla a conoscere l'amica. Ines si piantò sulle gambe, strappò la presa, sibilò qualcosa che colpì l'uomo come una frustata. In quel momento arrivò correndo, trafelato e felice, Mino. Ines lo prese tra le braccia, gli ravviò i capelli, si voltò dall'altra parte per allontanarsi. Lo sconosciuto tentò di fermarla come volesse vedere il bambino in faccia, lei lo fulminò. Lui arretrò, le mise in mano un biglietto, tornò verso la macchina solcando la gente in festa che gli faceva spazio infastidita. Raggiunse la donna che l'aspettava, le fece cenno di salire, avviò il motore e sparì.

Solo allora, Osto smise di suonare. Posò finalmente la fisarmonica, si scusò coi ballerini che protestavano, si affrettò verso Ines che aveva posato Mino rimandandolo a giocare, la raggiunse, si sedette al suo fianco, sull'orlo di un albio per le vacche vicino alla stalla.

«Era lui?» chiese.

«Sì» rispose lei con un filo di voce.

«Vivo.»

«Vivo.»

«Ma come...»

«Finita la guerra, si è spostato a vivere in Danimarca.»

«Non mi dire che...»

«Sì, aveva ragione quel camionista. Fa il meccanico dalle parti di un posto che si chiama qualcosa come Herning. Guadagna bene, non vuol tornare più. La donna che era con lui è la sua amante. Lì non è come qua. Non rischi di andare in galera come concubina.»

«E perché è venuto?»

«Sta facendo le carte per la Sacra Rota. Dice che lei è figlia di un emigrato italiano e di una danese, che è cattolica, che ci terrebbe tanto a sposarsi in chiesa. Sfacciata.»

«Ti ha chiesto perdono?»

«Come no? Nel modo in cui lo può chiedere un poco di buono come lui. Dice che ha lavorato tanto e che mi farà avere una quota generosa.»

«Ha detto così?»

«Una quota generosa.»

«Gli serve il tuo consenso?»

«Sì.»

«Glielo darai?»

«Gli ho chiesto di farmi avere tutto.»

«Glielo darai?»

«Ma certo. Ovvio. Sicuro. Cos'altro posso fare?»

«A un certo punto mi è sembrato scosso. Come se tu gli avessi detto...»

«Ci credo.»

«Cosa gli hai detto?»

«Che avevo sognato che fosse morto. Che avevo sperato per anni, tutti i giorni, che mi arrivasse un telegramma: "Comunicasi conferma decesso Picotto Italo alt condoglianze famiglia".»

«E lui?»

«Ha buttato lì la prima cosa che gli è venuta in mente: "Addirittura!".»

«E il bambino?»

«Quando è arrivato Mino, per un attimo, ha avuto il dubbio che fosse il figlio suo. L'ha guardato chiedendosi, perché quello si stava chiedendo, se non fosse suo dovere di padre prenderlo tra le braccia e dirgli: "Figlio mio!". Poi ha capito che sarebbe stato troppo perfino per uno come lui. È stato l'unico momento in cui l'ho visto, solo per quell'attimo, a disagio. Da siciliano puoi capire meglio, no? Il figlio masculo...»

«Scusa, Ines: me lo merito?»

«Scusami tu, mi è scappata una cosa cattiva. Scusami, Osto. È che questa sorpresa...»

«Vai avanti.»

«Gli ho detto che è meglio che lasci perdere, non è figlio suo.»

«Cioè?»

«Gli ho detto che è di un altro. Che quando l'ho sposato avevo un amante.»

«E lui?»

«È rimasto un momento così... Sono sicura che ha pensato se era meglio credere a questa storia accettando la parte del cornuto, per dirla come voi, o se era meglio farsi carico per tutta la vita di tutte le grane che gli sarebbero arrivate addosso.»

«Meglio cornuto?»

«Meglio cornuto.»

«Che schifo...»

Restarono in silenzio per un tempo interminabile. Finché da lontano cominciarono a sentire lo strepito dei festanti che reclamavano la musica, la fisarmonica, la ripresa delle danze. Osto guardò Ines allargando le braccia: «Che faccio?». Lei soffiò il naso nel fazzoletto, si passò le dita sugli occhi, gli batté la mano sulle ginocchia: «Vai. Tutto bene. Dammi dieci minuti e arrivo anch'io».

Quella sera, Osto non riuscì a chiudere occhio. Rivedeva il Maggiolino, la ragazza dai capelli rossi, lo sconosciuto che (a ripensarci ora ne era certo) aveva individuato subito come il marito scomparso. Ripensava alla bugia di Ines sul figlio. A come quello aveva scelto la parte che gli conveniva fare fottendosene dell'onore. L'onore! Continuava a ronzargli in testa una storia che aveva letto sul «Giornale di Sicilia». Accese la lampadina che penzolava sopra il letto dentro una campanella, tirò fuori da un libro il ritaglio che aveva conservato, rilesse il titolo: *Concezione bestiale del delitto d'onore. Uccide la figlia spingendola sotto un treno.*

Lo aveva tenuto apposta, quel pezzo di giornale. Per portarsi sempre dietro un ricordo di ciò che l'aveva spinto a venir via. In modo che, nei momenti di malinconia, quei momenti in cui gli fosse sembrato impossibile respirare così lontano dal fico d'India e dalle macchie di lavanda e dal lentisco e perfino dagli alberelli che a uno che non conosce l'area etnea non dicono niente come il «minicuccu fimminedda» cioè il bagolaro, potesse avere qualcosa sottomano che gli ricordasse: non tornare. Si sistemò gli occhiali e cominciò a leggere: «In seguito al rinvenimento lungo la strada ferrata Marsala-Mazara-Alcamo del cadavere della diciassettenne Vincenza Norrito da Mazara del Vallo, i carabinieri iniziavano, or sono quindici giorni, accurate indagini in seguito alle quali denunciavano in stato d'arresto all'autorità giudiziaria i genitori e il fratello della vittima, a carico dei quali erano emerse nel corso dell'investigazione responsabilità gravissime.

«È stato infatti accertato che la ragazza aveva avuto rapporti col proprio fratello, il contadino ventiduenne Bernardo Norrito, ed era rimasta incinta. In conseguenza di ciò i genitori, ritenendo che fosse stato leso dalla ragazza l'onore della famiglia, la istigavano al suicidio, attendendo con spietata e disumana ansietà ch'ella attuasse il gesto riparatore. Lo stesso istinto di conservazione e il chiaro convincimento di non essere la sola responsabile dell'infamia che gravava sul prestigio della famiglia avevano trattenuto la ragazza dal mettere in atto il criminale suggerimento dei genitori, i quali vedevano nel suicidio della figliola la sola soluzione della ben triste vicenda e forse il riscatto della offesa onorabilità del "casato".

«Il protrarsi di una situazione familiare resa ormai insostenibile, aggravata dalle ingiurie e dalle percosse che era costretta a subire da parte dei genitori avevano ormai stremato ogni resistenza opposta dalla giovinetta che tuttavia si rifiutava, non ritenendosi, come si è detto, la sola colpevole, di eseguire l'empia sentenza deliberata dal tribunale di famiglia, e voleva ad ogni costo vivere per espiare e redimersi, anziché morire in peccato.

«L'indugio esasperava il padre della Norrito, il cinquantatreenne Vito Norrito, impiegato al comune di Mazara, il quale diverse sere addietro invitava la figliola a seguirlo lungo la strada ferrata dichiarando che se le mancava il coraggio di uccidersi, la avrebbe aiutata lui. Quanto mai drammatico e disumano sarà stato il colloquio tra genitore e figlia nell'attesa del passaggio del treno, che sopraggiungeva frattanto ad alta velocità. Furente e spietato il padre non esitava ad afferrare la figlia e a lanciarla sotto le ruote del convoglio: un urlo straziante squarciò il silenzio dei campi superando lo sferragliare del treno che continuò la sua corsa lungo la strada ferrata sulla quale era rimasto orribilmente maciullato e in una pozza di sangue il cadavere della infelice giovinetta...».

Spense la luce. Pensò a Ines, umiliata davanti a tutti da quel fetuso col Maggiolino. Si chiese come sarebbe finita, una scena come quella, con la rossa appoggiata al cofano, trionfante, in una masseria di Castelvetrano, di Lentini o di Mazara, dove le ragazzine violentate dai fratelli venivano buttate dal padre sotto il treno. Si domandò quanto avrebbe pesato lì, sul Delta, la notizia che il marito scomparso se ne stava con un'amante in Danimarca. Si tormentò interrogandosi se avesse fatto bene o male a restar lì a suonar la fisarmonica, senza muovere un dito, lasciando che tutto si svolgesse sotto i suoi occhi. Sospirò al pensiero di Mino, che non sapeva di avere visto, per la prima e forse l'ultima volta, suo padre.

«Quando sarà grande bisognerà dirglielo.»

* * *

Il maestro tirò fuori un giornale, invitò tutti ad aprire il quaderno di grammatica, fece scegliere un foglio bianco e dettò: «I doveri verso i genitori».

«Cossa xé?» chiese Marte Goretti.

«Un dettato. Ripeto il titolo: "I doveri verso i genitori". Scrivete. Lentamente: "Essi non sono più giovani e con l'avanzare della brutta stagione cominciano le lunghe giornate in casa, spesso appesantite da qualche acciacco. È un vostro preciso dovere rendere in letizia quanto essi vi hanno dato in sacrifici. Pensate che la gaiezza allunga la vita! Una Radiomarelli apporta gaiezza!".»

«La radio?» saltò su Marte Goretti. «No gavemo 'na fiorela par comprar un pao!»

«Scusi, Goretti, gliel'ho già detto: qui a scuola si parla italiano. Quindi lei dirà: "Non abbiamo un fiorino per comprare un pavone". La "fiorela" e il "pao" li lasciamo fuori di qui. È una questione di principio. Comunque questo è solo un dettato.»

«Gò capio, ma la radio!»

«Nessuno le ha chiesto di comprare una radio.»

«No, però ad ascoltare queste cose uno ci fa un pensiero.»

Osto sentì qualcuno abbassare la maniglia, vide la porta aprirsi appena appena, riconobbe nella fessura Ines. Era in lacrime. Guardò l'orologio, mancavano cinque minuti alla fine delle lezioni. Chiese ai suoi giovanotti di consegnare i quaderni per le correzioni, raccomandò loro di leggere la pagina 119 del sussidiario fascista edizioni La Prora che aveva trovato a Rovigo in venti copie e aveva a una a una depurato con forbice, colla e rattoppi di carta blu, diede appuntamento al giorno dopo, raccolse le sue cose e uscì.

Ines era già un punticino lontano che camminava lungo l'argine. Spedita. Senza voltarsi. Doveva essere venuta via di fretta perché ai piedi aveva gli zoccoli che usava in casa e un vecchio maglioncino liso col quale per niente al mondo si sarebbe fatta vedere a messa o al mercato. Ogni tanto, mentre la rincorreva in bicicletta, vedeva che portava un fazzoletto al viso. La raggiunse, scese dalla bici, le mise una mano sulla spalla, fece per aprir bocca. Lei gli fece segno di no. Aveva gli occhi gonfi. Continuarono a camminare appaiati, senza toccarsi, senza uno sguardo, senza una parola. La bicicletta in mezzo, spinta per il manubrio. Il sole, dietro i filari di pioppi, se ne scendeva incendiando il cielo. Il latrato di un cane, alla catena in una boaria, li fece sussultare. Camminarono per un tempo che sembrava non finisse mai. Finché lei si fermò, guardò in faccia Osto e gli intimò: «Adesso».

Lui non disse nulla. Erano quasi due anni che a modo loro stavano insieme. Senza che lei gli avesse mai concesso di toccarla. Senza che lui avesse osato mai avanzare la più timida delle pretese. Quasi due anni di sguardi, silenzi, ammiccamenti, sospiri, risa. Di fisarmonica, valzer, mazurke, tanghi e fox-trot. Di piccole cortesie affettuose. Di libri che passavano da un comodino all'altro. Di bigliettini che dicevano tutto e niente. Di gomiti sfiorati. Di frasi intercettate e ruminate per ore. Di tempi sospesi e tuffi al cuore e baci sulle guance e imbarazzi divertiti alle apparizioni di Mino e improvvisi rossori davanti a certe occhiate indagatrici di zia Malvi, dei vicini, degli iscritti alla scuola pomeridiana. Per non dire di come don Olimpo, alla messa della domenica, dava la comunione a Ines trattenendo l'ostia tra le dita quella frazione di secondo che voleva significare: «Sei in peccato o no?».

Ripresero a camminare, fianco a fianco. La bicicletta in mezzo. Senza una parola. Raggiunsero un posto tranquillo, dietro un gran covone dove sapevano che non passava mai nessuno. Lui rimpianse di essersi infilato la mattina una canottiera che era meglio lavare, lei avvertì il dispiacere sciocco e sottile di non essersi passata neanche un'ombra di rossetto. Fecero l'amore in modo disastroso. Lui aveva la testa pesante, era inorridito dalla certezza che lei avvertisse il fiato che gli aveva lasciato un panino di salame all'aglio e si sentiva trafitto nei fianchi da migliaia di steli secchi e appuntiti del fieno. Lei piangeva a dirotto come non aveva mai pianto da quando era bambina, teneva la testa girata da una parte fissando un ramo qualunque e cercava inutilmente di scacciare l'immagine del vecchio don Olimpo che la guardava diffidente con l'ostia sospesa tra le dita.

Tornarono a casa come erano venuti. Fianco a fianco, la bicicletta in mezzo. Senza una parola. Prima di entrare, lei gli tolse un filo d'erba dal colletto e disse: «Scusami». Lui rispose: «Figurati». Non mangiarono quasi niente. E andarono a letto con la bocca amara.

Il piccolo puntò il dito sui quadri e chiese: «Dove sono i pesci?». Osto e Ines si guardarono stupiti: era vero, mancava il mare. Erano lì, al faro di Punta Maestra, dov'erano arrivati remando tra canneti e lingue di arena con una bettolina che avevano avuto in prestito, da un paio d'ore. Avevano mangiato i panini con la mortadella che si erano portati dietro, avevano stappato una bottiglia di cabernet della cantina sociale buono e robusto anche se come tutti i vini del Delta sapeva un po' di pesce, si erano stesi sulla sabbia a prendere il sole e infine si erano presentati alla porta del fanalista pittore: «Salve Minosse, vi abbiamo portato un fiasco».

Minosse Tramarin era entrato in servizio al faro di Punta Maestra, dopo un corso a La Spezia dove gli avevano insegnato tutto, quando aveva ventisei anni «e certi fanalisti ricordavano di quando alcuni fari andavano ancora ad olio e bisognava star lì tutta la notte a tagliare con la forbice lo stoppino perché non facesse fumo col risultato che a forza di fissare la fiamma i più deboli diventavano ciechi». Invelenito col governo, che dava «ai disgraziati che salvano la pelle ai marinai la stessa paga, cavallo bestia!, degli uscieri dei ministeri che si grattano il panciotto e a mezzogiorno hanno la pasta col sugo», sapeva tutto dei fari, sui quali aveva trovato un po' di libri che aveva praticamente mandato a memoria e ritagliato decine di articoli accumulati rastrellando ogni volta che veniva in paese tutti i giornali e le riviste vecchie che trovava nelle osterie e dal barbiere, fino a mettere insieme qualcosa come sette quintali di carta.

In paese se lo ricordavano, certi languidi pomeriggi di

estate che non finivano mai e consentivano al fanalista di prendersela comoda prima del crepuscolo. Poteva passare delle ore a raccontare della Torre Timea sul Bosforo «cantata anche da Omero, non so se mi spiego, nel XIX canto dell'Iliade» e della celeberrima lanterna che svettava sull'isola di Pharos davanti ad Alessandria d'Egitto che «era tra le sette meraviglie del mondo al pari del Colosso di Rodi o del mausoleo di Alicarnasso». E del faro delle Shetland che «una notte vide un'onda immensa salire e salire fino a sfondare una porta a sessanta metri da terra e con l'ultima forza che le restava spegnere la sigaretta in bocca al fanalista sbigottito». E di quello di Tillamook Rock, sulla costa pacifica del Nordamerica «che durante un fortunale scatenato da Satana in persona fu tempestato di massi grandi come un'anguria (un'anguria, cavallo bestia!) raccolti e scagliati dalle onde fino a ottanta metri di altezza!».

Per non dire dell'avventura toccata ad Attilio Giacopuzzi che lavorava davanti a Cortellazzo, al di là di Jesolo, su uno di quei battelli-faro che segnalavano i tratti di mare minati e una notte che la guerra era appena finita, per colpa della catena dell'ancora che si era rotta, «si trovò col cuore in gola alla deriva tra le acque infestate dalle mine e la mattina, protetto sicuramente da san Nicolò dei naviganti, andò ad arenarsi sano e salvo su una spiaggia sotto Chioggia e appena fu a terra, compilato il rapporto, partì senza neanche un caffè per raggiungere a piedi la Madonna di Monte Berico dove lasciò come ex voto una lanterna».

La sua preferita, però, quella che inchiodava gli ascoltatori strappando loro le risate, era la storia del livornese e del campese, che stavano rinchiusi nella gabbia dell'Africanella, una specie di baracca di ferro eretta in cima a un altissimo traliccio sulla secca molto a sud dell'isola di Montecristo: «Tra i fanalisti li chiamavamo "i canarini ringhiosi". Una volta, pare, erano grandi amici. Ma grandi davvero. Il livornese si chiamava Costanzo, il campese Matteo. Avevano scelto insieme di andare lassù, sulla sommità di quel traliccio piantato in mezzo al mare perché non c'era neanche il modo, con le maree, di costruire un faro vero e proprio. Poi, a forza di vivere insieme, loro due, soli, sospesi nel cielo, successe qualcosa. Vai a sapere cosa… Forse la confidenza di un piccolo torto. La confessione di un amore. La battuta sbagliata su un amico o una donna. Fatto sta che all'uno e all'altro, quella cosa lì, sembrò irrimediabile. Definitiva.

«Da allora smisero di parlarsi. Così, per sempre. Ognuno mangiava, beveva, lavorava per conto proprio. Come uccellini in gabbia decisi a passare la prigionia su trespoli diversi. Per i problemi di servizio si lasciavano dei bigliettini: "Rotto 43". "Fusibile sinistra." "Vite spanata." Sa Iddio come facessero. E siccome nessuno dei due voleva dichiararsi vinto riconoscendo l'altro vincitore, rifiutavano entrambi di chiedere il trasferimento. Restarono così, muti e gonfi di odio, per anni. Finché non arrivò un battello con la moglie del livornese, una smilza legnosissima, che da sotto gli urlò: "'Ostanzo! 'Ostanzo! O che tu scendi o che mi faccio amante d'un pisano!".» Al che qualcuno l'interrompeva: «Ma va' là, Minosse, questa te la sei inventata!». E lui: «Giuro! Giuro su san Nicolò!».

Altri tempi. Adesso il fanalista di anni ne aveva cinquantadue. E tormentava tutta la gente del Delta, che incontrava quando lasciava il suo eremo proteso nell'Adriatico per rifornirsi in paese di acqua, pasta, conserva di pomodoro e petrolio, con la sua nuova ossessione. Un'ossessione da poveracci: avere due settimane di ferie, le prime due settimane di ferie da undici anni in qua, per andare a trovare i suoi figli, Roberto, Jacopo e Redenta. I quali, da quando era morta la madre, avevano dovuto lasciare il faro e andare a vivere a Cividale con una zia. Zia alla quale Minosse dirottava ogni mese quasi tutto il suo stipendio, raccomandandosi che i bambini, che ormai erano diventati ragazzi, studiassero e prendessero il diploma e se possibile diventassero perfino dottori, «basta che non siano costretti a finire in cima a un faro».

Se lo ricordavano tutti, in paese, com'era morta la Pina, la moglie, una donnona bella e sana che per anni aveva vissuto lì a Punta Maestra tirando su tre figli piccoli in condizioni difficilissime senza mai perdere un attimo il buonumore, che esprimeva con piccoli gesti diventati leggendari tra la gente del Po, come lo sventolio di gagliardetti che faceva dalla finestra della casa per avvertire il marito in cima al faro di scendere perché era pronta la pastasciutta. Bandieretta rossa: subiotti al sugo con la conserva. Bandieretta marrone: subiotti al ragù di manzo.

Incinta del quarto figlio, aveva aspettato come sempre l'ultimo momento per chiedere al marito che la portasse all'ospedale o almeno a casa della vecchia ostetrica che aveva fatto nascere metà dei compaesani. Ma proprio quella mattina, Minosse era stato costretto da uno stupido incidente (un gabbiano che era andato chissà come a schiantarsi accecato sulla lampada) a calibrare il meccanismo a orologeria che dava i tempi al faro perché potesse orientare i naviganti: lampo di mezzo secondo e scuro di quattro, lampo di mezzo secondo e scuro di quattro, lampo di mezzo secondo e scuro di otto. Finito il lavoro di pinze, olio e cacciavite, si era fatto ormai troppo tardi. «Ci andiamo domani» aveva detto la Pina. «Non c'è problema, sto bene.»

La notte, una notte da spavento con la bora che urlava facendo sbattere tutto, aveva avuto le doglie. Il marito, tra una corsa su per i quattrocentosedici gradini a guardare il fanale e i pentolini di latte condensato per cercare di tener calmi i bambini che piangevano terrorizzati, aveva fatto quello che poteva. Il telefono non glielo avevano ancora messo, ma anche se ci fosse stato non avrebbe cambiato niente: alle nove di sera la centralinista staccava e andava a letto. Verso l'alba era ormai chiaro che la Pina non ce l'avrebbe mai fatta senza un medico. Pregando Iddio che il faro non si spegnesse, Minosse aveva raccomandato a Roberto di badare ai fratellini più piccoli e, caricata la moglie sulla barca, aveva cominciato a remare e remare disperato lungo il fiume per arrivare al paese, con l'acqua che veniva giù a dirotto e il vento che non smetteva un attimo di urlare.

Arrivato in paese, aveva preso tra le braccia la moglie ed era riuscito chissà come, con quello che pesava la poveretta, a portarla fino a casa del medico condotto. Quando la lama di luce della porta aperta aveva colpito in faccia la donna, col dottore sulla soglia che finiva di infilarsi un maglione, aveva capito infine che era morta.

Da quel momento, affidati i figli alla cognata, l'uomo si era rinchiuso nella sua torre incaponendosi in quella che era ormai la sua sfida: reggere da solo il faro, quel faro che gli aveva rubato la moglie e i figli, a ogni costo. Come dovesse dimostrare a tutti, ma più ancora a se stesso, che la Pina non era morta per niente. Mai un'assenza, mai un guasto trascurato, mai un meccanismo abbandonato alla polvere senza la quotidiana lucidatura, mai un ingranaggio privato della sua giusta goccia di olio. Il faro gli aveva ucciso la Pina e lui faceva la guardia all'assassino con tutta la cura di cui era capace. Tutti i giorni, per anni.

Finché una mattina, vedendo una rondine che aveva preso a sfrecciare fin dentro la cabina del faro, non gli era appunto tornata in mente la volta che aveva insegnato a Jacopo una vecchia filastrocca: «Uselìn che vien dal mare / quante pene puoi portare?». E gli era venuta, improvvisa, una voglia spasmodica di rivedere i suoi figli. «Avrei diritto alle ferie» ripeteva a tutti quelli che incontrava, «ma il regolamento del 1915, perché da allora a noi fanalisti non l'hanno mai cambiato, dice che ne ho diritto solo se trovo uno che mi sostituisce. E i miei figli? Ho o non ho il diritto di rivedere i miei figli?»

Osto, una mattina all'osteria, si era offerto di prenderlo lui, il suo posto: «Con la legge del 1947 i maestri magri come me hanno lo stipendio solo nei mesi di "effettivo insegnamento". Così c'è scritto. In estate ho un sacco di tempo. Se volete…». Ma Minosse aveva scrollato la testa: «Deve essere uno con le carte in regola». E aveva aggiunto con tono grave: «È un lavoro di responsabilità».

Erano però diventati amici. E quando ne aveva occasione il maestro andava volentieri a far visita a quella specie di san Simeone che viveva come uno stilita in cima al faro. E aveva scoperto che il fanalista, nelle lunghe ore di solitudine, aveva cominciato a dipingere rivelando di avere una buona mano.

«Dovreste venderli, e li vendereste bene» gli aveva detto un giorno.

«No, mi fanno compagnia.»

Mai, però, si era accorto di quello che, a otto anni, aveva visto Mino: non c'erano pesci, in tutte le tele del guardiano. E non c'erano barche, non c'erano scogli, non c'erano lingue di terra né orizzonti né salicornie né soli nascenti né vele né sagome di petroliere in lontananza o aironi cinerini. Niente. C'erano invece stambecchi e baite e pascoli e crode dolomitiche. Ma più ancora chiese e paesi e mercati e bancarelle e capannelli di persone e fiere di piazza e incroci affollati e caciare di bambini e caos di colori. Tutti i colori, dal verde al giallo, dal fucsia al nero all'arancione. Tutti meno l'azzurro, il celeste, il blu, il bianco della spuma...

«Siete arrivato a odiarlo?» chiese Osto.

«Cosa?» rispose Minosse.

«Il mare.»

«Boh...»

* * *

Don Olimpo fissò Ines negli occhi, si bloccò con l'ostia a mezz'aria, assaporò per un tempo interminabile l'imbarazzo della donna, piegò le labbra in un sorrisetto crudele e le ordinò, con un cenno della testa, di allontanarsi. Lei restò lì, inebetita. Sentì il sangue salire alla testa e incendiarle il viso. Si strinse meccanicamente sotto il mento il fazzoletto, si scostò dalla fila dei fedeli che volevano la comunione, si voltò e filò via verso il suo banco, con le ginocchia che cedevano per l'emozione. Si accasciò in preghiera, il viso nascosto tra le mani, le spalle scosse da brividi.

«Che succede?» le chiese Osto chinandosi all'orecchio.

«Devo uscire, devo uscire...» rispose lei con un filo di voce.

«Che succede?»

«Devo uscire, devo uscire...»

Si alzò, si fece il segno della croce, scivolò fuori dalla chiesa con la testa bassa, salutò appena Gineta la Canadese con la quale aveva preso l'abitudine di passare qualche pomeriggio della domenica per andare poi insieme alla messa delle sei, affrettò il passo verso l'argine, si levò le scarpe e cominciò a correre.

Il sole era ancora alto. Il caldo opprimente. I salici bianchi se ne stavano immobili, senza una sola foglia che vibrasse alla luce. Non tirava un alito di vento. Una vacca da qualche parte muggiva nervosa. Quando Osto le fu finalmente addosso, Ines sbandò, inciampò in una radice e rotolò giù dalla china, in lacrime. E restò lì, la faccia sull'erba, finché lui non la raggiunse.

«Vuoi dirmi che succede?»

«Aspetto un figlio.»

«Cosa...»

«Hai capito?»

«Ma...»

«Aspetto un figlio.»

«E quando... Quando l'hai saputo?»

«Adesso.»

«Adesso?»

«Don Olimpo.»

«Te l'ha detto don Olimpo?»

«Sì.»

«Dandoti la comunione?»

«Non me l'ha data.»

«Non te l'ha data?»

«No.»

«Perché?»

«Perché voleva dirmelo.»

«Cosa? Cosa?»

«Che aspetto un figlio. Me l'ha urlato. In faccia. Davanti a tutti. Non aveva bisogno di parlare. Ho capito io. Hanno capito tutti.»

«Vuoi dire che lo sapeva lui e non lo sapevi tu?»

«No. Non lo sapevo.»

«E come...»

«Corrado Serrajotto.»

«Il medico condotto?»

«Solo lui può essere stato.»

«Ma...»

«Ero andata a fare una visita. Mi ha fatto fare delle analisi. Sono tre mesi che...»

«E lui l'ha detto prima al parroco che a te?»

«Sì.»

«Non è possibile.»

«È così.»

«Magari ti sbagli.»

«No.»

«Non poteva farlo.»

«L'ha fatto. È un vecchio bigotto. Brav'uomo, per carità, ma sta sempre in mezzo alle beghine. Per le elezioni del 18 aprile l'ambulatorio era tappezzato di manifesti della Dc. Dietro la scrivania ne aveva uno che diceva "Non solo Togliatti ci ha l'amante, ma la ricopre di pellicce e brillanti". Per non parlare della povera Noris.»

«Cioè?»

«Non dirmi che non te l'ho mai raccontata.»

«No.»

«Una sera, dopo aver passato il pomeriggio alla cresima di un parente, tornò a casa col Nestore che avevano un po' bevuto. Erano anni che dovevano sposarsi. Anni. Fatto sta che quella sera, nel pagliaio di lui, andò come andò. Praticamente lei non si accorse neanche di essere incinta. Se ne accorse il dottor Serrajotto, con un'occhiata, in sala d'aspetto, dove la Noris aveva accompagnato sua mamma. E glielo disse lì, facendo il finto tonto, in modo che tutti sapessero: "Buongiorno signorina, è qui per la gravidanza?". Era già al quinto mese.»

«Maledetto.»

«Sua madre non le parlò mai più. Per mesi e mesi. Nestore si offrì di sposarla subito, lei non aspettava altro. Ma don Olimpo pretese che si sposassero alle cinque di mattina, che fossero presenti solo i testimoni e i genitori, che lui non si mettesse neanche un fiore all'occhiello e che lei fosse vestita di nero e con un fazzoletto a coprir la testa. Era novembre. Il padre e la madre, per non dargliela vinta, non si alzarono neppure dal letto. Lui avrebbe dovuto mungere le vacche ma preferì restare lì, a far finta di dormire. La poverina uscì di casa in lacrime, mentre le vacche con le mammelle gonfie muggivano e muggivano chiedendo d'essere munte.»

«E adesso?» chiese Osto pensoso.

«Adesso cosa?» rispose lei, passandosi la manica della camicetta sugli occhi per asciugare le lacrime e riprendendo il suo spirito battagliero.

«Cosa facciamo?»

«Testa alta» rispose lei, asciugandosi gli occhi e tirando su col naso. «Testa alta.»

Processo in sezione al compagno Aliquò

«Non glielo nascondo, maestro: è un guaio, un grosso guaio…» disse l'avvocato, grattandosi un enorme comedone sullo zigomo sinistro. Piccolo, tarchiato, capelli unti lunghetti sul collo, basetta, occhi bovini, sopracciglia a manubrio che gli davano un che di luciferino, pelle chiazzata qua e là di macchie giallastre, polpastrelli color ocra per le troppe Alfa che accendeva una via l'altra, l'avvocato Fiorenzo Centomini di Rovigo viveva immerso in un disordine indescrivibile di carte, bucce d'arancia, faldoni, grissini, maschere africane e calamai che, per rassicurare ogni esterrefatto cliente, sdrammatizzava sempre con la stessa battuta: «Scusi il caos, ma sarebbe peggio se ce l'avessi in testa».

In testa, diceva, aveva idee chiarissime. Che ruotavano tutte intorno a un concetto: i problemi di Rovigo, del Polesine, dell'Italia e del Mondo, dalle lacerazioni del dopoguerra ai parassiti del granturco, avevano una sola origine, la Chiesa cattolica. Figlio di una pia donna che dopo aver speso una fortuna facendo dire messe per la sua redenzione l'aveva infine rinnegato, era infognato da anni in una tormentatissima pratica burocratica per sbattezzarsi, aveva tappezzato l'ufficio di ritratti di Giordano Bruno e si compiaceva di scandalizzare i benpensanti definendosi un «peccator contento» e imitando la voce di Pio XII mentre invitava tutti i cattolici a impegnarsi in politica nella scia del grande «Ginetto»: «Guardate il vostro Gino Bartali, membro dell'Azione Cattolica: egli ha più volte guadagnato l'ambita maglia! Correte anche voi in questo campionato ideale!».

Comunista di vecchia data, era stato buttato fuori dal

Pci perché in sezione aveva dato in escandescenze laiciste contro i compagni che difendevano la didascalia di una rivista sotto un'istantanea di Palmiro Togliatti e della sua compagna Nilde, lui in camicia da montagna a quadrettoni che scattava una foto, lei in maglione, durante una gita sulle Alpi. Didascalia che spiegava, con tutta l'ipocrisia del mondo, come il Migliore fosse in vacanza con la «segretaria» Leonilde Iotti. «Siete soltanto delle vecchie beghine staliniane!» aveva tuonato sbattendo la porta. Da allora, persi tutti i clienti legati al partito e alle cooperative e segnato a dito come uno sporcaccione mangiapreti da tutti i parroci da Porto Tolle a Lendinara, faticava ad arrivare a fine mese. Era però l'unico nella zona che accettasse incarichi a prezzi contenuti su un tema rognosissimo: il divorzio.

«Un guaio, capito? Un grosso guaio.»

«Lo so» rispose il maestro.

«Sulla carta, il figlio in arrivo è di quell'altro.»

«Del marito redivivo?»

«Esatto.»

«Ma...»

«La legge è chiara. Le leggo un passaggio di quel che scrive Luigi Salerno nel suo volume a uso dei pubblici ufficiali: "Riconoscimento dei figli naturali. Il figlio naturale può essere riconosciuto dal padre e dalla madre tanto congiuntamente che separatamente". Ma "non possono essere riconosciuti", mi ascolti bene, comma primo, "i figli nati da persone di cui anche una soltanto, al momento del concepimento, fosse legata in matrimonio con altra persona". Chiaro?»

«Ma lei non lo sapeva! Era convinta che fosse morto! Aveva pubblicato due volte un appello sulla "Domenica del Corriere" nella rubrica "Chi li ha visti?". Per anni, dopo l'8 settembre, quel delinquente ha lasciato che lei lo credesse morto. Più di cinque anni di silenzio totale! E un giorno, eccolo che scende da una Volkswagen (una Volkswagen, dico, dopo aver lasciato che lei tirasse su da sola il figlio con tutto quel che costa oggi!) e le dice che vuole l'annullamento per sposarsi con una rossa danese che si era portato dietro. Da galera! Da sbatterlo in galera!»

«Non si può. Piuttosto è la sua... Come posso chiamarla?»

«Amica.»

«Solo amica?»

«Compagna.»

«Ecco, è la sua compagna che rischia.»

«Lo so, ma è una legge infame. Infame.»

«Sono d'accordo. Ma la legge è chiarissima: l'adulterio "consiste nel contatto carnale di una donna maritata con un uomo che non sia il marito. Circa la materialità del delitto vi è divergenza in dottrina se gli atti di libidine o la congiunzione carnale contro natura...".»

«Contro natura?»

«Abbia pazienza e mi faccia finire. Dicevo: "Circa la materialità del delitto vi è divergenza in dottrina se gli atti di libidine o la congiunzione carnale contro natura siano atti incriminabili per il reato d'adulterio. Il Carrara, il Maino, il Puglia, sostengono doversi escludere l'ipotesi della congiunzione contro natura, mentre in senso contrario si esprimono Pessina, Impallomeni, Manzini...".»

«Scusi avvocato, ma che c'entra? Perché mi legge questa roba?»

«Per farle capire quanto la legge sia medioevale. Medio-e-va-le. E più ancora la sua interpretazione. È una vita che mi scontro con queste idiozie. Ma è bene che lei e la sua compagna conosciate i rischi. E qui i rischi ci sono: la legge è molto più dura con la moglie che col marito. Senta qua, sempre dal Salerno: "È indiscutibile come il danno che dall'adulterio della moglie ricade sul marito sia infinitamente più grave del danno che dall'adulterio del marito ricade sulla moglie: una moglie tradita, dice il Moggione, può essere compianta, un uomo ingannato è ridicolo se ignora, disonorato se sopporta, vituperevole se accetta cinicamente il suo stato". Ci siamo?»

«Una vergogna! Questa legge è una vergogna!»

«Basterebbe che il marito della sua "amica" sporgesse querela... Ma non si angusti, non si angusti! Senta questo passaggio sull'adulterio: "Non è punibile il coniuge legalmente separato per colpa dell'altro coniuge, ovvero da questo ingiustamente abbandonato". Ci siamo o no?»

«Spero bene.»

«La sua amica dirà: mi avevano detto che era morto. E lui per cinque anni…»

«Sei.»

«… per sei anni non diede notizia della sua esistenza in vita.»

«Appunto.»

«Non si illuda, però. Tira una brutta aria, su questi temi. Preparatevi, perché sarà dura. Durissima.»

* * *

La seconda domenica di novembre se la sarebbero ricordata tutti, in contrada. Nella notte era venuta giù una nevicata formidabile, come non si vedeva da decenni, in quel periodo dell'anno. Il Po scorreva verso il mare in una immensa distesa bianca. I pellicani gonfi di freddo cercavano di scaldarsi al sole sistemandosi sopra le briccole. I cavalli, stronfiando e soffiando dalle narici pennacchi di alito caldo, tiravano i carretti seguendo gli itinerari mandati a memoria. Le vecchie guardavano fuori dalla finestra e si chiedevano come avrebbero fatto ad andare a messa.

Fu lì che Nane ebbe l'illuminazione. E raccolta la solita banda di goliardi, gente di cuore grande e mani enormi, partì a tracciare un percorso verso la parrocchia di don Olimpo scavando nella neve fresca, che sarà stata alta poco meno di un metro, una specie di sentiero. Una vera e propria gola, dalle pareti nette come le siepi sagomate di certi giardini della Riviera del Brenta. Per due ore buone spalarono, come se la fatica non pesasse loro per niente. Ogni tanto si voltavano indietro, a guardare l'opera svolta, e si davano delle gran pacche sulle spalle. Finché, sbucati finalmente in faccia alla chiesa, non si misero i badili in spalla per tornare subito indietro, tra risate e battute, per vedere l'effetto dell'impresa.

La prima a uscire per andare alla messa delle nove, infa-

94

gottata in un vecchio pastrano militare sistemato alla buona, fu la suocera di Zanze Strozzabosco detto Mastela, il casolino di cui ormai nessuno più ricordava come gli fosse rimasto attaccato addosso lo strano soprannome. Sotto gli occhi di tutta la banda, la donna impiegò due tornanti, a capire. Svoltò a destra e poi a sinistra e poi di nuovo a destra. Al terzo sbottò: «Maria Vergine: 'na bissa!». E proprio così apparve infatti il percorso, al chierichetto che don Olimpo aveva mandato su in cima al campanile dopo avere avuto notizia dello scherzo. «Cossa vedito?» urlò il prete da sotto. «'Na bissa tuta curve, don Olimpo!» rimandò il chierichetto. Un serpente che partendo dalla contrada arrivava alla chiesa dopo una interminabile serie di svolte a gomito e tre o quattro incroci per far perdere l'orientamento. Un percorso preciso identico, ricordò uno della ganga che da ragazzo era cresciuto violando le cancellate della celeberrima residenza patrizia, a quello del labirinto rinascimentale di siepi di carpini, bossi e ligustri di villa Pisani a Stra.

Nane e gli altri stavano all'imbocco del percorso. A ogni donna che vi si infilava, levavano le mani al cielo come il prevosto alla benedizione: «Lunga e tortuosa, sorelle, è la strada che porta al paradiso!».

*　*　*

«Compagno Aliquò, cosa combini?» chiese Leone Nazzaro, il segretario di sezione del Pci, un omone che di mestiere scaricava sacchi in uno zuccherificio. La stanza, un deposito attrezzi senza finestre riscaldato da una stufetta elettrica di latta che abbrustoliva i polpacci di chi stava davanti alla spirale incandescente della padella lasciando nel gelo le mani, le spalle e le orecchie di tutti, era gonfia del fumo di decine di sigarette arrotolate con del cattivo tabacco spesso fatto in casa.

«Di cosa parli?» rispose ostile il maestro.

«Della tua relazione extraconiugale con la signora Toffoletto Picotto.»

«Scusa compagno: sono affari vostri?»

«Dipende.»

«Dipende da cosa, scusa?»

«Dipende dall'imbarazzo politico che puoi creare al partito.»

«Imbarazzo politico?»

«Compagno Aliquò, mettiti al posto nostro.»

«No, mettetevi voi al mio.»

«Non è facile, qui nel Polesine, per il partito. Il prete, il dottore, il farmacista, il veterinario, le suore dell'asilo… Premono. Mi spiego? Premono. Ormai sei qui da un po', conosci le nostre donne. Si lasciano influenzare. Recitano le giaculatorie. E assediano i mariti. Ci sono sezioni elettorali dove abbiamo ventidue iscritti e abbiamo preso sedici voti. Non so se mi spiego. Meno voti che iscritti.»

«E io cosa c'entro?»

«Il partito lo sa, cosa è bene e cosa no. Sai che a Rovigo c'è una scuola del partito? Duecentoquaranta allievi, non so se mi spiego: duecentoquaranta! Siamo forti. Ma dobbiamo muoverci con passo cauto. Ti voglio leggere un tema, su "Feuerbach e il punto d'approdo della filosofia classica tedesca". Senti cosa ha scritto questo compagno, che la dottrina l'ha studiata bene: "Vi prego di dirmi in che modo Feuerbach dimostra di scivolare nell'idealismo, benché fosse un completo materialista, dicendo che il pensiero nasce dalla materia in relazione a ciò che lo circonda. Io credo che Feuerbach sbagliava dicendo che la ricerca della felicità accompagnata dall'amore è legittima anche se illimitata. Io credo che sia legittima fin quando non pregiudica la felicità degli altri. Feuerbach idealizza l'amore elevandolo al di sopra dell'umanità, mentre noi consideriamo l'amore un frutto più rigoglioso nel benessere, nella verità e nella tranquillità, specie se questa tranquillità non è turbata da una parte di umanità sofferente". Oooooh! Ci siamo?»

«Scusa: cosa c'entro io con Feuerbach?»

«C'entri. Siamo tutti parte della società. E in qualche modo dobbiamo rispondere dei nostri atti davanti a tutti. So che tu, dietro la colonna, vai anche in chiesa con la Toffoletto Picotto. Avrai visto il giornale che c'è attaccato fuori, sul portone…»

«No.»

«Quella famosa pagina su Togliatti che scatta una fotografia. Quella che già era stata usata dall'avvocato Centomini per accusarci di essere delle beghine e farsi espellere dal partito. Quella con scritto sotto "Il segretario del partito comunista Palmiro Togliatti sta ormai terminando le sue vacanze insieme con la segretaria Leonilde Iotti".»

«E allora?»

«Don Olimpo ha incollato il giornale su un cartoncino, ha sottolineato in rosso la parola segretaria, ci ha messo una freccia e ha scritto con una matitona blu: "Hanno le amanti e le chiamano segretarie! Donne! Non lasciate che anche vostro marito si faccia una 'segretaria'". Capito, compagno?»

«E allora?»

«Come sarebbe a dire "e allora?". Vatti a rileggere "Noi donne". La linea del partito è chiara. Noi siamo "per un sobrio comportamento eterosessuale, diverso da quello degli inetti rampolli della borghesia terriera che combinavano libertinaggio e oppressione sociale, disgustosi parassiti che concupivano vigliaccamente le figlie del popolo". Mi pare tutto chiaro, no?»

«Ma…»

«Il partito non può permettersi scandali. Le forze della reazione…»

«Crepa!» sibilò Osto, il viso paonazzo per l'emozione, la rabbia, l'umiliazione.

«Eh?» chiese Leone.

«Crepa! Ma che razza di compagni siete? Tutti lì a parlare delle masse popolari che marciano verso la libertà e a mandare a memoria proverbi russi: "Nel paese dei bolscevichi / ceppi e catene sono banditi". E poi… Ma che razza di compagni siete? Ha ragione Centomini, peggio delle beghine, siete. Peggio!»

«Ma dài, ragiona…»

«Cosa c'è da ragionare? Cosa?»

Si alzò, scostò la sedia, si calcò il cappello in testa, si avvolse la sciarpa al collo e se ne andò, col groppo in gola, senza salutare.

*   *   *

Quando girò voce che in paese erano arrivati i giornalisti, Osto era ormai così preso dal suo tormento da essere quasi certo che fossero venuti per lui e Ines. Così, appena un cronista e un fotografo gli si affacciarono sulla porta della classe, mandò giù la saliva passandosi un dito nel colletto come già sentisse sul collo la lama della ghigliottina.

«È lei il maestro?»

«Sì.»

«Possiamo entrare?»

«Oddio…»

«Solo un attimo.»

«Ma…»

«Sarebbe questa la ganga?» chiese il cronista esaminando a uno a uno gli allievi. Era stupefatto: tre o quattro contadini di mezza età, cinque o sei donne tra le quali spiccava Gineta la Canadese perché aveva sempre la bocca rossa e i capelli vaporosi che davano sull'azzurrino, un paio di battellieri con gli stivali di gomma e qualche vecchio dallo sguardo avvilito.

«Non so di cosa parla» rispose il maestro, stando sulle sue.

«La Ganga dell'Unghia» insistette il giornalista, deluso.

«La Ganga dell'Unghia?»

«Ci avevano detto che erano bambini. Una banda tutta di bambini pellirosse che assalta i treni e le corriere. Deve esserci un errore… Sennò non saremmo venuti.»

«Par mi, lu el pol anca 'ndar in Cina, sior» gli sibilò in faccia Marte Goretti facendogli segno di filar via: «Anda! Anda!».

«Anca par mi el pol andar in Cina» sentenziò grave Giobatta Beltrame.

«Forse è meglio se usciamo» disse Osto, prendendo il cronista sottobraccio.

Faceva freddo, fuori. Una di quelle giornate di ghiaccio col cielo così azzurro e sgombro di ogni nuvola che ti domandi come faccia il sole a essere così freddo e distante. Il cronista era impaziente. Il maestro si abbottonò il cappotto, si tirò su il bavero e disse: «La nostra è una scuola di recupero per analfabeti. Le elementari non sono qui, ma dall'altra parte, dopo il consorzio, a destra. Quelle quattro sciocchezze, perché di sciocchezze si tratta, sono successe lì».

«Lei definisce una sciocchezza dirottare un autobus?»

«Con le fionde! Per andare a vedere l'ottovolante e il "calcinculo" e le altre giostre a Taglio di Po!»

«Sequestro plurimo di persona, interruzione di servizio pubblico...»

«Bambini! Sono bambini!» sbuffò esasperato il maestro. Si fermò un attimo, pesò il cronista cercando di capire se aveva davanti un uomo perbene, si chiese se non valeva la pena di raccontarla tutta. Decise di rischiare. Spiegò dunque che i ragazzini, eccitati dalla visione di *Ombre rosse* e altri western, «per non dire del clima di violenza che ancora si respira a tre anni e passa dalla fine della guerra», avevano dato vita a una banda di pellirosse pitturandosi la faccia coi gessi colorati e costruendosi archi e frecce e copricapi piumati «con le penne recuperate dando l'assalto a non so quante oche e tacchini in giro per le aie, mentre i contadini li inseguivano coi forconi» finché si erano riuniti per il giuramento di sangue e per scegliere il motto: «La nostra legge non conosce perdono».

«Difatti hanno sequestrato un compagno di classe condannandolo a morte» lo interruppe il cronista.

«Certo, ma tramutando la condanna nel pagamento di sette rametti di liquirizia, sette gomme americane e sette sigarette popolari!» rise il maestro.

«E l'assalto al treno?»

«Una vecchia "vacca mora" a carbone che non so come sia ancora in servizio. C'è un punto in cui rallenta, su un curvone, fin quasi a fermarsi. I bambini son saliti lì (guadagnandosi dai genitori una ripassata con la cinta dei pantaloni per il pericolo che avevano corso) e si sono fatti consegnare dai passeggeri tutte le caramelle e le mentine che avevano dietro. Chi non aveva niente doveva pagare un obolo per acquisto bonbon. Le pare davvero una cosa così grave? Onestamente: valeva la pena di sbatterli sui giornali locali e poi perfino su quelli nazionali?»

«Fatto sta che se cominciano così…»

«Infatti, come le dicevo, i genitori hanno dato loro una ripassata. E le assicuro che qui, quando picchiano un figlio con la cinta o una canna, lasciano il segno. Non solo nella memoria: nella carne. Comunque stia tranquillo: è tutto finito.»

«E sono tornati a scuola?»

«Tutti e cinquantasei. Il direttore, dopo averli sospesi perché un giorno avevano "dissotterrato l'ascia di guerra contro la maestra" (così dissero) marinando la scuola in cinquantatré, ha chiuso un occhio. Si domandi piuttosto: è giusto che una maestra abbia classi con cinquantasei scolari? Mi dica: è giusto? Per prendere cosa, poi… Mille lire al giorno. Quello che costa un chilo di carne.»

«E l'unghia?»

«L'unghia?» rise Osto. «Quella è la cosa più divertente. Come segno di riconoscimento, dopo aver stretto tra di loro un patto di sangue coi fegatini di un paio di galline, decisero di non tagliarsi mai più, per tutta la vita, costi quel che costi, l'unghia dell'alluce del piede sinistro. Per questo la chiamavano la Ganga dell'Unghia. Dopo qualche settimana avevano certe unghie mostruose. Non le dico le mamme…»

«Cioè?»

«Con quello che costano i calzettoni.»

* * *

«Divorziare in Romania?» sbarrò gli occhi Ines.

«Così dice l'avvocato Centomini. Lo conosci Valentino Mazzola?»

«Il cugino di Menego, il romagnolo?»

«Quello è Tino Marzola, con la erre. Io parlo del calciatore.»

«Mai sentito.»

«Quello del Torino. Il capitano della Nazionale.»

«Ah...»

«Non importa, ti basti sapere che è uno famoso. Così famoso che tanti circoli religiosi, per via di quel suo amore di contrabbando...»

«Anca ti?» si irrigidì lei.

«Anca ti cosa?»

«Anca ti te te meti a ciamarlo così?»

«Che c'entra? Loro lo chiamano così.»

«Anche il nostro è un amore di contrabbando.»

«Lo so perfettamente» rispose Osto, ferito. «Lo so perfettamente. E pesa a me quanto pesa a te. "Loro" lo chiamano così. Loro.»

«Vai avanti.»

«È difficile parlare con te, qualche volta...»

«Vai avanti.»

«Questi circoli erano arrivati a dire che la Nazionale non doveva avere come capitano un adultero. Che queste storie incoraggiano il peccato, il concubinaggio, il dilagare dei figli adulterini... Fatto sta che, grazie al suo caso, è venuta fuori la storia che molti italiani, per aggirare la legge e avere il divorzio, vanno laggiù, in Romania. Centomini mi ha dato anche un articolo dell'"Europeo". Effettivamente pare che la cosa sia vera. Ma è ancora tutta aperta.»

Era una giornata di sole. Tiepida. Si sedettero fuori, in piena luce, sulla panchina. Osto leggeva a voce alta, Ines seguiva la lettura con gli occhi, parola per parola: «Valentino Mazzola non ha ancora sposato la signorina Giuseppina Cutrone di Torino e non sa neanche se potrà sposarla. La Corte d'Appello di Torino, con la sua sentenza del 13 aprile 1948, gli ha dato ragione, affermando che gli annullamenti romeni dei matrimoni italiani possono essere trascritti nei registri dello stato civile senza il giudizio di delibazione. E ciò contro il parere del Ministero della Giustizia e del contenzioso diplomatico. Ma pare che a Torino il procuratore generale della Repubblica abbia già ricorso in Cassazione...».

Tutto era nato, secondo l'autore dell'articolo Emilio Radius, dalla decisione del calciatore di liberarsi della prima moglie: «Come marito, Valentino Mazzola è appunto una vittima del sistema, cioè del giuoco scientifico del calcio quale lo praticano gli inglesi o i russi. Il mezzo sinistro del Torino è infatti uno dei nostri calciatori più seri. Egli biasima il modo di vivere di molti suoi compagni, si allena severamente, non ha nessun vizio, non pensa mai a divertirsi, va sempre a letto alle dieci e, per non essere disturbato, ha rinunciato al telefono. A pranzo e a cena è assolutamente puntuale ed esige dagli altri la stessa puntualità. La sua dieta è il risultato di un attento studio. Insomma, un monaco dello sport; certosino è la parola usata da lui. Sua moglie, a un certo punto, si è ribellata alla regola. "Non importa" ha risposto Valentino, "il foot-ball è il mio mestiere ed io lo faccio fino in fondo"».

«Me par 'na monada. E lu un mona» sbottò Ines. «Non mi dirà che aveva lasciato la moglie perché non gli metteva i piatti in tavola puntuale!»

«I coniugi Mazzola stabilirono di chiedere l'annullamento del vincolo matrimoniale al paese che poteva concederlo: alla Romania» riprese a leggere Osto, spiegando che c'era una vecchia convenzione tra Roma e Bucarest, vecchia addirittura del 1880, che prevedeva il reciproco riconoscimento delle sentenze, «e lo ottennero, questo annullamento, dal tribunale di Ilfov il 9 ottobre 1947, non senza avere speso a questo scopo una grossa somma. La sentenza fu trascritta senza delibazione nel registro dello stato civile di Cassano d'Adda; poi Mazzola si preparò a contrarre il secondo matrimonio. La signorina Cutrone, evidentemente, non si stanca presto di sentir discorrere di foot-ball: a lei Valentino può spiegare i vantaggi del giuoco in velocità e dell'importanza del giuoco alto.»

«Insisto: o che el xé mona lu o che el xé mona el giornalista» l'interruppe di nuovo Ines.

«Te la faccio corta» tagliò Osto. «Su questa storia si è aperto un braccio di ferro tra la Corte d'Appello di Torino e il procuratore generale, la Cassazione, il ministero, la Corte costituzionale e non so chi altri. Leggo: "Il Ministro della Giustizia, il procuratore generale della Repubblica di Milano, l'illustre internazionalista professor Perassi, il professor Allorio, l'avvocato Vittorio Emanuele Orlando di Milano, sono risolutamente contrari alla tesi dei patrocinatori di Mazzola. Essi sostengono, in linea meramente giuridica s'intende, che i matrimoni italiani annullati in Romania non riescono annullati anche in Italia, che il trascriverli senza giudizio di delibazione è un abuso, che tale atto è per conseguenza privo di ogni efficacia, nullo, che i coniugi servitisi dell'articolo 11 della convenzione italo-romena rimangono legati dal vincolo del primo matrimonio e che il secondo, ove sia già stato celebrato, non è valido. Va dunque annullato precisamente questo secondo matrimonio, e non il primo, che è il solo vero".»

«Quindi molti si erano già risposati?» chiese Ines.

«Sì. E avevano anche potuto riconoscere i figli. Insomma, una cosa all'italiana. Per qualcuno chiudono un occhio, per altri ancora niente.»

«E noi...»

«Potremmo provarci...»

«Mah... A questo punto, con Italo che sta facendo le carte per la Sacra Rota e anche per il divorzio in Danimarca... Non so... A dirtela tutta mi basterebbe che certe brave persone che vanno a messa tutte le mattine mi guardassero in modo diverso. O almeno che non facessero finta di non vedere la pancia che mi cresce. Lo sanno tutti, com'è andata.»

«Non ci pensare...»

«Lo sanno quanto sono stata ferita. Tutti. Eppure... Quelli mi pesano, i silenzi. Gli sguardi di compassione ipocrita. Le cose non dette.»

«Non ci pensare. È questa, l'Italia. Senti cosa scriveva Radius del povero Valentino: "Senza mettere in dubbio l'indipendenza della nostra magistratura, è chiaro che alla felicità familiare e all'ideale sportivo di Mazzola si oppongono, oltre alle ragioni giuridiche, argomenti e forze che trascendono il suo modesto romanzo. Ottimo attaccante, il mezzo sinistro del Torino concepisce forse la vita come una sapiente corsa verso la porta...".»

«Così ha scritto, del tormento di quei due? "Modesto romanzo"?»

«Così.»

«Ma come si permettono, questi ipocriti moralisti... Cosa ne sanno, della vita degli altri...»

«Lasciamo perdere?»

«Cosa?»

«Sicura che non vuoi che ci proviamo?»

«A far le carte in Romania? Ma per carità!»

* * *

La sera, Ines covava ancora dolore. La zia Malvi, che era dovuta uscire per far visita a una vicina malata, le aveva lasciato una padella di seppioline in umido coi piselli, ma stava così male che riuscì a dimenticarsela sul fuoco. Quando gli misero davanti il piatto, Giacomino lo guardò storcendo la bocca e alzando sulla mamma due occhioni delusi. Messo a letto il piccolo, Osto cercò qualcosa per tagliare l'aria. E tirò fuori un foglio di quaderno che gli aveva dato un collega l'ultima volta che era andato in provveditorato.

«Senti questo. È il tema di un bambino di terza elementare di Roncade, in provincia di Treviso. Si intitola "Una gita". Svolgimento: "Domenica siamo ndati a lamadona de monteberico a chiedere la grassia par mia sorela che è maritata da cinque ani e non a neanca tosatei. Siamo ndati, poi siamo pregati, poi siamo mangiati, poi siamo vegnuti casa. O che siamo pregati male, o che no si siamo capiti co la Madona, fatostà che è rimasta insinta l'altra sorela che no è gnanca maritada".»

«Ma va' in Cina!» rise Ines. «Questa te la sei inventata tu.»

«Giuro!»

«Ma va' in Cina...»

Ermete, il messaggero muto

Nane Pregnolati entrò in classe che tremava trionfante per l'emozione: «Mi ha scritto mio fratello dall'Australia e ho letto la lettera da me medesimo».

«Ho letto la lettera io stesso» lo corresse il maestro.

«No, mi la gò leta: no lu.»

«Ma è ovvio, lei l'ha letta. Bravo. Le volevo solo spiegare come si dice correttamente in italiano. Non esiste "da me medesi…".»

«Non importa: me la legge?»

«Non ha detto che l'ha già letta?»

«Voglio essere sicuro di avere capito bene.»

«D'accordo: andiamo fuori?»

«No. Qui. Davanti a tutti. La legga davanti a tutti» rispose Nane, eccitatissimo all'idea che tutti sapessero.

«Va bene. "Caro Nane, ti scrivo dall'Australia, località Coffs Harbour, fra Sydney e Brisbane, per mezzo del Carletto Vanetti che scrive meglio di me e ti saluta come del resto io. La stagione della canna da zucchero è andata bene. Ho sudato tanto ma guadagnato bene. La Caterina è contenta e abbiamo comprato una lavatrice: premi un bottone e fa tutto da sola. Basta avere la corrente elettrica. Siccome che ce l'abbiamo, ho comprato anche un trapano elettrico. Buchi tondi. Perfetti. E stiamo costruendoci una casa nostra. Col bagno e la vasca e tutto. Altro non mi allungo, insomma, tutto bene, ma necessito di avere una informazione. Leandro Bassanin, che ti saluta anche lui, dice che suo cugino gli ha detto che là in paese è arrivato il telefono. Possibile? Io gli ho detto che mi pare strano e che son storie da torototela, ma lui insiste. Fammi sapere: è vero? Se davvero c'è il telefono, che non ci credo, mandami subito il numero. Ma subito. Saluti a tutti. Tuo fratello Domenico Pregnolati (che qui tutti invece che Menego mi chiamano Nic)."»

«Questo non l'ho capito» disse Nane.

«Sarà il diminutivo in inglese di Domenico» rispose Osto.

«Ma a cosa gli serve il numero del posto pubblico?»

«Non lo so. Si vede che vuole telefonarle.»

«A me? Dall'Australia?»

«Immagino.»

«E lei lo sa, il numero?»

«Basta che chieda del centralino di Porto Tolle e si faccia passare il caffè Garibaldi.»

«Solo questo?»

«Solo questo. Gli scriva di fare bene i conti con le ore, perché quando in Australia è giorno qui è notte e la centralinista alle nove di sera stacca.»

«Ma quanto potrebbe costargli?»

«Non lo so… Mille lire al minuto, forse…»

«Mille lire al minuto? Quello che prende quel pittore lì a pitturare i suoi quadri?»

«Quel pittore chi?»

«Bisis, Risis…»

«De Pisis?»

«Ecco.»

«E questa chi gliel'ha detta?»

«Il barbiere. Così c'era scritto nel giornale: mille lire al minuto!»

«Può darsi.»

«Mille lire al minuto! Otto chili di pane ci compri, con mille lire! Un chilo di carne! Ma quanto lo pagano a tagliar la canna, al Menego?»

*   *   *

«Hai letto del pretore di Firenze sul bambino nero?» Alla voce di Osto che le arrivava alle spalle, Ines si lasciò cadere l'uncinetto in grembo. Era esausta, di quella ossessione. Capirlo, lo capiva. Al di là delle piccole cortesie e dei sorrisi un po' tirati coi quali la gente della contrada tentava di dimostrarle quel po' di comprensione che anche il più spietato dei cristiani bigotti deve a ogni Maddalena di cui si siano conosciute le sofferenze, si sentiva lei per prima trafitta da mille occhiate quotidiane affilate come lame. Al punto che un giorno, leggendo il «Gazzettino», era quasi sobbalzata quando gli occhi le erano caduti su un messaggio da incubo: «Milioni di persone d'ambo i sessi vi osservano e vi criticano!». Milioni di persone! Era la pubblicità della brillantina Linetti: «Per questo dovete curare la vostra persona e, in particolare, la vostra capigliatura, primo elemento di eleganza, distinzione e successo…».

Tutti addosso, se li sentiva. E più di tutti, appunto, anche se con una premura diversa, si sentiva addosso Osto. Il quale stava uscendo pazzo a mettere insieme giorno dopo giorno tutto ciò che trovava sui giornali intorno a quella tragedia collettiva dei figli adulterini («Ma che modo è di chiamarli così? Che modo è?») e delle famiglie di contrabbando che tra mogli, mariti, madri, amanti, concubine e padri impossibilitati a dichiararsi tali riguardava in tutta Italia almeno tre milioni di persone. Un mondo intero che a lui pareva ruotasse, con quel carico insopportabile di dolori e imbarazzi, tutto intorno al suo caso personale.

Aveva ormai messo da parte, su quel tema che non lo faceva più dormire ed era diventato lo spinoso baricentro della sua vita, un archivio imponente con il quale era prontissimo a dare battaglia a tutti. Sbattendo in faccia a ciascuno la sua contraddizione. Per il duello con quell'ipocrita del farmacista, che si vantava d'esser «erede della migliore tradizione illuminista, laica e bonapartista», aveva ritagliato una frase di Napoleone che riassumeva il peggio della visione maschia del mondo che ancora gli sembrava dominare l'Italia del dopoguerra: «La donna è nostra proprietà, noi non siamo la sua, poiché essa ci dà dei figli e l'uomo non ne dà. Ella, dunque, è la proprietà dell'uomo come l'albero da frutto è proprietà del giardiniere».

Per lo scazzottamento con don Olimpo, il quale trovava

ovvia e sacrosanta l'indissolubilità anche civile del matrimonio concordatario e «secondaria davanti al bene comune la eventuale infelicità di qualche protagonista degli scandaletti da rotocalco», si era ritagliato un articolo su un siciliano che, fallito il matrimonio, aveva riconosciuto come propri i sette figli avuti dalla nuova compagna, fatta registrare all'anagrafe come «donna che non vuol essere nominata», ricavandone dopo decenni di convivenza un arresto con tanto di manette e la condanna a quattro anni di carcere («Quattro anni! Viva l'onestà! Quattro anni!») per adulterio conclamato e confessato.

Per quell'impiccione papalino del medico condotto, che frequentava i comitati di padre Lombardi per «trasformare la società, da selvatica in umana, da umana in divina» e nella campagna elettorale del 18 aprile aveva affisso personalmente manifesti che strillavano «Se sei senza cervello / vota falce e martello», aveva trovato la storia di un giovane napoletano. Il quale nel 1933, scriveva un rotocalco, avendo portato all'altare «la fanciulla amata che egli, malgrado certi suoi naturali ardori, aveva rigorosamente rispettata (purtroppo!!!) lungo tutto il periodo del fidanzamento, si ritrovò solo a sola con lei per la fatidica sacramentale prima notte di nozze. E, con comprensibile orrore, scoprì che non di una donna si trattava bensì di un maschio. Proprio del tutto ed esclusivamente maschio, no; ma insomma quel che si dice un ermafrodito. Sui due piedi la fece rivestire e la rispedì, ancor più intatta di quando l'aveva svestita, alla madre. E stilò immantinente un esposto al tribunale ecclesiastico...».

Quindici anni erano passati, da allora: quindici anni! Eppure il poveretto, che versando in pietose condizioni economiche era riuscito a ottenere il gratuito patrocinio, era rimasto inchiodato lì, a questa sua tragedia che l'aveva reso ridicolo «come don Anselmo Tartaglia al balcone del palazzo reale nella commedia di Giuseppe Pica». Gli avevano spiegato infatti (la legge è legge) che l'avvocato era sì gratis, ma le tre perizie, le quali avrebbero dovuto accertare che la femmina proprio femmina non era, avrebbe dovuto pagarle lui e costavano «più di un funerale col cocchio e otto cavalli». E insomma il tempo era passato senza che lui riuscisse a darne fuori.

Non bastasse, scriveva il giornale, «quando venne a sapere che il marito che l'aveva lasciata intatta si stava ora consolando con una donna verace» la «moglie legittima fece fuoco e fiamme» anche se «il nostro poté farla stare zitta, rivolgendosi ai carabinieri che, esperite le indagini del caso, convennero che non gli si poteva davvero dare torto, anche perché l'ermafrodito, nel frattempo, di mogli illegittime se n'era presa più d'una». Fatto sta che «a ben tre lustri dal sogno infranto in quella orrida notte il napoletano convive con una concubina e resta sposato a un mezzo maschio».

Dite voi: fin dove può arrivare la cecità della legge? Questo avrebbe voluto chiedere Osto, a tutti coloro coi quali rimuginava di avere un giorno o l'altro un duello definitivo, carta su carta, che lavasse l'onore suo e di Ines: «Fin dove può arrivare la cecità della legge?». Sapeva però, in cuor suo, che quegli incontri non sarebbero mai avvenuti. Che si sarebbe tenuto tutto dentro, nella pancia. Che ogni parola l'avrebbe masticata per anni. E che per anni avrebbe conservato il sapore amaro della genziana. E così, tutta quella massa di sentenze e invettive e curiosità e notizie scandalose che recuperava in giro per accumulare ragioni da sbattere in faccia agli altri, finiva per caricarle involontariamente addosso alla sola depositaria delle sue confidenze e del suo dolore, Ines. Che messa di fronte a tutte quelle prove dell'assurda crudeltà delle leggi non ne ricavava conforto ma al contrario nuovi motivi di rabbia e scoraggiamento.

«Mi hai sentito?» riprese Osto.

«Sì» rispose lei.

«Ma ti pare possibile, questa storia di Firenze? Ti pare possibile che un pretore firmi una sentenza (una sentenza, dico!) per sancire che il padre di un bambino nero ereditato dal passaggio dei marine sia il marito della madre, un fante tornato solo qualche mese fa dalla prigionia in Russia? Nero è! Nero carbonella! Concepito e nato e cresciuto mentre quello che il pretore ha sentenziato come suo padre era disperso in Russia! Eppure questa cretinissima legge voluta dai preti...»

«Piantala, moro» lo interruppe Ines.

«Ma ti rendi conto che...»

«Piantala.»

«A me l'idea che quando nascerà nostro figlio un pretore possa...»

«Piantala. Lo farai venire acido, questo bambino, con tutte queste idee che ci guastano il sangue. Basta. Che nasca sano, ecco cosa spero. Il resto, boh... Una volta o l'altra, cambieranno anche i preti.»

* * *

TE-LE-GRAM-MA! Nane si stropicciò gli occhi incredulo, aguzzò la vista sporgendosi più che poteva dal balcone e tornò a rileggere sillaba per sillaba la visiera del vecchio Ermete, che stava lì sulla riva con la mano sinistra a reggere il manubrio della bicicletta, mentre col pollice faceva trillare ossessivamente il campanello, e l'indice della destra puntato sul berretto. C'era scritto proprio così: TE-LE-GRAM-MA! Il cuore in tumulto, scese a prendere la bettolina e con pochi colpi di remo raggiunse l'argine, legò la barca alla briccola che aveva piantato, risalì con quattro salti la china e finalmente allungò la mano.

«Mmmuh!» bofonchiò il muto, indispettito, tirando indietro la mano che reggeva il messaggio. Nane cercò con le dita nelle tasche se aveva trenta lire da dargli. Niente. Riprese la bettolina, tornò a casa, salì in cucina, recuperò trenta lire, scese e tornò a remare verso l'argine dove Ermete lo aspettava fermo e solenne come una sentinella asburgica. Viva la carità cristiana, pensava mentre i remi affondavano morbidi nell'acqua, ma proprio un muto dovevano prendere come messo? Certo, la paga era miserabile e uno ci poteva mangiare solo rastrellando un po' di mance. Ma proprio un muto?

Doveva dare atto all'uomo, che conosceva da sempre, di aver comunque avuto dell'estro a scovare quel piccolo mestiere per campare. Di più: aveva aggirato il problema della mancanza di favella con un'idea che nella sua semplicità era un tale colpo di genio che un settimanale popolare aveva perfino mandato un cronista a fotografare Ermete e a farsi raccontare, a gesti, la storia. Se andava ad avvertire qualcuno che al posto pubblico era in arrivo per lui una telefonata, inforcava la bici calcandosi in testa il berretto con scritto TELEFONO! Se andava a portare un telegramma si calcava in testa il berretto con scritto TELEGRAMMA! La sua foto con la bici e i due berretti, in bella posa al centro della pagina della rivista, campeggiava ora sul muro dell'osteria con un titolo che voleva essere spiritoso e diceva: «Ermete come Ermes, il messaggero degli dei: sa tutto di tutti, ma non parla».

«Le tue trenta lire» disse Nane allungandogli un ventino e una monetina da dieci. Il muto le prese, le contò, mise finalmente il telegramma tra le mani del battelliere, si girò e si allontanò pedalando. Nane aprì il messaggio trepidando: «Trovato informazioni stop telefono 24 dicembre ore 21,05 locali stop Domenico Nic Pregnolati». Un'ora dopo, rosso infuocato per la corsa e per l'orgoglio di essere il primo non solo della dinastia dei Pregnolati ma dell'intera contrada a ricevere una telefonata dall'Australia, Nane era davanti a Osto pieno di domande. Quanti adulti e quanti bambini possono stare in una cabina? La cornetta può essere passata di mano in mano o per ognuno che ascolta si paga un supplemento? E per far dire (velocemente) «Ciao Menego» a un cugino o un cognato si doveva pagar qualcosa in più? Quanto avrebbe preteso la vecchia Osanna, per tenere aperto il centralino quella manciata di minuti supplementari oltre le nove di sera? Finché, avute tutte le risposte, incassato il «va bene, basta che non diventi un'abitudine» della centralinista e avviata l'elaborazione di una prima lista dei parenti da portare in cabina per il grande evento, Nane si incamminò verso casa. Mai come in quel momento sentì il dispiacere di non avere un orologio. L'attesa di quella telefonata di Menego gli pareva la cosa più importante che avesse mai vissuto. E già faceva il conto delle settimane, dei giorni e delle ore e dei minuti che manca-

vano. Di colpo, la sua stessa vita quotidiana gli sembrò
vuota. Come avrebbe mai potuto riempire tutto quel tempo che restava?

* * *

Ad autunno inoltrato, mentre i bordi dei canali e delle valli
si infiammavano del rosso della salicornia patula e i tappeti
di castagne d'acqua marcivano diluendosi negli stagni e nelle anse dopo aver regalato raccolti abbondanti alle donne
che ricavavano odorose zuppe dai frutti dal sapore di noc-
ciola, arrivò infine la notizia di una terza trepidante attesa.
Se Ines aspettava da Osto un figlio di contrabbando e Nane
la prima telefonata intercontinentale dall'Australia, Gustavo
Maculan e Gineta la Canadese aspettavano una Volpe.

L'avevano vista la prima volta al cinematografo, in un
documentario della «Settimana Incom» proiettato come an-
tipasto dei *Migliori anni della nostra vita*. Il titolo se lo ricordavano a memoria: *Minimi della terra e del cielo*. Era lì che il
secondo sogno della loro vita (la casa al riparo di un argine
l'avevano costruita al ritorno da Winnipeg) si era materializzato nell'apparizione di una piccola automobile scoperta a
due posti di colore bianco, con su due belle ragazze: «Oro!
Oro ci vuole per saziare queste implacabili bevitrici di benzina!» barriva il commentatore mostrando le altre auto che
ingollavano litri su litri di carburante. «Qui invece bastano
gli spiccioli, il fondo di un innaffiatoio. Ci sono ragazze che
fanno pazzie per le volpi azzurre. Più sagge, queste ragazze
si sono accontentate della "Volpe" senza aggettivi. Così si
chiama infatti la loro auto infinitesimale.»

Seguiva la comparsa di un uomo in divisa che fermava
le due giovani e le faceva scendere: «Il microbo insospetti-
sce il doganiere: quale segreto sarà contraffatto? Semplice-
mente il segreto della genialità. Sotto i sedili i costruttori
sono riusciti ad annidare un motore bicilindrico di cento-
ventiquattro centimetri cubici, sei cavalli, consumo tre litri
per cento chilometri. Il cambio, quattro marce avanti e re-
tromarcia è, come nelle moderne vetture americane, sul vo-

lante». Seguivano le immagini della macchinetta che faceva la gimcana tra le ruote di un gigantesco aereo: «Come ci sono le altere gioie dei grandi, così ci sono le soddisfazioni dei piccini. Per esempio quella di solleticare le ali ai colossi del cielo». La chiusura del servizio, che Gustavo e la Gineta si erano fermati a rivedere prima della proiezione successiva, li aveva lasciati a bocca aperta: «E il cane non si illuda di rincorrere l'auto. La Volpe fa infatti i settanta all'ora e la vedrete nelle prossime Millemiglia battersi coi grossi calibri».

Settanta all'ora! Le Millemiglia! Cento chilometri con tre litri! «Ti porto a Venezia! E forse anche a San Marino!» aveva esultato Gustavo. E non si era dato pace finché non era riuscito a recuperare il nome del rivenditore di zona e a infilarsi nella lista dei primi duemila baciati dalla sorte che avevano prenotato quella prodigiosa macchinina «alla portata di quasi tutti» che costava «nuova di zecca come una Topolino vecchia di seconda mano». Di più: aveva versato tutte intere (benedetti dollari canadesi, ancora lì andavano a pescare, quando in casa c'era una spesa extra, nei risparmi riportati dal Manitoba) le centoventicinquemila lire di caparra che corrispondevano al quaranta per cento del prezzo finale dell'utilitaria: 312.500 lire.

Certo, la decisione di ritirare all'ultimo istante l'iscrizione delle sue macchine dalle Millemiglia presa da Franco Tagliana, l'uomo che con la Volpe aveva deciso di muover guerra a Vittorio Valletta e alla Fiat e alle grandi fabbriche del mondo sollevando un certo entusiasmo tra i giornali comunisti, che vi vedevano una «incrinatura nel fronte dell'odioso padronato monopolista», aveva un po' ammaccato il suo entusiasmo iniziale. Aveva però interpretato l'intoppo come «una prova di serietà dei produttori» che non avendo ancora messo a punto la vettura per affrontare una corsa sportiva come quella, dove il mitico Tazio Nuvolari aveva corso con una berlinetta scoperta finendo secondo sotto un diluvio ininterrotto dopo essersi perfino fermato per asciugare con degli stracci pezzi del motore, volevano evitare ogni sciocca malignità «per consegnare l'auto assolutamente perfetta». E non gli era piaciuto il modo in cui mezza contrada, così gli avevano riferito, aveva commentato l'acquisto come un inutile e vanesio spreco di soldi: «Cossa ghe serve 'na machina? Hanno già la Vespa!». La foto della Volpe, legata sul tetto di una Fiat 1100, la teneva appesa in camera. Ogni tanto, la notte, gli capitava di accendere la luce e di alzarsi per andare a controllare quel dettaglio dei fanali o mandar meglio a memoria la curva dei parafanghi. Prima di spegnere, guardava il calendario e sospirava.

Il volo del cavallo tra i fuochi dei bengala

Via via che passavano le settimane e si avvicinava il momento del parto, Ines diventava sempre più sicura e più dolce, la zia Malvi più nervosa, Giacomo più irrequieto e Osto si sentiva sospeso come il Corradini in sella a Blondin. E questo confidò appunto a Tosco Zanotto, l'impiegato dello zuccherificio che – portando un nome lirico e avendo fatto il partigiano nelle Brigate Garibaldi con un gruppo di giovani professori ferraresi che si eran dati, come nomi di battaglia, quelli di Petrarca, Cino e Cavalcanti – passava per essere l'intellettuale del paese e frequentava, con ruvido disincanto, la sezione comunista: «Mi sento sospeso come il Corradini in sella a Blondin».

«L'ho già sentito, 'sto Corradini...»

«Te lo ricordi di sicuro. Pure di qui passò, col circo.»

«Quello che si faceva appendere col cavallo?»

«Non stava appeso. Sennò non sarebbe precipitato.»

«Eppure...»

«Besozzi ci scrisse sopra un articolo fantastico. Dove raccontava che il Corradini, che con Blondin era ormai diventato un corpo solo come il centauro, faceva salire il cavallo su quattro appoggi larghi appena appena quanto gli zoccoli. Un sistema di argani che veniva poi issato nel vuoto ad altezze impossibili. Pensa che roba: quattro piccoli appoggi e sotto il vuoto. La bestia non capiva, non poteva capire. Si fidava e basta. Sapeva che doveva mettere le quattro zampe lì dove il padrone voleva. Fine. Ed esattamente lì lui le metteva.»

«Eh eh, se penso alle bestie di Giobatta Beltrame...» rise Tosco.

«Era un gran cavallo, Blondin. Pelo nero lucidissimo, buon carattere, nervi saldi. Pareva sapesse che il suo era il numero che dava da mangiare a tutta la gente del circo. E lo affrontava ogni volta con una bravura stupefacente. Come se non si preoccupasse affatto dell'inferno che, lassù in cima, gli si scatenava intorno. Il Corradini aveva cominciato a fare l'esercizio a cinque o sei metri d'altezza, poi si sviluppò una tale fiducia reciproca tra lui e l'animale che prese a farsi issare sempre più su, sempre più su... Finché arrivò a farsi innalzare in cima in cima sotto la cupola del tendone. Quando stava lassù, si accendeva con un gesto solenne e plateale un enorme sigaro e con la brace di quello, che teneva tra i denti con un ghigno di superiorità, accendeva via via tutto quello che sparava intorno: razzi, bengala, petardi...»

«Stai scherzando?»

«Pura verità: sparava razzi e bengala e salutava la folla sventolando il cilindro. Con Blondin che se ne stava sotto immobile, come un cavallo di bronzo. Si vede che te ne hanno parlato ma non l'hai mai visto. Non si dimentica, il Corradini. E non si può dimenticare il cavallo. La gente impazziva, per quel numero. Finché una sera, lo sai che capita a tutti nella vita una serata storta, accese per errore un bengala difettoso, che soffiò una scintilla nell'occhio di quell'animale straordinario. Lo spruzzo di fuoco... Ma aspetta, prendo l'articolo perché questo passaggio è formidabile.»

«Non dirmi che ti sei tenuto il giornale.»

«Le tengo tutte, le cose che mi toccano. Tutte.»

Si alzò, sparì un attimo nell'altra stanza, tornò con in mano una rivista ingiallita: «Blondin si impennò. Corradini, la tuba inclinata sulla tempia, impettito, come se fosse stato sulla segatura, nel maneggio, le briglie, il frustino e i guanti stretti nella sinistra, non disse sillaba. Tutto quello che fece fu di abbassare la mano destra per accarezzare il collo della sua bestia. La sua unica speranza era in un tentativo assurdo: fare che Blondin tornasse ad appoggiare le zampe anteriori su quei due supporti, grandi come due bicchieri capovolti. L'impennata durò quattro o cinque secondi: cavallo e cavaliere immobili, in posizione perfetta. Poi si sentì lo zoccolo che strideva, scivolando, sull'acciaio del supporto».

Tosco, scosso, non disse una parola. Poi si grattò la testa e tirò fuori la scatoletta del tabacco e la pipa per allentare un po' la tensione. Si riempì la pipa, muto. L'accese. Aspirò fino a riempirsi i polmoni: «E tu ti vedi così?».

«Sì. Come se avessi sotto il vuoto. E senza appoggi» rispose Osto.

Tosco sbuffò un fiotto di fumo, premette il tabacco nel fornelletto del bocciolo, provò un paio di pipate per controllare se tirava bene. Poi chiuse gravemente: «Per me, non caschi».

«Dici? È durissima. Don Olimpo, le occhiate di certe vipere, il dottor Serrajotto…»

«Ma lascialo perdere, quello! Quand ch'el Signor l'à spartì el giudisio, chel lì l'è 'ndà sota col crivelo da suche!»

«Non l'ho capita.»

«Quando il Signore ha spartito l'intelligenza, quello lì è andato a prender la sua col setaccio da zucche. Insomma: el sarà anca studià, ma mona el gera e mona el resta.»

«Fatto sta che…»

«Fa parte della giostra. Le cose devono andare così. Tutti si aspettano che vadano così. Ma tutti sanno come è andata, a voi. Conoscono Ines da anni, sanno che è una brava donna. Tu, con la fisarmonica e la scuola, ti sei fatto voler bene. E poi il vostro non è il primo e non sarà l'ultimo figlio di contrabbando. La gente mugugna un po'? Lasciala mugugnare. Si stuferà. L'anno prossimo gli tocca darti la supplenza, poi arriverà il posto fisso. Avrete due stipendi sicuri. Magari riuscite anche a comprarvi una Lambretta. E poi, scusa, l'asso l'hai tu.»

«In che senso?»

«Ines. Non si è piegata di un millimetro. E non si piegherà. Puoi andare in crisi tu, lei no. O se ci andrà non darà modo a nessuno di accorgersene. Mio nonno, che aveva bestie, diceva sempre che ogni paese è come una grande stalla: le bestie sanno quale di loro è la più forte. Lo sanno. E possono scalciare, mordere, strappare. Ma alla fine, davanti alla più forte, si piegano.»

«Cattiva!» sbottò Giacomino. E così com'era vestito, col cappottino ancora addosso, si precipitò in camera, la faccia affondata nel cuscino, per liberare finalmente tutte le lacrime che aveva disperatamente trattenuto lungo la strada dall'oratorio fino a casa. Ines mollò il mastello dove stava lavando le lenzuola, si asciugò le mani con un canovaccio, si posò la destra sul pancione dove aveva sentito una fitta, raggiunse il bambino e si sedette sull'orlo del letto. Non disse niente. Restò lì, muta, per un tempo interminabile. La mano calda sulla caviglia del figlioletto. Solo per dirgli: sono qui. Finché il piccolo, dopo un'ultima serie di singhiozzi, farfugliò qualcosa come «tutta colpa tua!» e cominciò a respirare regolarmente per adagiarsi in un pianto domato.

«Ne parliamo?» chiese infine, slacciandogli le scarpine. Mino tirò su la testa, si passò la manica del cappotto sugli occhi bagnati, lasciò docile che la madre gli asciugasse il naso. Finché, bevuta un po' d'acqua, si sfogò.

Tutto era cominciato in estate, quando don Olimpo aveva organizzato, tra i bambini dell'oratorio, una gara a chi metteva insieme più santini: «Chi vince, avrà un pallone di cuoio! Al secondo, uno di gomma. Al terzo, dieci gettoni per giocare al calciobalilla. E poi, tutti chierichetti». Da quel momento, il bambino non aveva avuto altro pensiero che quello: il pallone di cuoio. E aveva cominciato a rastrellare tutti i santini di zia Malvi e poi quelli dei vicini di casa e di tutta la contrada e via via aveva allargato il raggio d'azione coinvolgendo i parenti e le famiglie delle frazioni più vicine e una domenica era riuscito addirittura a convincere la madre e Osto ad andare in corriera fino a Taglio di Po dove, finita la messa, aveva interrogato a una a una le vecchie che uscivano chiedendo a tutte: «Mi regali un santino?».

Raggiunto un patrimonio che gli pareva abbastanza consistente, aveva preso a scambiare i doppioni per comprare i santi e le sante che gli mancavano. Per un san Cagnone di Atella aveva incamerato per esempio una santa Ubaldesca

Taccini. Per un san Filippo Neri più un san Gaetano Thiene era riuscito a ottenere un rarissimo san Gaspare del Bufalo. E dopo una lunga e dispendiosa trattativa col nipotino di certi emigranti che stavano a Charleroi aveva arricchito la collezione con tre santini francesi: saint Amédée abbé de Haute Combe, saint Pierre II archevêque de Tarentaise e saint Guillaume archevêque de Bourges.

Finché, fattosi regalare un album da disegno marca Palladio con la copertina color carta da zucchero, aveva cominciato ad attaccare con la gomma arabica tutto quel po' po' di anime benedette, in gran parte inondate da un fascio di luce o assise su una nuvoletta, annotando sotto ciascuna la sua specialità: san Gius. Ben. Cottolengo, «che dedicò l'esistenza ai miseri», san Biagio vescovo, «invocato contro il mal di gola», san Bernardo, «che donò il cuore alla Madre Celeste», san Stanislao Kostka, «che aprì il tabernacolo ai fanciulli», sant'Ignazio di Laconi, «innamorato della Vergine», santa Rita, «la santa degli impossibili», sant'Apollonia, «anelata per il mal di denti».

Il giorno del giudizio si era dunque presentato all'oratorio, all'ora della dottrina, forte di un campionario di novantasei santini, che aveva incrementato con quattro immagini ritagliate da vecchi libri: Pietro e Giovanni in un quadro di Burnand, san Simeone e san Giovanni Crisostomo. I quali avrebbero dovuto dare il colpo di grazia, insieme con un'introvabile santa Reparata di Cesarea, a Felicino Bordin, il più temibile dei rivali, che gli risultava essere a quota novantacinque.

Visto il bottino, don Olimpo gli aveva fatto una carezza sorridendo compiaciuto. Al momento di fare i conti, però, dopo essere trasalito, aveva deciso di riconsiderare a una a una le sue immaginette. E prima gli aveva respinto i santi ritagliati, poi gli aveva squalificato Giovanni Colombini, Adamo di Cantalupo e Gioacchino da Fiore perché «non erano santi ma solo beati». Così che da cento lo aveva retrocesso a novantatré, facendolo superare non solo da Felicino ma anche, a pari merito, da Tullio Busetto e Umbertino Baldan. Finché gli aveva inflitto l'ultima umiliazione rifilandogli in mano tre gettoni per il calcetto: «Bravo lo stesso». Ma tutto ciò sarebbe stato ancora quasi sopportabile se appena fuori quella vipera della Ninetta, che aveva visto sconfitto suo fratello Vittorino, non gli avesse detto: «Tanto non avresti vinto mai. Con tua mamma concubina».

Ines se lo strinse forte, gli sfilò il cappottino, gli passò le dita tra i capelli. Poi ci ripensò. Gli rimise il cappottino, gli allacciò di nuovo le scarpe, lo pettinò e si infilò il pastrano.

«Dove andiamo?» chiese il piccolo.

«A comprare il pallone. Il più bello che troviamo. Di cuoio.»

* * *

La Volpe non arrivò mai. Gustavo e la Gineta aspettarono fino all'ultimo, prima di rassegnarsi ad andare dai carabinieri per la denuncia. Si rifiutarono di credere che la mancata partenza delle quattro utilitarie alle Millemiglia era stata dovuta al fatto che quella macchina fotografata sul tetto della Fiat 1100 e poi esposta in una vetrina di piazza Cordusio a Milano e lanciata da una massiccia campagna pubblicitaria fosse l'unico esemplare mai prodotto da una anonima officina milanese. Ipotizzarono che la scoperta di un vorticoso giro di società fantasma aperte e chiuse fosse in realtà un oscuro complotto della Fiat che non poteva accettare la concorrenza di quella prodigiosa vetturetta. Si incaponirono a leggere dietro l'arresto di tutti i protagonisti della storia, a partire da Franco Tagliana che «L'Europeo» aveva bollato come «una specie di Cagliostro moderno capace di trasformare in oro la pubblicità di un prodotto inesistente», la misteriosa regia dell'Agip «che non solo succhia il gas sotto il Polesine facendo sprofondare le risaie ma non vuole in circolazione auto che corrano con poche gocce di nafta». Ma alla fine cedettero. Accantonarono il sogno e staccarono la rivista dalla parete della camera. Era la mattina della vigilia di Natale.

La sera alle sette, con due ore e passa di anticipo sull'appuntamento intercontinentale, Nane Pregnolati montava già la guardia alla cabina telefonica del posto pubblico. Si era portato dietro, disponendoli secondo l'ordine in cui avrebbero disciplinatamente dovuto urlare «ciao Menego!» nella cornetta, la moglie Rosina, i figli Marco, Todaro, Rocco, Lucia e Nicolò, i cugini Validio, Giuseppina, Valentino e Irma col marito Paride, gli amici di gioventù Ugo, Ponziano, Tullio e Carmelino, che era figlio del vecchio maresciallo dei carabinieri siciliano. Validio, che già aveva desacralizzato l'evento sbuffando all'idea di andar lì con tanto anticipo, propose di fare un tressette per passare il tempo. Nane lo fulminò: ma come, gli offriva l'opportunità di partecipare a un avvenimento storico e lui pensava al tressette? «Concentrati!» disse. E lì ristette.

Alle otto la stufetta elettrica che rinforzava quella a carbone, una enorme padella dalla resistenza incandescente puntata addosso ai Pregnolati come un furibondo sole agostano, aveva già infiammato le guance dei ragazzini fino a renderle violacee. La Rosina ansimava, incapace di calmare il piccolo Nicolò che piangiucchiava reclamando acqua. L'aria era irrespirabile, il fumo di pipa e di sigarette senza filtro galleggiava ammorbando lo stanzone, le finestre restavano inesorabilmente chiuse perché a ogni tentativo di aprirle Giobatta Beltrame, intento a uno scopone ma sempre vigile, urlava dal fondo dell'osteria: «Xé cussì che me fradel Tonino gà ciapà la tisi!».

Alle otto e mezzo Lucia si sentì male e chiese di uscire solo un minuto a prendere un po' d'aria, imbacuccata nel tabarro del papà. Alle nove meno un quarto Ponziano si tirò su bevendo il suo sesto cordiale della serata. Alle nove meno cinque Carmelino disse esasperato che se ci fosse stato suo padre «col piffero che avrebbe permesso a tutti di fumare come turchi». Alle nove Tullio tentò di alleggerire l'atmosfera, subito zittito, con una storiella presa dai racconti di Anzoleto Spasimi.

Finché, gli occhi fissi sulla cipolla che teneva in mano e che pareva segnare lo scorrere dei secondi con una lentezza esasperante, Valentino diede infine l'annuncio: «Nove e cinque: ci siamo». Niente. E arrivarono le nove e sette e poi le nove e otto e le nove e nove... Nane, gli occhi fissi nel vuoto, era paralizzato. Tutto intorno, coi colletti della camicia fradici di sudore e i capelli incollati alle tempie, parenti e amici si guardavano sbigottiti. Squillò il telefono. Era la centralinista: «Io aspetto ancora tre minuti, poi stacco e mi metto su la minestra». «Cinque: me ne dia cinque!» implorò con le labbra secche il battelliere.

Squillò, finalmente. Squillò. Nane si passò un fazzoletto sulla fronte imperlata dal sudore, si asciugò le mani e afferrò la cornetta.

«Hallo! Pronto! Pronto!» disse una voce dall'altra parte. «Hallo! Pronto! Pronto!» insistette. Irrigidito dal batticuore, il battelliere non riusciva ad aprir bocca. «Pronto! Nane!» indovinò la voce lontana. «Me... Menego...» balbettò Nane, «Me... Menego...». E sopraffatto dall'emozione scoppiò in un pianto dirotto. Pianto che, per chissà quale proprietà di trasmissione batterica, solcò le barene e i monti e gli oceani e infettò laggiù a Coffs Harbour anche il fratello che, persa la balda sicurezza di chi quotidianamente usava la nuova tecnologia australe, sdiluviò a sua volta in un pianto incontrollabile.

«Parla! Dighe qualcossa! Domandaghe come ch'el sta!» martellavano nel posto pubblico polesano la Rosina e Validio e Valentino e l'Irma e Paride e l'Ugo. «Parla! Dighe qualcossa! Domandaghe come ch'el sta!» ribattevano in lontananza, laggiù sulla costa di Brisbane, la Caterina e i compaesani. «Almeno passa la cornetta a noi!» incoraggiavano tutti il povero Nane. «Passala a noi!» ripetevano in Australia gli amici di Menego.

A un certo punto si intromise la centralinista: «Ci siete ancora?». «Sì!» urlò Nane barricandosi nella telefonata della sua vita. «Yes!» urlò alla sua centralinista Menego. E sotto gli sguardi di intenerita ironia degli spettatori rispettivi, andarono avanti a piangere per sei interminabili minuti. Carmelino si precipitò al banco a prendere un cordiale da allungare al battelliere in cabina, ma anche questa operazione fu inutile. Finché, la voce rotta, Menego trovò la forza di dire: «Va ben, ciao». E Nane di rispondere: «Ciao Menego». E misero giù, cercando di recuperare il fiato e di ridarsi un minimo di contegno. «Sei minuti! Seimila lire!» sbuffava Validio mostrandogli il sei con le dita delle mani spalancate. «Sei minuti! Seimila lire!» rideva Carmelino. «E manco una parola!»

Un quarto d'ora dopo, mentre Nane, la moglie e i figli tornavano alla loro casa immersa nell'acqua per mettersi tutti a letto bastonati dalla malinconia e da una febbre da cavallo, uno strillo liberatorio annunciava, nella camera di Ines dove avevano avuto accesso solo la Malvi e la levatrice, la nascita di una bambina. «Sarà sui tre chili!» esultò soddisfatta l'ostetrica. Ines, spossata, se la posò piano piano sul petto, asciugandosi una lacrima. Osto si concentrò scombussolato sui polpastrelli della figlia, che gli sembrarono teneri e bellissimi. Zia Malvi ringraziò Dio e i santissimi patroni Pietro e Paolo perché era andato tutto bene e non c'era stato neanche bisogno di chiamare il dottor Serrajotto, «prima che medico beghino e bigotto».

*   *   *

La notte fu tranquilla. La mattina, alle otto meno dieci, Osto era già alla porta dell'ufficio anagrafe. Alle nove, dopo essersi gelato i piedi e le orecchie, le ossa peste per la notte in bianco, vide sfilare frettolosamente una madre e i suoi figlioli verso la chiesa. «Buon Natale» gli urlò il più piccolo. «Buon Natale a voi» rispose meccanicamente. E capì finalmente che non gli avrebbero aperto mai. Come aveva fatto a dimenticarsi che era il 25 dicembre?

Fu un Natale bellissimo. Giacomo scoprì che durante la notte nella capanna del presepe era stato deposto il Bambinello che gli aveva portato un paio di guanti di lana con dentro dei bonbon rossi, un sacchettino di castagnaccio, le stracaganasse e una pinza da meccanico che lo fece urlare di gioia. La zia Malvi cucinò la gallina regalata da Giobatta Beltrame e, oltre alla pasta col ragù, preparò per Ines una minestra in brodo. Dopo aver mangiato la smegiassa, il dolce con la polenta, la zucca, i pinoli e l'uva secca, cotto sotto la cenere, passarono il pomeriggio giocando a tombola, segnando le caselle coi chicchi di granturco. A una certa ora arrivarono la Gineta e suo marito, Nane e la Rosina e Osto tirò fuori la fisarmonica avventurandosi nella *Mazurka di Migliavacca* («Scusate, sono giù di allenamento»). Per poi ripiegare sul *Visconte di Castelfombrone* del Quartetto Cetra: «Il Visconte di Castelfombrone / cui Buglione fu antenat / ha sfidato il conte di Lomanto / ed il guant gli ha gettat...».

La mattina dopo, Santo Stefano e per di più domenica, l'anagrafe era ancora chiusa. E così Osto riuscì a presentarsi finalmente davanti all'impiegato solo alle otto del 27, san Giovanni Evangelista.

«Oddio! Proprio con questo dovevo cascare...» sospirò il maestro. Dietro il bancone c'era un fanatico che in giugno aveva risposto al bando di arruolamento di settantaquattromila volontari nella Milizia di Terrasanta fondata da fra' Giulio Zanella e dal conte Vanni Theodorani Fabbri, due invasati decisissimi a indire l'VIII Crociata al comando del duca Ivan II de Vargas Machuga, un tronfio trombone dal cappello napoleonico e dalla divisa grondante di croci e medaglie.

L'uomo, che già era assai irritato per non aver ancora potuto abbandonare i piccoli traffici impiegatizi polesani per sguainar la spada in difesa del Santo Sepolcro nel nome del Cid Campeador, che il sodalizio di fanatici aveva eletto a eroe protettore, lo guardò di sotto in su con l'ostilità di chi era chiamato a svolgere, per vile obbligo d'ufficio, una cosa che gli ripugnava: «Dica». Aveva l'alito cattivo.

«Devo registrare la nascita di mia figlia» rispose Osto.

«Figlia di chi?» chiese l'impiegato sottolineando l'ambiguità della situazione.

«Mia» avvampò il maestro.

«E di chi?» infierì velenoso il funzionario, che conosceva Ines, sapeva del suo vecchio matrimonio e del fatto che, la legge è legge, i due non avrebbero potuto riconoscere insieme quella loro bambina senza rischiare denunce, processi, condanne, periodi di reclusione, incagli della carriera scolastica...

«Di donna che non vuole essere nominata» deglutì Osto, roso dall'umiliazione.

«Donna che non vuole essere nominata?» sorrise l'impiegato sollevando carogna il mento dalle carte e sfidando il maestro a guardarlo negli occhi.

«Donna che non vuole essere nominata.»

«La stessa formula di certe attricette quando fanno figli coi mariti degli altri in giro per il mondo, eh?»

«Un'altra parola» troncò Osto «e torno con l'avvocato e i carabinieri.»

«Ma per carità, per carità. Ormai, in questo mondo moderno… Siamo qui per lavorare. Dica, dica…»

«Aliquò Grazia, nata il 24 dicembre…»

«Perché Grazia?»

«Perché, nonostante gente come lei o leggi stupide volute da gente come lei, io e la madre l'abbiamo voluta, attesa e accolta come una grazia di Dio.»

«Nome pesante, per una figlia adulterina.»

«Lei non deve permettersi. Si vergogni! E va pure in chiesa, va! Io spero che Dio…»

«Che ne sa, lei, di Dio?»

«Ma cosa ne sa lei, piuttosto! Cosa ne sa lei? Scriva: Aliquò Grazia, di Aliquò Ariosto e di donna che per ora non vuole essere nominata, Argine Nuovo 24…»

«Secondo nome?» sibilò terreo l'aspirante crociato.

«Ines. Il secondo nome deve essere Ines.»

Parte seconda

Torino 1960: pena di morte al gallo Ercolino

Ercolino fece «crooooeh!» ed era già stecchito. Il vecchio Pierino Massasso, detto Zolicheur, lo posò sulla panca e restò a guardarlo con gli occhi vuoti massaggiandosi la barba da radere. Ne aveva tirati di colli, in tutta la sua vita. Senza mai una punta di dubbio, di dispiacere, di rimorso. Contadino figlio di contadini e nipote di contadini, era cresciuto vedendo suo padre, che pure era un buon cristiano timoroso di Dio, liberarsi di qualche cucciolata di bastardini con un sistema non tanto francescano. Legava la cagna da qualche parte, portava i cuccioli dietro la casa e li schiacciava a uno a uno con robusti colpi di tacco.

Ricordava ancora cosa gli aveva detto il giorno in cui, spaventato da tanta violenza, era scoppiato in pianto davanti a quella scena: «Sono solo bestie, Pierino. Solo bestie». Per questo anche lui, come il padre, non aveva mai dato un nome alle bestie, tranne le vacche. Quelle sì, le chiamava rispettosamente con nomi quasi cristiani come Bionda, Rosa, Italia, Bisa. Il cane, però, l'aveva sempre chiamato «cane» e basta. Il gatto, «gatto» e basta. Non che non potesse perfino affezionarsi un po', ma erano solo bestie.

Si passò un dito nel colletto: «Porco demonio!». Ne aveva tirati, di colli. Colli di oche, anitre, polli, tacchini, faraone. Galline, poi... Ma stavolta era diverso. Era la prima volta che aveva ammazzato un gallo dotato di nome.

«E lo vuoi mangiare?» chiese Grazia, col fiato corto e gli occhi gonfi di lacrime.

«E cosa dovrei fare?» rispose il contadino, allargando rassegnato le braccia.

«Non ti fa pena?»

«Non posso mica buttarlo via.»

«Ma era Ercolino!»

«Lo so che era Ercolino.»

«Era amico mio.»

«Lo so.»

«Gli avevo insegnato a mangiarmi il becchime dalle mani.»

«Lo so.»

«Sei cattivo!» E corse via per arrampicarsi su per la scala a pioli, in cima al fienile, dove la ragazzina si era creata un suo spazio di giochi e di sogni. Zolicheur si grattò la testa e tornò a sedersi. Cattivo. Lui. Lui che veniva chiamato Zolicheur, cuore dolce, perché all'osteria dicevano fosse «l'uomo più buono di Venaria Reale, dei dintorni di Torino e forse di tutto il Piemonte». Troppo buono, forse. Forse sarebbe stato meglio se, nel momento in cui la «sua» campagna era stata invasa dalle ruspe, fosse stato meno gentile e disponibile verso chi in pochi mesi aveva buttato giù i filari di pioppi e tirato su quei palazzoni enormi spersi nel vuoto, polveroso o fangoso, della terra battuta. Sospirò.

Quando arrivò Osto, il vecchio era ancora lì sulla panca, pensoso, il mento poggiato nel cavo della mano, il gomito piantato sulla gamba, il gallo morto steso davanti. Stava facendosi sera e il maestro cominciava a preoccuparsi.

«Maestro Aliquò…»

«Buongiorno Massasso, la bambina è qui?»

«Come sempre.»

«Dov'è?»

«Al solito posto, su, in fienile.»

«Cos'è successo?»

«Ercolino» rispose il vecchio mostrando col mento il gallo. «Vuole fargli il funerale, dice. E seppellirlo sotto il ciliegio. Con una lapide.»

«Ah» sorrise Osto intenerito.

«Avete una figlia sensibile.»

«Lo so. È ancora una bambina. Dodici anni da compiere. E ha sempre amato gli animali. È cresciuta in mezzo agli aironi, le garzette, i cavalieri d'Italia. Poteva passare delle giornate intere, col fratello più grande, a seguire le beccacce di mare, quelle bianche e nere col becco arancione acceso, non so se le ha presente, tra i cespugli di limonio.»

«Me l'ha detto che siete venuti qui dal Polesine. Vita dura, eh?»

«Dura.»

«Era un bel gallo» sospirò il vecchio. «Proprio un bel gallo. Puntuale.»

«Perché gli avete tirato il collo?»

«Condanna a morte. Ordine dei carabinieri.»

«Mi prendete in giro?»

«Nossignore: sono venuti i carabinieri, mi hanno detto che siamo nel 1960, che il mondo è cambiato e che il gallo doveva essere soppresso. Ho la carta. Leggete qui: "... ordina pertanto l'immediata soppressione e/o rimozione del succitato animale aviario...". Lo sapevate che "aviario" vuol dire delle bestie come gli uccelli?»

«Beh, sì...»

«Io non capivo, sulle prime. Ho sempre detto gallo, gallina, galletto, faraona, oca, tacchino, anitra. Mai sentito "aviario". Comunque l'ho dovuto abbattere. Grazie.»

«Grazie?»

«Grazie a voi.»

«Grazie a noi?»

«Voi del condominio di via Morgagni 16.»

«Vi giuro che io non...»

«Ha fatto tutto chiel sòtola con il grembiule.»

«Cioè?»

«Quel trottolino che è sempre attaccato a sua mamma.»

«Oh, Gesù: Luiso? Luiso Vignola? Il pignolino?»

«Lui.»

«Non stento a crederlo. Le assemblee di condominio con lui sono una tortura.»

«Ha fatto una denuncia anche per il gallo. Dice che all'alba lo disturbava.»

«Lo disturbava?»

«Così dice. Lo disturbava. Cosa doveva fare? Era un gallo, faceva il gallo.»

«E ha chiesto che venisse ucciso?»

«Sì. Al signorino non danno fastidio il traffico di camion, la strada nuova o gli aerei da Caselle, che fanno perdere il latte alle vacche quando passano qua sopra. Il gallo: quello gli dava fastidio. E ha trovato un altro giudice che gli ha dato ragione.»

«Un "altro" giudice?»

«Ma non sapete niente?»

«Cosa dovrei sapere?»

«Otto denunce mi ha fatto. Otto. Per il gallo che cantava, per il letamaio che puzza, per la stalla che non è in ordine, per l'erba che taglio e gli porta il polline facendolo sternutire, per il cane che non tengo alla catena...»

«Lo so, ha la fissa dei cani. Non c'è riunione di condominio che non pianti una lagna sul cagnetto del maresciallo Spampinato. È la madre, Berenice, che lo istiga. È lei l'anima nera.»

«Posso offrirvi qualcosa? Un vermut...»

«Un bicchier d'acqua, grazie.»

«Qui cascate male» rispose Zolicheur. Fissò il maestro negli occhi, interrogandosi sul suo stupore. E gli spiegò che dopo avere aspettato l'acqua corrente per una vita intera, «ché mio padre e il padre di mio padre e andando indietro fino a Noè avevano dovuto sempre riempire i secchi alla fontana pubblica dietro casa», gliel'avevano finalmente portata ma aveva potuto godersela «solo 467 giorni». Li aveva contati uno per uno, disse, «perché solo chi non ha mai avuto l'acqua in casa può capire quanto ci si spezzi la schiena ad andare avanti e indietro alla fonte coi secchi legati al bicollo». Solo che, «467 giorni dopo, porco demonio», gli avevano lasciato i rubinetti secchi.

«Chi?» chiese il maestro.

«Il comune.»

«Il comune?»

«Vogliono che me ne vada. Ma lo vedete? Io e mia moglie Teresina siamo circondati. Strade. Condomini. Strade. Condomini. Dicono che hanno altri progetti. E mi hanno tolto l'acqua per mandarmi via "con le buone". "Con le buone" dicono. Vi rendete conto? Solo che nel frattempo la vecchia fontana l'hanno tolta e seppellita sotto il capolinea degli autobus.»

«E voi?»

Il vecchio si levò dalla panca, si tirò su le braghe troppo larghe appese alle bretelle, fece segno al maestro di seguirlo e lo condusse in cucina. Una povera cucina con la madia, la credenza e una cassapanca di legno di un colore che a suo tempo doveva essere panna. Osto sbarrò gli occhi per lo stupore. Secchi, secchi, secchi... Tutta la stanza era piena e strapiena di recipienti d'acqua coperti con fogli di giornale per le mosche. C'erano secchi di alluminio e secchi di ferro smaltato bianco e secchi di legno e secchi di plastica e botti e barili e vasi per vernice e latte di olio per camion tutti accuratamente lavati e riempiti di acqua: «Quattro chilometri devo fare, per arrivare alla fontana più vicina. Sarebbero sì e no ottocento metri, ma col carro e il cavallo non posso fare la strada nuova: vietato dai vigili» disse Zolicheur.

«Gliela darete vinta?»

«Bah... Una volta o l'altra...»

* * *

«Purosangue del sud! Fetusu! Purosangue del sud!» si accese Osto, scaraventando via il giornale e battendo furibondo un pugno sul tavolo.

«Ah!» sobbalzò Ines, lasciando cadere il coltellino con cui stava mondando i carciofi. Si portò l'indice della sinistra alla bocca per bloccare il fiotto di sangue: «Cristo divino! Ma è il modo di urlare, questo? Mi sono tagliata...».

«Scusa...»

«Ma che scusa e scusa! Posso sapere...»

«E poi fanno le vittime! E poi si lagnano se i piemontesi mettono fuori i cartelli "affittasi, astenersi meridionali"! Bene, fanno! Hanno ragione!»

«Soggetto, verbo, complemento: posso saper cosa stai leggendo? Di cosa stai parlando? Con chi ce l'hai?»

Era esasperata. Il dito ferito stretto in un canovaccio, recuperò nella vetrinetta l'alcol, il cotone e i cerotti, respinse con un'occhiata fiammeggiante Osto che si offriva imbarazzato di aiutarla, si sedette al tavolo della cucina e intimò: «Leggi!».

Lui recuperò «La Stampa» sparpagliata tutto intorno, sistemò i fogli, aprì la pagina con la rubrica «Specchio dei tempi» e tornò alla carica: «Io certe volte mi domando se siamo a Torino o in certe contrade del Mezzogiorno dove quelle pazze per espiare chissà quali colpe si mettono ginocchioni a leccare il pavimento delle chiese. Ormai ci sono navi cosmiche come il *Lunik-3* che riescono a fotografare la luna dal lato nascosto e intanto...».

«Leggi!»

«Ti ricordi la lettera dell'altro giorno di quella donna che si chiedeva qual era il senso del delitto d'onore? Oggi c'è quella di uno che si firma "un meridionale purosangue". Senti cosa scrive: "L'onore significa fedeltà della moglie al marito, della madre per i figli, delle sorelle per i fratelli e per il padre. Quando qualcuna di queste donne cade moralmente, i relativi parenti stretti perdono l'onore. E ciò significa non essere più considerati gente perbene, e si diventa umiliati di fronte alla società. Per uscire da questa gravissima situazione, talvolta, purtroppo non c'è che una via: il delitto (la legge punisce questi reati con il minimo della pena). Col delitto l'uomo ritorna uomo, stimato e rispettato come prima, più di prima. L'articolo del Codice che si riferisce al delitto d'onore deve rimanere tale e quale perché, per il bene di tutti, si deve mettere in guardia quelle donne o quegli uomini che non sanno i loro doveri".»

«Bene! Parente tuo?» chiese Ines, ostile.

«Mio? E io che c'entro? Mica ragiono così, io. Mica siamo tutti così, noi siciliani.»

«No, no, ci mancherebbe. Però...»

«Però cosa?»

«Lascia stare... A proposito: vai giù tu?»

«Dove?»

«All'assemblea di condominio, al pianoterra.»

«Stasera è?»

«Stasera.»

«Dio! Luiso!»

«Zitti, per favore: "Omessa custodia di animali. Chiunque lascia liberi, o non custodisce con le debite cautele, animali pericolosi da lui posseduti...".»

«Questa poi! Questa poi!» saltò su paonazzo il maresciallo Tranquillo Spampinato, voltandosi per allargare le braccia verso gli altri condomini: «Lo stiamo pure a sentire? Santa pazieeenza! Pericoloso Nisticò! Un cagnolino!».

«Parlerà quando sarà il suo turno» riprese stizzito il professor ragionier Luiso Vignola sistemandosi gli occhialetti sul naso con quel tic vezzoso e nevrotico che lo rendeva irresistibile a tutti i ragazzini e a tutte le pettegole del vicinato, il mignolo impettito come le gran dame quando sorseggiavano il tè nei Grandi Film illustrati di «Bolero». Inarcò il sopracciglio sinistro, cercò con lo sguardo il consenso della madre, che gli restituì un cenno di compiaciuta approvazione, e riprese a leggere, con la sua vocina stridula e cattiva, l'*Enciclopedia di Polizia* di Luigi Salerno, edizioni Hoepli.

La stessa, pensò Osto, che anni prima era stata letta e commentata dall'avvocato Centomini, a riprova della insensatezza di certe leggi.

«Dicevo: "Chiunque lascia liberi, o non custodisce con le debite cautele, animali pericolosi da lui posseduti, o ne affida la custodia a persona inesperta, è punito con l'arresto fino a tre mesi, ovvero con l'ammenda fino a lire 24.000". L'articolo 672 C. P. infatti (e qui casca l'asino, maresciallo, qui casca!) prevede appunto "le ipotesi di pericolo per la incolumità delle persone, in relazione non alla pericolosità intrinseca degli animali, ma soltanto al modo della custodia o dell'uso di animali per se stessi non pericolosi o di azioni imprudenti commesse in rapporto ai medesimi". Chiaro?»

«Chiaro cosa?» chiese ostile il maresciallo.

«Attesa l'eventualità che quella che lei chiama la sua "bestiola" poss'anche non avere in sé una sua "pericolosità intrinseca"...» riprese l'ometto, chiudendo il librone per metterselo sottobraccio, «... il pericolo viene dalla libertà che lei e sua moglie, la signora Matilde, date a quell'animale di uscire sul pianerottolo minacciando l'incolumità degli altri coinquilini obbligati a passare davanti alla vostra porta come i Romani di Spurio Postumio attraverso le Forche Caudine di Caio Ponzio.»

«Caio chi?» scoppiò a ridere il geometra Omero Tettamanzi, del quarto piano, che andava matto per le pretese intellettuali del viscido coinquilino.

«Caio Ponzio, il capo dei Sanniti: 321 avanti Cristo» rispose il professor ragioniere, mentre la madre trionfante se lo mangiava con gli occhi amorosi. Erano una coppia fenomenale, Luiso e sua madre, la professoressa Berenice Baccelliere, una donna sugli ottanta, grassoccia, gambe corte, capelli bianchi dalla sfumatura azzurrina e sempre perfetti a qualunque ora del giorno e della notte, naso largo, labbra irregolari ripassate con un rossetto scialbo, occhi bovini dalle improvvise fiammate maligne.

In pensione dopo avere insegnato per decenni matematica alle medie, indossava perennemente, inverno e primavera, estate e autunno, severissimi tailleur militareschi di stoffa grossa che parevano presi dagli scaffali dei grandi magazzini Gum di Mosca. Al punto che tutti, pur conoscendo la sua incrollabile fede democristiana e la sua devozione per Giovanni Gronchi (la travolgente passione per Achille Lauro si era dissolta quando aveva saputo che il Comandante aveva ricevuto l'inviato del re Umberto in esilio completamente nudo, «ma proprio nudo con le vergogne esposte!»), la chiamavano Krusciova.

Pugliese di San Severo, raccontava di essersi trasferita nei dintorni di Torino prima ancora della guerra, subito dopo essere rimasta vedova: «Non potevo più vivere là ove ero stata tanto tanto felice!». Qualche compaesano, lui pure immigrato in Piemonte, raccontava una storia un po' diversa. E cioè che la donna, già arrivata alla trentina, era stata compromessa da un bel giovanotto (un notaio, pare) che all'ultimo momento, quando erano stati fissati perfino il ristorante per il pranzo di nozze e addirittura il menu e i confetti alloggiati in una carrozzella di ceramica trainata dai cavallucci marini, era sparito nel nulla. Una versione che altri foggiani smentivano assicurando che lui l'aveva sposata sì, ma per piantarla in asso al ritorno da un viaggio di nozze traumatizzante.

Certo è che da quel giorno, schiantata dal dolore e dalla vergogna, la donna aveva preso a odiare ogni uomo e a chiedere alla Santissima Madonna del Soccorso la concessione di una grazia: che la creatura che aveva in grembo fosse femmina. Delusa pure dalla Dolce Signora circonfusa di luce, aveva dunque dato al figlio, con un ritocco, il nome che aveva destinato alla figlia rimpianta: Luiso. E se l'era tirato su come avrebbe tirato su l'amatissima Luisa. A partire dall'educazione religiosa, che aveva basato su certi libretti illustrati coi testi di don Alceste Grandori, un prevosto viterbese a cavallo tra gli anni Venti e i Trenta.

Quello, per Luiso, era stato lo stampo. Gli erano rimaste impresse, in particolare, la *Vita esemplare di Teresa di Lisieux, una vocazione infantile* e la tavola in cui la piccola santa era ritratta compostamente seduta, tutta sola, nella sua cameretta: «Dopo la Prima Comunione, Teresa non aveva altra preoccupazione che di evitare qualunque peccato, anche piccolissimo. Ma il demonio prese occasione di questo santo timore per farle una brutta tentazione. Le faceva credere che ogni azione, anche la più semplice e indifferente, fosse peccato; e così le sembrava di far dispiacere a Gesù in ogni momento della giornata, mentre non era vero. Spesso si ritirava nella sua stanza e, nascondendosi dietro la cortina del letto, pensava... pensava... Come passa rapidamente la vita! Che giova aver quaggiù godimenti e ricchezze? Le gioie eterne del Cielo io voglio...».

Ed eccolo là il frutto, Luiso Vignola. Detto Pignola. Un ometto segaligno dall'aria malaticcia, gli occhi a spillo, la calvizie coperta da un ridicolo fascio di radi capelli neri pettinati meticolosamente a uno a uno, un diploma da ragioniere e uno da professore di ragioneria appesi in salotto e impreziositi da due cornici traforate a mano con argentatura a foglia, una passione vantata *urbi et orbi* per i trenini elettrici e una ferocemente repressa per le mammelle grandi e piccine, ostentate o celate, di tutte le donne che aveva nei dintorni. Donne che si limitava a guardare furtivamente senza osare il minimo contatto nel timore delle ire materne. Presa la cattedra in un istituto tecnico, pareva non avere altro scopo nella vita che compiacer la madre, sdottoreggiando sulle materie più serie e le più insulse e cercando ogni occasione per intromettersi nelle conversazioni altrui e dare sfoggio del suo sapere.

Convinto da mamma Berenice che le donne è meglio lasciarle perdere («Te la troverò io, quella giusta, te la troverò io...»), era arrivato ai cinquanta senza mai passare una sola domenica o festa comandata lontano dall'inamidata genitrice. In casa, una casa tirata a cera e con le poltrone coperte da lenzuola, indossava sempre, per ragioni igieniche e per risparmiare sui vestiti, un camice color carta da zucchero. Lo stesso che portava alle assemblee di condominio. Nelle quali era un incubo.

∗ ∗ ∗

«Metto dunque all'ordine del giorno la seguente mozione: i condomini dell'edificio uso abitazione civile di via Giovanni Battista Morgagni numero 16...»

«Ma perché bisogna scrivere "uso abitazione civile"? Ovvio: siamo tutti cristiani!» lo interruppe Lando Gasparotto, un padovano che stava al secondo piano, lavorava a testa bassa in un deposito di vernici e non sopportava i riti di queste assemblee verbose e interminabili dominate dalle manie di Luiso.

«Questo è il punto: tutti meno l'animale del maresciallo Spampinato.»

«Ancora? Ancora?» saltò su di nuovo, livido, il carabiniere.

«Abbaiare sì, abbaia. Troppo. E con quell'insistenza dei bastardini che onestamente dà fastidio» si intromise conciliante il maestro Aliquò, che di tutta la palazzina era quello dotato di una maggiore dose di buonsenso e doveva assumersi spesso il ruolo di mediatore. «D'altra parte lei stesso, signor maresciallo, perché gli ha dato quel nome?» ammiccò girandosi verso il sottufficiale. «Perché si chiamava Nisticò un tenentino collerico che gliene ha fatte passare di tutti i colori, giusto? Diciamolo: abbaiare, abbaia. Ma altrettanto onestamente va detto che non ha mai fatto male a nessuno. Scassamenti di minchia sì, ma tutto lì.»

«Mi permetta, maestro: non sono d'accordo. Qui siamo ben oltre quelli che lei chiama, impropriamente a mio avviso, "scassamenti di minchia". Credo piuttosto che qui si configuri in pieno, per il Nisticò, il caso giuridico del "danno temuto" che, come spiegano i testi di pubblica sicurezza che un sottufficiale dei carabinieri dovrebbe conoscere, può formare oggetto di un'azione giudiziale: "Chi ha ragionevole motivo di temere che da un edificio, da un albero o da altro oggetto sovrasti un pericolo di danno a se stesso, a un fondo, a un oggetto da lui posseduto, ha diritto di denunciare il fatto al Giudice e di ottenere che si allontani il pericolo o venga data cauzione per il possibile danno. L'azione è di competenza del Pretore e va proposta entro l'anno dal fatto che vi diede origine".»

«Appunto, qui si parla di edifici pericolanti o alberi parzialmente sradicati: che c'entra il mio cane?» si ribellò il maresciallo. «Mica è un oggetto.»

«Lei non penserà che il suo bastardo abbia un'anima?» lo rintuzzò la signora Berenice irrompendo battagliera in difesa del figlio. E mentre s'apriva una nuova discussione, col professor Giosuè Cornelio Alberganti che, da politeista qual era, ci teneva a ribadire la sua opinione sull'oziosità di un dibattito sulla materia, si aprì la porta. Si girarono tutti. E tutti spalancarono la bocca: «Santulli?».

L'Apocalisse alpina del profeta Emman

Era proprio lui, Costantino Santulli, l'inquilino del primo. Casertano, studi irregolari, salute cagionevole, borse sotto gli occhi, calvo da quando era ancora un ragazzo, aveva fatto uno dopo l'altro tutti i lavori possibili e immaginabili, adattandosi anche a quelli più umili, senza trovarne mai uno fisso che lo facesse uscire dalla precarietà e gli consentisse di mantenere dignitosamente i sette figli, finché non si era finalmente sistemato come bidello in una scuola di avviamento professionale. Una svolta che gli aveva permesso di fare un'amara scoperta: con sette figli, non bastava neanche uno stipendio pubblico.

Fatto sta che la vigilia di Natale del '59, «in un momento di pazzia, signor pretore!», aveva rubato due scatolette di Simmenthal e una lattina da mezzo litro di olio in un supermercato. La cosa era finita sulla «Stampa»: «Statale padre di sette figli arrestato per un furto di milleseicento lire». Quel giorno la pagina del giornale aveva fatto il giro di tutto il condominio: «Egli tentò di impietosire i dipendenti della ditta, invocando la loro comprensione: "È la prima volta che mi lascio tentare. Ho sette figli che mi aspettano a casa. Non mi rovinate". I commessi lo avrebbero anche lasciato andare, ma troppa gente, ormai, aveva notato la scena. E così il ladruncolo si trovò al commissariato di San Secondo». E da lì in cella alle Nuove.

Il giudice, impietosito, era riuscito a raccomandare nella sentenza che gli lasciassero il posto alla scuola e, pensando di aiutarlo, si era limitato a dargli solo una multa. Ma quelle centotrentamila lire di penale che aveva stabilito erano troppe, per Costantino. Non potendo pagare, era rimasto dentro. A scontare la debolezza di un attimo al prezzo, sventuratamente mai rivalutato, di quattrocento lire al giorno. Per un totale, «Oh, Madonna d'Iddio!», di trecentoventicinque giorni.

«Dove sono Rosina e i bambini?» chiese lui.

«Come mai fuori?» chiesero gli altri.

«Non lo sapete?»

«Sapere cosa?»

«Hanno cambiato la legge. Ogni giorno di carcere da ieri vale cinquemila lire. Così i miei undici mesi di pena sono scesi a ventisei giorni e visto che ero già dentro da sei mesi mi hanno messo subito fuori. Siamo usciti in settecento, solo dalle Nuove. Quasi tutta gente che era dentro per multe. È stata una cosa tanto improvvisa che non siamo riusciti ad avvertire le famiglie.»

«Hiiii! Quarchi mugliere allegra avrà una bella sorpresa!» sbottò a ridere in terza fila Agazio Lojacono, il commesso che veniva da qualche parte della Calabria e grazie a un cugino aveva trovato un posto d'oro al comune di Torino. «Ma ve l'immaginate? Si apre la porta ed entra il marito: "Carmela, ti ho fatto una sorpresa!". Pensate i cornuti! Domani mi voglio leggere il giornale.»

«Ma dov'è Rosina?» insisteva Costantino.

Silenzio. Finché, visto che nessuno apriva bocca, si fece carico di rispondere il solito Osto: «Se n'è andata sul Bianco con quelli di Emman».

«Chi?»

«Il "profeta" Emman, quello della Bomba Eta.»

«Sul Bianco?»

«E si è portata pure tutti i bambini.»

«State scherzando…»

«Magari. Non hai letto niente, dentro?»

«Niente» rispose il poveretto, accasciandosi stordito su una sedia.

«Ti prendo un po' d'acqua. Fa un caldo bestia. Hai mangiato qualcosa? Vieni su da noi, Ines ti butta una pasta. Intanto ti spieghiamo tutto.»

«E l'ordine del giorno su Nisticò? Salta tutto di nuovo?» provò a insistere Luiso.

«Ma perfavore!» E l'assemblea si chiuse lì.

«Dice che le è apparso Lao-tse.»

«A Rosina?»

«Così dice: Lao-tse.»

«E chi è?»

«Mai sentito del taoismo?»

«Quella specie di religione?»

«Lao-tse è appunto quello che ha scritto *Il libro del Tao*.»

«E cosa c'entra Rosina? Lei manco sa dove sta la Cina, se è in Asia o in America! Quando mai lo ha sentito nominare?»

«Ti prendo i giornali. Ne ho tenuto apposta qualcuno da parte» rispose il maestro, allontanandosi nel corridoio per tornare con una rivista: «"Grande eccitazione sulle strade di Courmayeur, avvicinandosi il 14 luglio, giorno in cui, secondo il 'fratello Emman', al secolo il pediatra milanese Elio Bianca, verrà l'Apocalisse. Questa faccenda dura ormai da qualche tempo, ed è dal 1958 che le cronache estive si occupano di queste persone un po' strane accampate a 2173 metri del massiccio del Monte Bianco sopra Courmayeur. Ma ora si sta avvicinando il 'dunque', e molti sono che man mano che trascorrono i giorni, mostrano di impressionarsi con gravi conseguenze per i loro nervi".»

«Che storia è questa?»

«Pare che sei anni fa, nel 1954, a questo matto sia morta una sorella» spiegò Osto. «La poveretta, morendo, avrebbe detto a lui e ai genitori: "Mi spengo per l'umanità, ma non per voi". Fatto sta che da quel momento questa Wilma (il nome me lo ricordo perché lo associo al caso Montesi) cominciò a parlare col fratello, che giura di avvertirne anche il profumo. E gli ha affidato, dice lui, una missione: avvisare l'umanità che il 14 luglio 1960, cioè domani, centosettantunesimo anniversario della presa della Bastiglia, saremo tutti sepolti da una immensa ondata. Tutti meno quelli che da settimane si sono chiusi ad aspettare il diluvio nel rifugio Pavillon.»

«E Rosina è là?»

«Coi bambini.»

«È scema?»

«Non…»

«Si è bevuta il cervello?»

«Sono andati su in duecento, col matto. Povera gente ma anche ingegneri, segretarie d'azienda, ragionieri… Lui, come ti dicevo, si fa chiamare profeta Emman, dice di essere in contatto con le anime di D'Annunzio, Demostene, Carducci, l'arcangelo Gabriele e non so chi altro e giura che all'alba di tutti i giorni gli parla il Logos, lo spirito supremo.»

«E ci sono cascati in duecento?»

«Anche di più. Guarda il giornale di oggi: "In vista della 'fine del mondo', sono in arrivo sul Monte Bianco gli ultimi ritardatari. Una lettera, firmata 'Beato Gabriele D'Annunzio', ha preannunciato da Parigi una carovana di oltre cinquecento 'fedeli'. La lettera dice testualmente: 'Al fratello Emman, avventista del 14 luglio, residente al Pavillon. Mio caro fratello, io discepolo D'Annunzio, protettore di 553 sudditi fedeli attualmente in viaggio per raggiungervi, mi faccio interprete di questa folla ansiosa per chiedervi di voler accordare a essi alloggio durante il periodo delle diverse fasi concernenti la fine del mondo. Il gruppo si compone di 151 francesi; 108 inglesi; 50 olandesi; 44 russi; 105 polacchi; 95 cinesi'…"»

«I cinesi pure?»

«Pure. Finisco: "Questa carovana ha al suo seguito 9 camion, 3 bulldozer, 2 camion con gru trasportabili, 3 gru fisse, 8 vetture anfibie, 6 motociclette, 22 jeep, 6 canotti pneumatici. Dispone inoltre di abbondanti viveri e porta, in previsione della futura vegetazione, semi di grano, piante novelle e l'occorrente per inaugurare una stazione sperimentale agricola". Firmato: Joel Horis de Seire.»

«E che ci dice Rosina, ai cinesi?»

«A me lo chiedi? Ci parlerà del Logos!»

«Ai cinesi? Rosina?»

«Lo posso sapere io? Pazzi, sono. Pazzi. Convinti che questa misteriosa Bomba Eta, scoppiando non so dove, provocherà reazioni a catena causando il crollo del Mont Chetif e maremoti e inondazioni… Insomma: di tutta l'umanità dovrebbero restare vivi, a trentasette gradi sotto zero, solo quelli su al Pavillon sul Bianco e un gruppo sull'Himalaya. Gli altri, fine.»

«Morti?»

«Morti.»

«Tutti?»

«Tutti.»

«Ma a me, chiuso alle Nuove, non ci ha pensato?»

«Chi?»

«Rosina!»

«Cosa stai dicendo?»

«Metti caso che sia vero e che domani il mondo sia spazzato via.»

«Costantino! Ti ci metti pure tu? Stiamo parlando di un tipo che ha distribuito a uno a uno agli adepti della setta dei nomi nuovi che da soli dicono quanto sia tutto ridicolo. Fammi trovare il ritaglio… Un fedele l'ha chiamato Archek, "colui che dispone l'essere all'essenziale", un altro Phanes, "colui che manifesta di sé l'attendimento", un altro ancora Arcontes, "colui che sa essere nell'ambito del messaggio di spirito".»

«Ma Rosina che nome ha, adesso?»

«Che razza di domande!… Rosina è!»

«Ho capito, ma che nome ha adesso?»

«Forse è meglio se vai a letto.»

«No, vado su a prenderla. Ci sarà una corriera, ci sarà un treno…»

«Lascia stare. Domani sarà tutto finito.»

«In che senso?»

«Smettila. Domani sarà tutto finito perché non succederà un bel niente. Dopo di che pure Rosina tornerà a casa.»

«Non mi hai detto come è cominciato tutto.»

«Conosci Noris?»

«Noris quale?»

«Quella della bottega davanti al bar Nazionale.»

«La sudicia?»

«Perché sudicia?»

«Rosina mi ha sempre detto che la bottega sua pareva il ripostiglio di zia Elga.»

«Lei.»

«Ma la Noris non sa manco leggere e scrivere! Solo di conto, sa fare!»

«Queste cose vanno a catena. Lei era amica di una che era amica di un altro... C'è un sacco di gente che vuole credere in qualcosa di strano. Non sai la fatica che abbiamo fatto io e Ines a impedire a mia madre Agata di andarsene lei pure sul Bianco.»

«Tua madre è qui?»

«Per forza.»

«Ero rimasto che stava in Sicilia.»

«L'abbiamo convinta a venire su. Meglio, l'ho convinta io. Ines non era tanto contenta, e la capisco. Si pigliano e non si pigliano. Sono troppo diverse. Ines le dà ancora del voi. D'altra parte era rimasta lì, completamente sola, con mio padre in ospedale che non riconosce nessuno. Stava uscendo di testa anche lei.»

«Ma tu, una volta, non mi avevi accennato a un fratello?»

«Ludovico. Ha qualche anno meno di me, ma se ne andò in Australia, offrendosi come mozzo a un mercantile, subito dopo la guerra. E non è mai tornato. Adesso, tra l'altro, avrebbe delle grane con la naja che non ha fatto. Guadagna il triplo di me, ha sposato una greca conosciuta ad Adelaide, non vuol più sentir parlare dell'Italia. Le volte che mi scrive, sempre meno, si firma "Vic" e usa ormai più parole inglesi che italiane.»

«Ti pesa?»

«Insomma» rispose Osto amaro, versandosi meccanicamente un bicchier d'acqua. «Certo non pensavo mai che un giorno avrei dovuto leggere mio fratello col dizionario inglese. Ma è mia madre che l'ha patita di più. Lei no, non gliel'ha mai perdonata. Una volta, forse preso da un improvviso senso di colpa, lui le mandò i soldi perché lo andasse a trovare. Lei volle che glieli rimandassi indietro con un biglietto: "Non ho figli in Australia". È convinta che sia tutta colpa di una maledizione familiare per via di una nonna finita in Brasile nella Colonia Cecilia, una comunità di anarchici...»

«E questa che storia è?»

«Lascia stare. Fatto sta che, nell'ossessione di combattere il malocchio, lei si beve tutto. Non l'avessimo fermata, come ti dicevo, adesso sarebbe anche lei lassù. A fare con la Rosina il sugo per la pastasciutta. Hai voglia di spaghetti, prima che l'acqua del diluvio cali...»

«Pastasciutta ci danno, ai bambini?»

«Pastasciutta col sugo e un sacco di altra roba. Hanno scorte per anni, lassù al Pavillon. Pensa che solo Noris e il marito, chiusa la bottega, si son portati dietro un camion di pasta, olio, pelati e scatolette varie.»

«Sai cosa ti dico?»

«Cosa?»

«Rosina ha fatto bene. Mal che vada, lassù lei e i bambini avranno mangiato. Buonanotte.»

* * *

«Mah...» sospirò Ines togliendo dalla tavola il piatto, la forchetta, il bicchiere di Santulli. «Hai visto che fame? Due etti e mezzo di pasta, si è fatto fuori.»

«Due etti e mezzo?»

«Poveretto...»

«Se l'è anche cercata. Non si ruba nei supermercati.»

«Sì sì, per carità. Però, vabbè. Andiamo a letto anche noi?»

«Devo finire di correggere dei temi... Vai, poi arrivo» rispose. Prese la cartelletta, tornò a sedersi al tavolo della cucina. Ines si asciugò le mani nel canovaccio appeso sopra l'economica, si tolse il grembiule, si ravviò i capelli, afferrò dal divano, che occupava un pezzo della cucina sotto una grande fotografia aerea del Po dalle parti del Delta, un fotoromanzo dell'editrice Ava. Uno di quelli che comprava Agata. Uscì in corridoio, socchiuse la camera di Giacomo: dormiva. Tese l'orecchio dietro la porta della stanza della suocera e di Grazia: dormivano. Un minuto e apriva *Amarti è il mio peccato*, un fotoromanzo della Glaudio Film, con Jacques Sernas, Luisa Rossi, Elisa Cegani, regia di Sergio Grieco.

Buttò un'occhiata alla trama: «Qui ha inizio il calvario della giovane donna che ha peccato per troppo amore e che difende il frutto della sua colpa dalle durezze di una vita tornata squallida per l'incomprensione della Contessa madre, che non ha creduto nella verità. Tutto congiura contro la nostra eroina: la Contessa riesce a strapparle il figlio, ed ella, disperata, viene tentata dalla via del male, ma reagisce e va verso Dio divenendo suor Celeste. Il finale travolge il lettore con una serie di spettacolari colpi di scena...».

Respirò forte. Non aveva più voglia di leggere. Che caldo! Chiuse il giornale, lo posò sul comodino, restò con gli occhi aperti a guardare il soffitto. Sperando che dalla finestra aperta entrasse un refolo di vento. «Amarti è il mio peccato.» Solo il titolo era una fitta al cuore. Il ricordo di mille piccole umiliazioni quotidiane. Spense la luce.

* * *

«Calcolando che per leggere questo articolo ci vogliano circa sette minuti, il lettore, o la lettrice, si troverà alle ultime righe proprio quando succederà la fine del mondo (prevista, com'è noto, dal "fratello Emman" per le ore 13,45 di oggi, 14 luglio 1960, giorno di san Bonaventura). D'accordo. Gli ultimi istanti di questa dannatissima esistenza si possono impiegare meglio che non leggendo la prosa dell'umile sottoscritto. Sia buono, però, almeno uno di voi. Mi accontenti, e legga. Non pretendo questo da chi ha famiglia e logicamente ci tiene a scambiare gli ultimi frizzi coi genitori, con la moglie, coi figli. Né da chi ha al suo fianco la donna amata. Figurarsi se avrebbe voglia di spendere l'estremo pezzettino di vita sulla terza pagina del "Corriere della Sera". Ma ci sarà pure qualche solitario, sprovvisto, per una ragione o l'altra, di persone care a portata di mano o di voce. E che si guarderà intorno, chiedendosi: "Beh, questi ultimi minuti come li posso impiegare?". Si sieda costui (o costei) sulla poltrona, accenda una sigaretta, apra il giornale e mi legga, per favore. Dio mio, come sarei felice di sapere che, nel preciso attimo che il mondo sprofonda nel nulla, c'è uno che sta leggendo un mio articolo. Finirei veramente in bellezza.»

«Grande Buzzati!» pensò Osto scoppiando a ridere da solo, mentre beveva il caffè in cucina leggendo il giornale appena comprato. Solo lui poteva scrivere un elzeviro così su quel pasticcio della setta alpina. Lo adorava.

«Ridi?» gli chiese Ines infilandosi le scarpe per uscire.

«Dino Buzzati. Grande» rispose.

«Con chi ce l'ha?»

«Con quei bagoloni che sono su sul Bianco, tra scatolette, legna e fiammiferi, ad aspettare il diluvio. Così li chiama: bagoloni.»

«Beh, Rosina in effetti…»

«Hai sentito cosa ha detto Costantino prima di andare finalmente a dormire? Beh, almeno qualcosa lassù avranno mangiato.»

«Ha ragione. È un buon uomo, per carità. Ma con un marito così a quella donna per sfamare i figli ci vorrebbe un profeta al mese.»

«Mi sa che oggi, quello, chiude.»

«Corro. Giornataccia. Ci vediamo a cena. Ciao.»

* * *

Alle 13,45, «spaghetti o tortiglioni?», Agata buttò la pasta anche per Santulli. Il quale, non si sa mai, disse di aver fatto una capatina dal prete e di sentirsi ora tranquillo con se stesso anche nel caso che lo Stura avesse rotto gli argini sommergendo il paese. Mangiò di gusto, rassegnandosi a qualche battutina di Giacomo, che aveva brutalmente liquidato la faccenda dicendo che gli sarebbe seccato morire prima di essersi comprato la Vespa. Vista su un giornale una pubblicità della Scuola Visiola di elettronica per corrispondenza (pubblicità che aveva uno slogan fantastico: «Non si nasce con il camice!»), ci si era buttato a capofitto, impadronendosi della materia al punto che adesso, a vent'anni, girava in bicicletta come una trottola da una riparazione all'altra, guadagnava già più di un maestro elementare e puntava alla Vespa non per portarci le ragazze ma per ampliare l'attività.

A Osto non piaceva affatto questa sua fissa. Aveva visto al cinema un servizio sulla visita di una delegazione americana alla Piaggio e gli era rimasto tutto impresso, parola per parola: «La giornata si è conclusa con una interessante esibizione acrobatica dei collaudatori del complesso di Pontedera, gli spericolati esercizi sono valsi a sottolineare oltre all'abilità degli uomini la duttilità e la docilità di questi popolarissimi mezzi di trasporto che hanno aperto la strada della motorizzazione a milioni di persone in tutto il mondo». Era uscito inquieto: «In piedi sul manubrio! Bel modo di educare i ragazzi, trasmettere un filmino così prima di *Ben Hur*!». Giacomo aveva fatto spallucce: «Boh… Roba da teppisti. Con quello che ho da fare non ho il tempo per rompermi una gamba».

Il padre, perché tale si sentiva di quel ragazzo tirato su da quando era bambino, era rimasto colpito. Quasi ferito. Era vero, Giacomo non era tipo da ragazzate. Eppure, per quanto ci pensasse e ripensasse, non riusciva a capire se da questa concretezza del figlio, questa sua determinazione, questa sua volontà quasi feroce di non perdere tempo, gli venisse più sollievo o più inquietudine.

* * *

«Olosemantica monotematica. Baccalà! Come si fa ad andare dietro a un matto che racconta che gli arcangeli gli hanno dettato "diecimila cartelle dattiloscritte in rosso stampatello in lingua olosemantica monotematica"?» sbuffò Osto restando con la forchetta a mezz'aria.

«Magari sei tu che non la conosci, quella lingua» ribatté acida la madre.

«E piantala! È successo?»

«Cosa?»

«Siamo morti? Lo Stura se n'è uscito dagli argini? C'è stato 'sto benedetto diluvio? Siamo annegati? Dove sono queste acque che avrebbero dovuto sommergere l'umanità?»

«Magari domani…»

«Domani? Vuoi dire che forse si sbagliò l'arcangelo? O si sbagliò 'sto citrullo di profeta?»

«Può darsi che ha capito male. Succede.»

«Perché: dopo avere scritto sotto dettatura diecimila pagine 'sto citrullo non capisce più l'olosemantica monotematica?»

«Ma…»

«Io so solo che sette ore fa era in programma la fine del mondo e invece siamo qua, tutti insieme, a cena. E sai cosa ti dico? Che domani Noris e suo marito saranno già di ritorno, maledicendo Emman e pure gli incassi che hanno perduto. E scommetto che si porteranno giù anche Rosina e i bambini.»

«Sarebbero già qua.»

«No. Figurati se quelli lasciano lì le scatolette e i pacchi di pasta e tutto il resto. Ma dagli il tempo di scendere da lassù, di caricare tutto e domani mattina…»

«E se invece…»

«Agata, perfavore!» troncò Ines. E cominciò a sparecchiare.

* * *

«Prego i signori della stampa di prendere nota: tutte le notizie inerenti l'Apocalisse, fissata per le ore 13,45 di oggi, addì 14 luglio 1960, erano da considerarsi errate. Ringrazio Iddio per l'errore.» C'era pure la foto, sul giornale. Col santone pediatra che, smesse le ampie vesti dalle larghe maniche con le quali si era fatto riprendere mentre abbracciava benedicente le Alpi come il Cristo Redentor di Rio de Janeiro, leggeva in camicia e pantaloni il comunicato avendo accanto il maresciallo dei carabinieri. Segno che il comandante della stazione, col buonsenso che hanno certi uomini d'ordine, l'aveva lasciato fare fino all'ora fatidica. Ma esattamente undici minuti dopo gli aveva imposto di dichiarar finita la gazzarra pena una denuncia per una lista di reati che non finiva più, a partire dall'abuso della credulità popolare.

«E questo comunicato lo voglio immediatamente. Lei ha già sollevato troppa polvere. Alla radio hanno detto che una signora ha telefonato da Atene in Vaticano chiedendo di parlare con papa Giovanni XXIII per avere una conferma e che a Bologna non so quante donne hanno affollato i confessionali perché volevano prepararsi all'evento. La chiudiamo qui, d'accordo?» Il profeta si era adeguato: «Tutti si possono sbagliare». E quello era appunto il titolo che aveva fatto il «Corriere», spiegando che a Courmayeur la pro loco aveva deciso di festeggiare l'avvenimento organizzando per i villeggianti una serata speciale durante la quale sarebbe stata eletta Miss Finimondo.

A mezzogiorno, Noris e il marito tiravano su le saracinesche per riaprire il negozio. Cinque minuti dopo, Rosina, seguita da tutti i figli, infilava la chiave nella serratura di casa. Avvertito dal rumore, Costantino si affacciò emozionatissimo sul corridoio. Ogni bambino, bottino di un'avventura in montagna difficile da dimenticare, aveva in mano una scatoletta. Totale: tre di pelati, due di fagioli, due di carne Simmenthal.

Cleveland Lagumia, il postino sapiente

«Amintorefanfani!»

«Sì, signor maestro.»

«Dove sei arrivato?»

«A "paesetto".»

«Rileggi.»

«Suggestivo è il panorama che si prospetta allo sguardo del viandante nell'avvicinarsi al grandioso paesetto.»

«"Grazioso" paesetto. Non grandioso: grazioso. Smettila di girarti verso Lino e segui il dettato mettendoci la testa. Ci siete tutti?»

«Sì, signor maestro» rispose in coro la Quinta F.

«Vado avanti» proseguì Osto scandendo bene bene le parole ed enfatizzando i punti esclamativi con ampi gesti teatrali: «Da Partanna o Santa Margherita Belice, unico è lo spettacolo che ti si proietta allo sguardo! Tu resti conquiso e sospiri quell'incontro e lo affretti, quando, nel perenne divenire degli eventi, brami una stasi alle diuturne fatiche per molcire le ambasce del cuore o per arrestare, ancora un istante, il vorticoso corso della vita!». Si fermò un attimo: «Bello?».

«Sì, signor maestro!»

«Bruttissimo!» troncò lui ripiegando l'articolo ritagliato da una vecchia copia del «Giornale di Sicilia». «Ma come: vi ho spiegato mille volte che non è così che si scrive! Vi ho insegnato questo, io? "Tu resti conquiso e sospiri quell'incontro e lo affretti, quando, nel perenne divenire degli eventi, brami una stasi alle diuturne fatiche per molcire le ambasce del cuore…" Vi ho insegnato questo? Mai: scrivete semplice, semplice, semplice. Tagliare, tagliare, tagliare! Amintorefanfani: cosa vuol dire "molcire"?»

«Non lo so, signor maestro.»

«E l'hai scritta lo stesso, solo perché te l'ho dettata? Cosa vi ho insegnato? Quando non capite una parola...»

«Dobbiamo chiedere il suo significato.»

«Ooooh! E allora?»

«Boh...»

«Molcire vuol dire "mitigare, addolcire". Viene dal latino, la lingua degli antichi Romani. È una parola in disuso. Non usatela mai, se non per calcare qualche cosa fino a renderla ridicola. Bene?»

«Sì, signor maestro.»

Era un ragazzino sveglio, Amintorefanfani Procchia. Capelli scuri fittissimi, viso ovale, occhi chiari, ciglia lunghe un po' femminili. Allegro, pieno di interessi, veniva anche lui, come Berenice Baccelliere, suo figlio Luiso e tantissimi meridionali saliti a Torino nella seconda metà degli anni Cinquanta, dalla provincia di Foggia e pareva sopportare con una certa leggerezza perfino quel nome francamente insopportabile che lo esponeva ai facili sberleffi dei compagni e in particolare di Totò Squillante, un ragazzino originario di Torre del Greco che gli aveva subito affibbiato il soprannome poi adottato da tutta la classe: Tore 'o presidente.

«Suo figlio è un ragazzino forte, robusto "dentro" voglio dire, e pare voler dimostrare che non sente il peso di certe cattiverie degli altri bambini» aveva azzardato un giorno il maestro parlando con suo padre, Gaspare Procchia. «Ma mi chiedevo: perché l'ha chiamato così? È un nome pesante...»

«Lo so, lo so. Le dirò, caro maestro, che io lo volevo chiamare Pietro. Ma poi... Insomma, Tore (in casa pure noi lo chiamiamo così) è nato pochi giorni dopo che al paese nostro c'erano state le elezioni comunali. Era maggio. Come mia moglie me lo fece vedere, posato sul seno, con quei capelli neri neri, pensai: questo bambino porta proprio una faccia da Pietro. E così me ne partii verso il comune deciso a chiamarlo così. Mai al mondo avrei immaginato di cambiare idea. Sulla porta dell'anagrafe, però, chi c'era?»

«Eh, chi c'era?»

«C'era il notaio D'Onofrio che, dopo essere stato podestà per anni e anni, era stato tra i primi, all'annuncio dell'arresto del Duce, a sventolare la bandiera italiana in segno di giubilo e a offrire da bere a tutti al caffè Roma come fosse stato un oppositore da sempre. Ora: dal 1947 questo D'Onofrio è il segretario cittadino della Democrazia cristiana ed è tornato a comandare in comune. Mi vede e mi fa: "Caro Gaspare, come va la gravidanza?". Dico: "È nato, signor notaio: maschio". "Aaah, che meraviglia" dice. "E come lo chiami?" Dico: "Pietro". E lui, stupefatto: "Come Nenni? Ma tu non eri cristiano?". Dico: "Certo, ma che c'entra? Pietro è pure il nome di mio nonno e perfino quello dell'apostolo...". Dice: "Perché invece non gli metti un nome di buon augurio?". Dico: "Cioè?". E lui: "Un nome importante, di quelli che spalancano tutte le porte. Uno di quei nomi che uno si impressiona: però!". E mi suggerì appunto...»

«Non bastava Amintore?»

«Si potevano confondere.»

«Ma...»

«Anche mia moglie disse che era sbagliato, lo so. Si arrabbiò pure. E da sempre, come le dicevo, lo chiamiamo Tore, e basta. L'impiegato stesso dell'anagrafe mi accolse con una risatina crudele: "Proprio così lo volete? Amintorefanfani? Tutto attaccato come 'Santissimamadonnaddoloratadelgesù'?". Col passare degli anni, invece, trovo che il nome mio figlio lo porti bene. Metta che domani presenti una domanda per essere assunto alle Ferrovie. Uno legge "Amintorefanfani Procchia" e pensa: però! Puoi rifiutare un posto a uno con un nome così?»

* * *

Davanti al condominio si fermò un motocarro piuttosto malmesso. Con caratteri rotondi e un po' slabbrati c'era scritto a mano: «Sanvitale Ernesto, Domenico e F.lli». Era un piccolo camion rosso scoperto, con le fiancate di legno verde, due panchine sui lati del cassone a ricordare i tempi di guerra in cui era stato usato anche come autobus per portare su e giù la gente della valle e un povero carico di masserizie. Ne scesero due omini secchi e un gigante dalla faccia ebete, che ribaltarono la schiena del cassone e presero a scaricare sacchi di juta dalle sporgenze appuntite, cartoni, vecchie sedie di legno recuperate dal deposito di qualche chiesa dismessa con sopra impresse cose tipo «In memoria di Ada, fam. Ravini», bacinelle di ferro, tavole che dovevano appartenere a un armadio smontato, comodini, materassi di foglie di pannocchia o di paglia d'orzo che avevano pizzicato la schiena a diversi cristiani, pentoloni da caserma. Povere cose di povera gente. Tra le quali spiccava, verdognola, una copia di gesso della Statua della libertà.

«Eccheè: gli zingari arrivarono? Nel palazzo nostro?» s'irrigidì stizzoso, scendendo dalla sua Fiat 1900 Gran Luce, l'avvocato Pompeo Lo Surgi Lo Surgi, che nella sua enfasi pareva raddoppiare volta per volta espansività o malanimo come doppio era quel suo stupefacente cognome e doppio l'appartamento che occupava all'ultimo piano e doppio il peso che riteneva suo diritto avere dentro il condominio.

«Quella statua non mi è nuova...» rispose Osto con gli occhi che ridevano.

Sbucò dall'angolo della strada, in quel momento, una piccola processione ansimante, colorita e sudaticcia, in preciso ordine gerarchico. Prima il capofamiglia, sepolto da una montagna di bagagli. Poi la moglie, con un neonato infagottato nel braccio destro e uno scatolone di cartone nella mano sinistra, poi sette bambini in scala che portavano chi una borsa, chi un catino, chi un libro.

«Ciccio Ozono!» mormorò il maestro.

«Lo conosce?» l'interrogò l'avvocato.

«E chi non lo conosce, Ciccio Ozono? Abitava vicino a noi, alle Casermette. Due tramezze più in là, oltre una famiglia di friulani.»

«Lei ha vissuto alle Casermette di Altessano?»

«Un paio di mesi, prima di trovare casa qui.»

«Non lo sapevo.»

«Non sono stati mesi facili.»

«Ci credo. Come successe?»

«Cosa?»

«Che due come lei e la sua signora...»

«... siamo finiti alle Casermette? È una storia lunga. Gliela racconto un'altra volta.»

«Ma questo Ozono chi è?»

«In realtà si chiama Cleveland Lagumia...»

«Cleveland? Italo-americano è?»

«Mai stato all'estero in vita sua, che io sappia. Ma mi ha raccontato che il padre, ai primi del Novecento, aveva passato degli anni a Cleveland, nell'Ohio, dove c'era una comunità palermitana così forte da aver fondato una Società Fraterna Sant'Agata. Da lì era rientrato per andare al fronte nella Prima guerra mondiale, con l'assicurazione che il governo gli avrebbe dato il biglietto per tornare. Fatto sta che a guerra finita, questo biglietto per il piroscafo, aspetta oggi e aspetta domani, non arrivò mai. Finché lui non ripartì, a sue spese, che eravamo già nel '22 o addirittura nel '23. Arrivò lì e lo rimandarono indietro.»

«Perché?»

«Era analfabeta. Totale. E in America, con la legge nuova che avevano fatto, non lo volevano più.»

«Poveraccio...»

«Al meschino il chiodo dell'America restò lì, conficcato nella testa. Solo a quello pensava. E solo a quello pensa adesso che è diventato vecchissimo e maledice il governo e l'Italia intera perché lo hanno fregato. Una fissa. Fatto sta che al figlio l'ha voluto fare pronto per l'America, se un giorno ci fosse voluto andare. Così giurò a se stesso che gli avrebbe fatto prendere almeno la licenza elementare e gli diede quel nome che si porta appresso: Cleveland. Anche se tutti l'hanno sempre chiamato Ciccio. Viene da Partinico. Fa il portalettere, l'hanno assunto qui a Venaria e lui, dopo avere cercato inutilmente di ottenere il trasferimento in Sicilia, ha portato su la moglie e sei figli (gli ultimi due li ha fatti qui) sistemandosi dove poteva.»

«Alle Casermette.»

«Erano accampati nel nostro stesso stanzone. Ciccio, che come vedrà è un uomo pieno di iniziativa, era stato tra i primi a piazzarsi là e aveva tirato su una parete per ritagliarsi tutta l'area in fondo alle vecchie stalle. E giorno dopo giorno, tenendo d'occhio i vecchi mobili e i materassi sfondati che venivano buttati dalle famiglie alle quali portava la posta, era riuscito a mettere insieme una casa quasi abitabile. Con una bella stufa a carbone che d'inverno toglieva il respiro ma scaldava un po' anche i vicini. Non mancava mai il carbone, a Ciccio. Mai. In ogni casa dove portava una lettera, chiedeva in regalo un pezzo di coke. Come facevi a dirgli di no? E se ne andava in bici con una borsa di lettere da una parte e una di carbone dall'altra.»

«Ma questo soprannome incredibile, Ciccio Ozono...»

«Eccolo che arriva. Glielo faccio spiegare da lui.»

Cleveland Lagumia veniva avanti barcollando sotto la sua montagna di pacchi e fagotti, stravolto dalla fatica e madido di sudore. Basso, tarchiato, la testa calva orlata tondo tondo da un cordone di riccioli che dalla basetta curvava dietro l'orecchio e ruotava sulla nuca fino a imbattersi nell'orecchio opposto, la panza che traboccava umida da una maglietta troppo corta, reggeva miracolosamente con la mano destra, tenuta stesa perché non toccassero il selciato, due attaccapanni con la giacca e i pantaloni delle Poste, la giacca e i pantaloni da festa.

«Ciccio! Che sorpresa! Vieni a vivere con noi?»

«Maestro illustrissimo! Quindicimila lire al mese: tre camere, cucina e soggiorno, dove metterò i più piccoli. Con qualche sacrificio e un po' di lavoro extra, se la Bedda Madre ci assiste, ce la dovrei fare. Sesto piano. Pure tu stai qua?»

«Al quarto.»

«Un sacco di soldi, vogliono. Ma non potevo tenere i picciriddi un altro inverno lì alle Casermette. Hai voglia di caricar carbone! Se non mi chiamano per darmi il trasferimento giù al sole... Tutto bene, voi? La tua signora, i ragazzi?»

«Bene.»

«Ci vediamo.»

«L'avvocato Lo Surgi Lo Surgi dell'ultimo piano lo conosci già?»

«Piacere. Non le do la mano...»

«Sei sempre in forma?» ammiccò Osto, provocandolo.

«Non è che ho avuto tanto tempo per studiare, col trasloco...»

«Prova: cladodio.»

«Sostantivo maschile, ramo appiattito e inverdito che svolge attività fotosintetica in sostituzione delle foglie tipico delle cactacee e dell'asparago.»

«Esantema.»

«Sostantivo maschile, dal greco exánthema, eruzione cutanea che accompagna alcune malattie infettive quali rosolia, morbillo, scarlattina, erisipela.»

«Ozono?»

«Sostantivo maschile dal greco ózein, mandare odore; gas allotropo dell'ossigeno di odore forte e penetrante, pericoloso a respirarsi perché attacca le mucose. L'ozono, la cui molecola O_3 è formata da tre atomi di ossigeno, si ottiene per azione di scariche elettriche...»

«Un mostro sei. E la televisione, ancora niente?»

«Ancora niente.»

Si voltò a guardare la processione di moglie e figli che si era arrestata dietro di lui e attendeva esausta il via libera per proseguire. Ansimò: «Scusate». E si girò infilando il portone per arrancare su per le rampe verso la sua nuova casa, coi bambini dietro che scrupolosamente cercavano di non strascicare ciascuno il proprio piccolo carico.

Seguendoli con gli occhi, il maestro spiegò infine all'avvocato: «Un giorno Ciccio mi rivelò il suo segreto: "Mi è sempre piaciuto leggere, fin da quando ero piccolo. E ho sempre letto tutto quello che mi capitava sottomano: astronomia, storia, politica, medicina. Tutto. Ma a un certo punto mi prese un non so che... Mi prese come un'angoscia di essere un bruto. Ha presente Dante? Considerate la vostra semenza / Fatti non foste a viver come bruti... Allora mi sono comprato, a rate, una enciclopedia. E ogni giorno, tutti i giorni dell'anno, per anni e anni, mi sono mandato a memoria una voce. Certi giorni pure due o tre, se erano voci facili. Sumeri mi portò via da sola tre giorni. Mammiferi una settimana. Insetti e Napoleone pure"».

La cosa più difficile, aveva spiegato il postino, era stato

mandare a mente i nomi di certi arabi tipo Abd-al-Malik. Dài e dài, però, ce l'aveva fatta: «Abd-al-Malik, califfo arabo dal 685 al 705 dopo Cristo, figlio e successore di Marman, organizzò l'impero arabo e ne estese i confini. Nel 688 fece costruire a Gerusalemme la moschea Haram-el-Sherif sull'area del tempio distrutto di re Salomone».

Il primo obiettivo, aveva confidato una sera a Osto, era stato quello di diventare «un sapiente». Il secondo, dopo essere rimasto inebetito davanti a una puntata di «Lascia o raddoppia?» vista al bar Mazzini, di diventare un campione televisivo. Si era infatti impossessata di lui una voglia incontenibile e ossessiva di finire lì, in cabina, come il suo mito, il professor Lando Degoli di Carpi, un genio che sapeva tutto di musica ed era caduto sull'uso del controfagotto nel *Don Carlos* di Giuseppe Verdi («duemilionicinquecentosessantamila lire c'erano in palio: 2.560.000 lire!») solo perché Mike Bongiorno gli aveva fatto una domanda trabocchetto, «tanto è vero che poi vinse la causa, vinse». E aveva preso a tempestare la Rai di richieste di partecipazione ottenendo sempre la stessa identica risposta: «Gentile signor Lagumia, arrivi almeno fino alla zeta».

La prima domanda, infatti, l'aveva fatta nel 1955 quando era arrivato a conoscere a memoria tutta la sua enciclopedia fino a finire la L con Lytton («Edward Robert Bulwer, primo conte di Lytton, diplomatico e poeta britannico, viceré delle Indie dal 1876...»). La seconda nel 1956 quando era arrivato a esaurire la M con Mzabiti («Popolazione berbera dell'Algeria, stanziata nella regione del Mzab, migrarono dal grande Erg orientale verso il Decimo secolo stanziandosi nella regione di Ouargla»). La terza nel 1957 quando aveva chiuso la O con Ozono, che gli avrebbe fatto guadagnare il soprannome. La quarta nel 1958 quando aveva esaurito la R con Rzeszow («Città della Polonia sudorientale, sessantaseimila abitanti, industria metallurgica e tessile, raffinerie di petrolio»). Finché nel 1959, sul più bello che era arrivato alla fine della S e già si vedeva in onda nell'autunno del '62 («Susina mia» aveva detto pensieroso una sera alla moglie, «dobbiamo cominciare a pensare al vestito: non posso andare da Mike con quello del matrimonio: mi saltano i bottoni»), era stato colto dalla notizia che «Lascia o raddoppia?» chiudeva per cedere il posto a «Campanile sera».

Più che colto sarebbe meglio dire, in verità, tramortito. Schiantato. Annientato. Colpito da una spaventosa emicrania e cotto da una febbre da cavallo, era rimasto a letto undici giorni consecutivi senza riuscire a deglutire che un po' d'acqua e qualche spicchio di clementina. E stava ormai slittando in una irreversibile depressione quando lo stesso Osto, mosso a pietà, gli aveva portato un ritaglio della «Gazzetta del Popolo» in cui c'era scritto che la Rai, visto l'enorme successo, non escludeva di potere in futuro programmare una nuova edizione della trasmissione. Da quel giorno, risorto alla vita e deciso a farsi trovare pronto e in palla al momento della ripresa, Cleveland aveva ricominciato a pedalare con la sua borsa di lettere e quella di carbone omaggio ripetendo mentalmente il suo compito giornaliero: «Talete, filosofo greco, nato a Mileto nel 624 circa avanti Cristo…».

I mattoni del conte di Dodona Castriota

«Al Cavaliere del Sacro Militare Ordine Costantiniano di Santa Maria Odigitria, Conte di Dodona Castriota, Maggiordomo Maggiore della Real Casa Epirota ing. Torquato Zinzani.» Incredula, Ines continuava a rigirare tra le mani la lettera appena arrivata al suo principale. Tutto avrebbe immaginato, il giorno in cui aveva trovato quell'impiego come segretaria alla ZinCem, Zinzani Cementi, Edilizia e Movimento terra, meno che si sarebbe un giorno ritrovata sul tavolo una cosa come quella.

«L'hanno votata?» chiese l'impresario entrando.

«Cosa?» rispose lei, soprappensiero.

«Cosa cosa cosa! Che cosa stiamo aspettando da un mese, Ines? La variante che mi faccia edificabile questo cazzo di terreno agricolo!»

«Ingegnere!»

«Risponda: la fanno o non la fanno la variante su questo cazzo di terreno agricolo?»

«Ancora niente.»

«Ma il televisore al sindaco e all'assessore all'edilizia l'ha mandato?»

«Quello che mi ha ordinato lei: TV8-301.»

«A transistor?»

«A transistor.»

«E niente?»

«Niente.»

«Bestie!»

«Ingegnere, magari non possono davvero farla, quella variante. Magari le opposizioni...»

«Macché opposizioni e opposizioni! Cosa dovrei fare secondo lei: mandare un televisore anche al capogruppo comunista?»

«Non mi pare il caso. Quello ci crede davvero. Non è che per un televisore...»

«Ma lei ci crede sul serio?»

«A cosa?»

«Ci crede sul serio che quello lì ci crede?»

«Secondo me, sì.»

«Ma si figuri! Ha presente la pubblicità che dice "Stomachum corroborat Cynara"? Beh, se il Cynar rinvigorisce lo stomaco, io dico sempre che "il dnè corroborat vitam gramam". Il denaro rinvigorisce la vita grama. Parola mia. È solo una questione di prezzo.»

«Non sapevo che parlasse latino, Cavaliere» sorrise lei ironica.

Zinzani si bloccò, come sospeso. Scrutò la segretaria, piegò appena la testa di lato per metterla a fuoco meglio, ispezionò con lo sguardo la scrivania, notò infine la busta e allungò svelto la mano per afferrarla: «È arrivata, finalmente».

«Scusi la curiosità: che storia è questa?» domandò Ines.

«Cavaliere del Sacro Militare Ordine Costantiniano di Santa Maria Odigitria, Conte di Dodona Castriota, Maggiordomo Maggiore della Real Casa Epirota ing. Torquato Zinzani» lesse lui, respirando piano e sottolineando ogni singola parola. Scrutò la segretaria con un'occhiata sospettosa: «L'ha aperta?».

«Ci mancherebbe... Non sapevo che fosse davvero ingegnere.»

«Tota Ines, gliel'ho già detto: lei sa lavorare bene, è brava e svelta, ma deve farsi i cavoli suoi, che già le bastano.»

La fitta le arrivò al cuore, come sempre, dolorosissima. Certo, avrebbe dovuto essere preparata. Lo sapeva, che quel cafone arricchito se la voleva ferire tornava sempre lì, a chiamarla «tota», signorina. Aveva la sensibilità di una delle sue traversine di cemento, il cafone. Era del tutto incapace di notare se un impiegato o un operaio stava male, poteva morire tra i dolori e i lamenti, il poveraccio, senza che lui se ne accorgesse. Ma quell'intuito ferino che gli aveva consentito di costruire, partendo dal niente, un'azienda edile in grado di tenere aperti contemporaneamente undici cantieri, gli permetteva di cogliere in un attimo le debolezze altrui, di notarne i capogiri, di vederne le ferite, per infilarci subito un'unghiata. Sapeva che Ines era separata, che non era ancora riuscita a sposare il suo maestro, che veniva da una famiglia cattolica, che aspettava da tempo immemorabile una risposta alla domanda di annullamento del matrimonio e che nell'attesa ci soffriva a volte da non dormirci la notte. Se voleva farle del male, colpiva lì.

«D'accordo, ingegnere» rispose gelida, con un filo di voce.

«Mi ha stufato, con questa ironia sull'ingegnere.»

«Beh...»

«E allora? Il mondo è pieno di gente che si gonfia un po'. Nel condominio dietro casa mia, l'anno scorso, si è scoperto uno che per anni si era finto medico. Diceva di essere oculista e ci eravamo andati tutti. Tutti. E tutti a dirgli per anni: "Buongiorno dottore, buonasera dottore...". Sa benissimo che non lo scrivo sulla carta intestata, "ingegnere". Diciamo che non correggo se mi chiamano così, fine. E fine della discussione, ne abbiamo già parlato.»

Aprì la lettera, sollevò il sopracciglio sinistro, si passò compiaciuto la lingua sul labbro superiore: «Mi prenoti una cuccetta sul Torino-Roma del 26».

«Notte?»

«Lei prenota le cuccette per i viaggi diurni?»

«Scusi.»

«Prima classe. Me la merito. E mi compri una cravatta nuova. Seta. Con la rigatura a fascioni. Sul blu. Vada a prenderla da Jack Emerson in via...»

«Lo so dov'è. Come mai tanto lusso?»

«Devo vedere l'imperatore di Bisanzio.»

* * *

«E ti ha detto proprio così? Proprio: "Questo cazzo di terreno agricolo"?» chiese Osto stupefatto.

«Così» rispose Ines.

«Volgare sì, lo sapevo che era volgare, il tuo muratore arricchito. Ma così…»

«E già che c'era mi ha detto anche: "Si faccia i cavoli suoi".»

«Non è possibile.»

«Parola per parola.»

«Ma neanche gli scaricatori…»

«Parola per parola.»

«È impazzito?»

«Forse. Pensa che mi fa: "Devo incontrare l'imperatore di Bisanzio". Come se dicesse: ho appuntamento con l'assessore Moizzi.»

«E questa che razza di storia è? Ci capisci qualcosa?»

«Tutto. So tutto» rispose Ines ridendo. «Non perché sia un'impicciona. Lo sai che non lo sono. È che lui, preso com'è da mille cose, lascia tutto in giro. Carte, lettere, libri, ricevute… Tutto. Logico che… Insomma, è come quando tu giochi a briscola. Non è che tiri l'occhio per guardare le carte. Ma se uno le tiene così male che proprio te le mostra…»

La storia era cominciata quando un idraulico che il Zinzani conosceva da vent'anni, Gelindo Comelli, uno che aveva fatto i soldi allargandosi fino a vincere le commesse in Fiat e in altre grandi industrie, gli aveva messo in mano un biglietto da visita di bianchissima carta velata da una raffinata peluria con al centro un piccolo scudo con un'aquila bicipite in campo rosso e la scritta «Cav. Gr. Uff. Ord. San Giorgio C.te Palatino».

Il geometra Zinzani non ci aveva dormito la notte. E non si era dato pace finché non era riuscito a farsi spiegare dal Comelli cosa diavolo volevano dire lo stemma e la scritta. Cosa che l'idraulico, a sua volta, non vedeva l'ora di raccontare. Gonfiato dunque il petto, aveva risposto compiaciuto del crescente stupore dell'impresario: «Mi hanno fatto Cavaliere Grand'Ufficiale dell'Ordine di San Giorgio di Antiochia e dell'Epiro Conte Palatino. A Roma! Con una cerimonia a Roma! C'era anche la Basilissa».

La Basilissa! Lui stava lì, a correre da una parte all'altra dei suoi undici cantieri e quel menatubi che installava rubinetti, water e bidè l'avevano fatto Conte Palatino alla presenza della Basilissa! Risoluto a guadagnare, come minimo, lo stesso piedistallo sociale, aveva convocato un poliziotto della buoncostume carico di figli e di debiti che già gli aveva fatto qualche piacerino, certo Casimiro Tabbone. E allungandogli una busta con dentro venticinquemila lire gli aveva chiesto di sapere «tutto ma proprio tutto tutto» della faccenda. A partire da chi era «questa siura Basilissa». Il poliziotto si era messo al lavoro subito, aveva fatto qualche telefonata ai colleghi romani, si era fatto mandare il materiale e in un paio di settimane era già di ritorno, stringendo trionfante tra le dita una copia delle «Ore» del novembre 1958.

«Non mi dire che...» rise Osto pregustando qualcosa.

«Eccolo» rispose trionfante Ines, mentre Giacomo si alzava per mettersi alle spalle del padre e non perdersi una parola della cronaca che cominciava a leggere.

«Domenica 18 novembre, un freddo cartoncino a stampa, informò che Sua Beatitudine il Patriarca dell'Antica Chiesa Bizantina avrebbe officiato a via XX Settembre, n. 122, un rito. La stampa romana se ne disinteressò. Quando noi arrivammo, la chiesa, di confessione metodista, era semivuota; pochi uomini e poche donne, merletti neri appuntati alti, marsine, qualche dubbio cerchio ducale tra i pizzi. Un gruppo spaventato di ragazzine, solitario, occupava i settori estremi. A lato di un altare improvvisato, Sua Beatitudine, assiso sul tronetto, conversava con un suo diacono. Davanti all'altare, due poltrone, e, al centro, una grandissima. Qualcosa di improbabile pesava nel silenzio di questa cattedrale d'accatto.»

«Ma guarda come le mette le virgole, questo analfabeta!» si interruppe spazientito il maestro. «Guarda come mette le virgole! Le butta come si buttano i dadi!»

«Taci e va' avanti» rise Giacomo.

«Poi, l'organo, segnò il passo, nella penombra, a un gentiluomo cauto e devoto alla sinistra di una dama in ermellino e secolari pizzi. Il patriarca s'inchinò, la Corte fece la riverenza, i fotografi scattarono da tutte le parti. Sapemmo così che era la Principessa Madre di Bisanzio, della Casa Lascaris-Lavarello, già sovrana nel tempo dei tempi, nell'Impero d'Oriente colei che stava prendendo posto a sinistra del Trono; e che, dunque, qualcosa doveva avvenire. Ma per la tangente dei banchi, già avanzava un giovine signore: Sua Altezza Imperiale Marziano II, Basileus, Tredicesimo Apostolo. Con la cerimonia che stava per avere inizio, egli diventava, contro tutto e tutti, Imperatore e Capo Temporale della sua Chiesa, di origine antiochiana, naturalmente intesa prima del concilio di Nicea. Dio lo sappia e Dio ci perdoni.»

Lui, Sua Altezza Imperiale, occupava con una sua fotografia tutta la pagina successiva. Era un giovane di grazia efebica, naso altezzoso a punta, labbra sottili, capelli a paggetto, assiso in una immensa poltrona dai preziosi intarsi. Indossava un'ampia dalmatica damascata ricamata con la croce bizantina e reggeva nella mano sinistra un globo d'oro sormontato da una croce e perimetrato da un anello in rilievo che simboleggiava il possesso del mondo. Nella destra impugnava uno scettro, in testa portava una corona tempestata di pietre più o meno preziose.

La didascalia, che lasciava intendere senza fornire altri particolari come l'uomo fosse arrivato anni prima dall'America e avesse cominciato quale rappresentante di una casa farmaceutica, diceva: «Assorto, come in estasi, il principe Lavarello siede sul trono degli avi che egli gelosamente conserva in una stanza del suo appartamento privato a Roma. Un gentiluomo della sua piccola corte, inginocchiato, sostiene lo stendardo su cui campeggia, oro su blu, lo stemma dei Comneni. Il momento è solenne, l'organo, in sordina, ha iniziato una marcia trionfale. Mister Lascaris, come veniva chiamato Marziano quando arrivò in Italia al seguito delle Forze Alleate per rappresentare la Squibb Penicillina, aveva finalmente coronato, e non solo metaforicamente, il suo sogno».

A seguire, le pagine ospitavano, sotto il titolo *Bisanzio mi guarda*, ancora foto del sovrano in tutte le sue pompose posture. E poi quella della madre, la Basilissa Olga fasciata di veli e merletti. E poi dei vari dignitari ripresi nel corso della cerimonia. In testa a tutti l'officiante, Jan van Assendelft van Altland. Un giovanotto bellino e assai compito, dall'aria molto effeminata, che con l'encolpio, il filottero e la mozzetta pareva mostrare ancora meno anni di quanti probabilmente aveva.

«Puppo è?» chiese Osto alla compagna.

«Ma cosa vuoi che ne sappia se è un invertito» rispose Ines. «So solo che, secondo la polizia che sta indagando sull'ipotesi che siano tutti dei truffatori, è un olandese di una strana setta in rotta col Vaticano. Quel che è sicuro, stando al rapporto di questo Tabbone, è che sono assediati da gente disposta a pagare fior di quattrini per avere un titolo nobiliare, un'onorificenza, una patacca… Qualcuno ci tiene da morire. Guarda Totò.»

«Totò cosa?» chiese Giacomo.

«È andato perfino in causa, con Lavarello. Dice che è lui, per via del padre principe che lo ha riconosciuto come figlio quando già era adulto, l'erede di Giustiniano e della corona bizantina. Si è fatto consacrare perfino in tribunale come "Angelo Ducas de Curtis" e non so che cos'altro.»

«Cose di pazzi!» disse Osto.

«Matti» confermò lei. E gli allungò l'ultimo giornale del piccolo dossier, un «Corriere d'Informazione» del 1959: «Assiso sul suo austero trono accanto alla madre Basilissa Olga nata Cassanello di Genova, nel corso di un severissimo e altrettanto bizzarro ricevimento offerto in occasione del terzo anniversario della sua consacrazione e incoronazione, il ducentesimonono Imperatore dei Romani, il trentottenne Marziano Giuseppe Pio Maria Francesco Lavarello Paleologo Lascaris Monferrato – Marziano II per gli eventuali sudditi – ha annunciato ieri sera l'intenzione di rivendicare la Serbia. Sua Maestà Imperiale Marziano II ha mostrato infatti un volume rilegato in pelle rossa, formato da centosessantasette cartelle dattiloscritte e recanti i bolli della Segreteria Imperiale, dell'Archivio della Corona e del Diplomatic Service della Legazione dell'Imperial Casa di Costantinopoli Monferrato, copia autentica di una mozione...».

«Ma guarda: centosessantasette pagine ci ha scritto! Centosessantasette pagine!» rise il maestro.

«Va ben, buonanotte. Domani sveglia all'alba» sbadigliò Giacomo, levandosi da tavola.

«Ma se è domenica!» gli disse il padre.

«E allora?»

«Pure la domenica lavori?»

«Devo.»

«È domenica!»

«Lo so. Cosa credi, che ci sarebbe il boom se non ci fosse chi lavora la domenica? Il frigidaire come pensi che l'abbia...»

«Ci vuoi ricordare che l'hai comprato tu?» chiese Osto, ferito.

«Dico solo che non tutti possono staccare ogni giorno alle dodici e quaranta come stacchi tu.»

«Pure noi l'avremmo comprato, il frigidaire. Come avevamo comprato senza di te il phon e la radio e il letto nuovo di Grazia.»

«Ma perché devi saltar su così? Mica ti ho rinfacciato di guadagnare in un mese la metà di quello che prendo io...»

«Grazie. Sempre lì finisci. Grazie.»

«E dài! Sono lavori diversi. Ognuno fa la sua parte: tu la tua, io la mia.»

«Bravo: tanti soldi e niente laurea.»

«Ancora?»

«Potevi essere il primo.»

«Lo so, lo so: il primo dottore della famiglia. E allora?»

«Il primo, potevi essere. Il primo.»

«Buonanotte! Se ce la faccio torno per pranzo. Ma non aspettatemi.»

«Bene! Qui finisce che avremo un Conte Palatino pure noi!» si sfogò Osto appena restò solo con Ines. «Lo dovremo chiamare Signor Conte Palatino! E tu sarai la Basilissa!»

«Basta, adesso. Piantala.»

«Posso dire che non mi piace questo peso che dà ai soldi? Lo posso dire?»

«Cosa vorresti, che vivessimo tutti come a Valle Agricola dove il barbiere si fa pagare un taglio alla Mascagni con un chilo di patate e i segantini si fanno dare non so quanti fagioli all'ora? Vorresti l'abolizione del denaro e il pagamento delle tasse in conigli?»

«Ma a Valle Agricola non hanno abolito il denaro: non ce l'hanno! Sono troppo poveri. Dico: non hanno ancora l'acqua e devono andarla a prendere a quattro chilometri. Nel 1961! Sinceramente, forse anch'io al posto loro, all'ufficiale dell'erario, avrei risposto che dopo le ultime tasse pagate a Mussolini (due pecore, non due conigli: due pecore gli diedero) un paese ha diritto a non pagare.»

«Mi meraviglio di te: non eri tu quello che diceva "la legge va rispettata sempre"?»

«È vero, e lo confermo. Ma se lì lo Stato non ha portato neanche il cartello stradale con scritto Valle Agricola! Neanche il cartello!»

«Fatto sta che a te, la sola parola "soldi"...»

«Ma non è vero! Non mi piace la febbre dei soldi. Questa ossessione. Ci sarà una via di mezzo tra Valle Agricola e Torino!»

«Dici?»

«Non mi piace.»

«Lo so.»

«Non mi piace...»

* * *

«Osto!» fece una voce alle sue spalle mentre apriva la cassetta della posta nell'androne.

«Ancora qua?» rispose Osto tendendo a malincuore la mano a padre Santino.

«Mi dispiace» deglutì il frate, arrossendo. «Mi rendo conto che...»

«Non ci badare. Ho capito che non sei più il cane da guardia di don Bastiano. Ma mi ricordi troppe cose... Non sono cicatrici facili, da rimarginare.»

«Se potessi...»

«Non ci badare. Come stai?»

«Benino. Certo, fa un po' caldo per i ciccioni.»

«Sali?»

«No, grazie. L'altra volta che ci siamo visti, dopo la morte sul terrazzino della povera Ebe Marchionni, mi hai lasciato, se posso dirlo, una grande curiosità.»

«Cioè?»

«Ecco, mi chiedevo come tu e Ines potevate esser finiti lì, alle Casermette. Ci vado spesso, a fare visita a tante famiglie. È un posto ricco di umanità. Ma certo, è un'umanità dolente.»

«Facciamo due passi?» propose il maestro.

«Volentieri.»

«Ti ricordi il commendator Vittorio Carosso?»

«No.»

«Hai ragione, stavi ancora in Sicilia. Era un costruttore. Tante idee, tanti soldi, tanto pelo sullo stomaco. Prometteva a tutti "la casa ideale" e inondò l'Italia intera con migliaia di copie di un opuscolo sulla "Città Giardino" che finiva con l'invocazione "... e laudata sii sorella casa / ch'hai nel tuo cuore / il cor dell'uomo ascoso".»

«Che memoria!»

«Per forza. Ci rovinò la vita, quella storia. E per uscirne studiammo parola per parola, con l'avvocato, i contratti truffaldini, le pubblicità, le interviste.»

«Però non mi tornano i conti: dicevi che allora io ero ancora in Sicilia.»

«Infatti era il 1949.»

«Mi pareva di aver capito che allora abitavate ancora in Polesine.»

«A fregarci non fu Carosso, ma un suo collaboratore che, visto come il suo capo era uscito senza troppi guai dalle sue vicende giudiziarie, ritentò il colpo pari pari, un decennio dopo, con qualche aggiustamento.»

Raccontò dunque, il maestro, che un giorno di autunno del '57, quando Giacomo era già un ragazzo che passava le giornate dal meccanico perché si era messo in testa di imparare tutto sui motori e Grazia faceva la quarta elementare, era tornato in paese Osvaldo Cunico, che qualche anno prima era partito dal Polesine per fare il mezzadro in una fattoria piemontese, portando tre notizie. La prima era che l'avevano assunto alla Fiat, cosa che ai suoi occhi era pari alla nomina a cardinale camerlengo alla corte papale. La seconda era che la sua busta paga, rispetto a quando lavorava in Polesine, era passata da undicimila lire (più un po' di grano e frumentone) a oltre settantamila. La terza che a Torino e nei dintorni, grazie alle leggi Fanfani e Tupini che favorivano le cooperative, sorgevano dappertutto «palazzoni grandissimi con il bagno e l'acqua calda e la tazza del water come quelli dei signori e la portineria e grandi stanze comuni al pianterreno dove i condomini si radunano per le assemblee e ognuno può lasciare la sua bicicletta senza paura che gliela rubino».

Aveva dunque tirato fuori di tasca, l'Osvaldo, l'opuscolo di una cooperativa messa su dalla Steci (Società torinese edile Città Ideale) che aveva in copertina una bella casetta linda coi balconi verdi e il tetto rosso e lo slogan: «Costruite la vostra casa / La casa dei vostri sogni!». Bastava un piccolo anticipo e, grazie al finanziamento del cinquantotto per cento a fondo perduto dello Stato, ognuno avrebbe potuto avere, nel giro di sei mesi, la propria casa per pagare poi il restante quarantadue per cento «a riscatto in comode rate nell'arco di trentacinque anni». C'era anche una foto: il presidente della cooperativa, davanti a un sottosegretario, un colonnello dei carabinieri e varie autorità, consegnava le chiavi del primo villino al primo fortunato proprietario.

«L'estrazione del metano, dopo l'abbassamento del suolo che aveva portato il mare a riprendersi un sacco di terra, era ormai destinata a essere sospesa e il lavoro di Ines non era più così sicuro» continuò il maestro «e neanche il mio, perché dall'alluvione del '51 in avanti la zona era stata colpita da una emorragia che pareva inarrestabile. Centomila persone se ne sono andate, negli anni Cinquanta, dal Polesine. Non so se capisci: centomila! Una su tre. Vinto il concorso e lasciati i miei scolari adulti che ormai sapevano leggere e scrivere, ero entrato finalmente di ruolo, ma ogni settimana che passava perdevo un alunno, che se ne andava coi genitori a Milano, a Torino, in Venezuela o in Australia.

«Alla fine, di maestri, ce n'erano anche troppi. E la miseria pareva crescere anziché calare. Ricordo quasi a memoria la lettera che don Sante Gobbi scrisse al "Gazzettino" nel '56 per raccontare cos'era, allora, il Delta. Diceva che a Pila c'erano ventinove catapecchie, delle quali dodici pericolanti e da demolire, con centocinque camere da letto dove vivevano cinquecentocinquantasei persone. Era la miseria.»

«Peggio che da noi in Sicilia?»

«Peggio. Ricordo una sera, all'osteria, una battuta del mio amico Nane, un battelliere che viveva al piano superiore di una casa allagata. Si parlava di Teresa Neumann, una veggente bavarese che a quei tempi aveva pagine e pagine sui giornali perché diceva di parlare l'aramaico senza averlo mai studiato e giurava di non toccar cibo, tranne l'ostia consacrata della comunione quotidiana, da ventitré anni. "Alora son santo anca mi e xé santi tuti i polesani!" saltò su Nane, che aveva un po' bevuto: "No magnemo da secoli, noialtri!". Solo la polenta, c'era, in tante famiglie. Fatta con la farina di scarto. Insomma, era sempre più dura campare là. In più…»

«In più?» lo incoraggiò il frate.

«Be', io e Ines, che ci eravamo impuntati di non darla vinta a don Olimpo, al medico condotto e alle beghine del paese, avevamo ormai vinto la nostra battaglia. Si erano dovute rassegnare, quelle vipere virtuose, a noi "peccatori". Anzi, via via che tutti avevano saputo com'era andata, ci eravamo sentiti crescere intorno perfino una certa indulgenza.»

«A proposito, tua madre?»

«Boh… Così… Avrebbe probabilmente voluto qualcosa di diverso, questo sì. Mah… Diciamo che ha fatto buon viso a cattivo gioco. È una brava donna, rassegnata agli eventi della vita. L'unica cosa che sia mai riuscita a sognare è un terno al lotto. Già sognare una quaterna le sembra fuori portata.»

«Ora vive qui con voi, giusto?»

«Sì. Dorme con Grazia.»

«Se un giorno io potessi…»

«Santino, non mi pare il caso. Già c'è poco con la testa...»

«Scusa.»

«Ti dicevo che ormai le cose, là in Polesine, si erano in qualche modo sistemate. O almeno così pareva. Finché non se ne andò Malvi, la zia di Ines. Era l'inverno del '56. Quello freddissimo. Trascurò una bronchitina e quando il dottore si accorse che era degenerata in broncopolmonite era troppo tardi. Tossì l'anima, poveretta. Morta lei, ci accorgemmo del vuoto che aveva lasciato non solo in casa ma nel rapporto con il paese. Non so se mi spiego.»

«Sì.»

«Era stata lei, per anni, a coprirci. A estendere anche a noi un po' del bene che le volevano. Morta lei, cambiò tutto. Oddio, non che ci facessero la guerra, però... Sai cosa ci pesava?»

«Cosa?»

«La mancanza di normalità. La normalità più banale. Anonima. Quella che per tutti gli altri è scontata. Che non ti fa sentire in ogni momento, per quanto sopportato, un animale strano. Che ti fa sentire una zebra tra le zebre.»

«Ti sei spiegato benissimo.»

«In questo senso Torino, il caos di Torino, il boom di Torino e le catene di montaggio e l'ammucchiarsi di veneti e calabresi, romagnoli e sardi attirati come mosche da paghe che erano il doppio o il triplo di quelle che prendevi a Isernia o a Osoppo, erano una calamita irresistibile. Così, visto che avevamo messo da parte qualche soldo...»

«Vi siete fatti burduniari con la "casa ideale".»

«Esatto. Con tutti quei nuovi arrivi di immigrati c'erano quartieri dove i ragazzi sotto i quindici anni erano i due terzi della popolazione. C'era un bisogno disperato, in certe zone, di scuole e di maestri. Non fu difficile avere il trasferimento. E prima ancora di fare il trasloco, grazie a un ingegnere dell'Agip che le aveva fatto da garante, anche Ines aveva già il suo posto qui a Venaria. Dove lavora anche adesso, da Zinzani. Insomma, pareva una cosa tranquilla. Invece...»

Invece, continuò, l'impresa costruttrice cominciò a rimandare la consegna di mese in mese, di settimana in settimana. Finché non si avvicinò quella data di metà settembre in cui i maestri erano convocati per l'assegnazione delle classi. Anche Zinzani scalpitava: quando arrivava, questa dattilografa?

«L'impresario ci giurò al telefono che mancavano solo le finiture. Decidemmo di venir su lo stesso, convinti che per un po', nella casa nuova, ci saremmo arrangiati. Spedimmo i pochi mobili con un camion che in quegli anni faceva traslochi a Torino tutte le settimane e decidemmo di prendere il treno. Alla stazione, la mattina, c'erano alcuni dei miei vecchi "scolaretti". Nane, il mio amico battelliere, ci aveva portato un cartoccio di passerini fritti. Giobatta Beltrame delle uova sode e un salame. Gineta la Canadese non la finiva di piangere, aveva il viso rigato dal trucco e stampò a tutti noi un bacio rosso rosso sulle guance. Minosse, il fanalista, volle regalare a Giacomo quel quadro che vedi appeso lì sopra la credenza: il primo dopo tanti anni in cui aveva dipinto il mare, con un airone rosso in volo nel cielo blu. Il viaggio in treno, con i cambi e le valigie, non finiva più. Era domenica. A Porta Susa venne a prenderci Osvaldo, con una 600 col portapacchi. Arrivammo infine davanti alla "nostra" casa che il sole andava calando. E sai cosa trovammo al "nostro" indirizzo?»

«Cosa?» chiese il frate.

«Un prato. Un prato spelacchiato e basta. Con un cartello da cantiere. Non c'era niente. Niente di niente. Ci avevano mandato perfino le fotografie dei lavori in corso, per farsi pagare via via gli anticipi. E non c'era niente.»

«E voi?»

«Io, sulle prime, volevo tornare giù, in Polesine. Ines si impuntò: mai. Non avrebbe accettato di mostrarsi vinta. Fu lei, mentre io ribollivo, a prendere in pugno la situazione. Chiese se si poteva trovare una sistemazione provvisoria in attesa di recuperare un po' di soldi e cercare una casa vera. A Osvaldo vennero in mente le Casermette dismesse e semidiroccate di Altessano. Arrivammo che faceva ormai buio. Graziella si sforzava di fare la bambina grande trattenendo le lacrime, Giacomo era furioso, Ines aveva lo sguardo duro dei giorni in cui potrebbe far nascere una crepa nel muro con una sola occhiata.»

«Ci credo.»

«Al primo impatto ci prese un colpo. Stanzoni divisi da pareti di legno, di cartone o di lamiera, cortili fangosi invasi dalle sterpaglie, bambini che strillavano senza pace, mamme che strillavano più dei bambini, esalazioni d'aglio e fritture, vapori di pastasciutte. "Lo so, ci son passato anch'io" disse l'Osvaldo. "Ma a starci è meno peggio di quel che pare. Fate conto di essere ancora in guerra." Il primo a venirci incontro fu Ciccio Lagumia.»

«Il postino?»

«Lui. Ci squadrò con un'occhiata, passò un rotolino di liquirizia a Graziella, disse che eravamo fortunati perché una famiglia che aveva ottenuto la casa popolare aveva ora ora liberato un quartierino, così lo chiamava, giusto al di là del suo. Ci inoltrammo tra le tramezze. L'odore era asfissiante. Quando Ciccio spostò una coperta che pendeva dal soffitto per farci accomodare nella nostra "casa" avevo le ginocchia che non mi reggevano. Graziella mi guardava sconvolta. Giacomo ce l'aveva con tutto e tutti, a partire da me che mi ero fatto imbrogliare. Ines si sfilò il soprabito, respirò forte e afferrò una scopa rimasta appoggiata al muro: "Andrà benissimo" disse. "Per qualche settimana andrà benissimo."»

«Gran donna.»

«La sera io e i bambini non riuscimmo a chiudere occhio. Lei decise di dormire e, con qualche fatica, dormì.»

«E quanto siete rimasti, lì?»

«Due mesi. Finché Zinzani, l'impresario edile dove lavora Ines, non ci ha trovato un appartamento malmesso ma abitabile dove sistemarci per passar l'inverno. La primavera dopo ci siamo trasferiti qua.»

«Avete avuto fegato.»

«Ne hanno avuto di più quelli che sono rimasti là per anni.»

«Conte Zinzani!» salutò Ines squillante, appena appena ironica.

«Lavori, taccia, scriva, pensi alle cose sue» ringhiò il capo, buttando il cappello sopra l'armadietto dell'archivio e
slacciandosi furente la cravatta. Schiumava rabbia. E ne
schiumava tanta che, per quanti fascicoli fingesse di aprire
per concentrarsi, non c'era verso di riportarlo con la testa in
ufficio e ai suoi amati cantieri impolverati di cemento: «Pervertiti! Sono solo dei pervertiti. Lui e quel vecchio arnese
della Basilissa!». Si alzava, si sedeva, apriva la finestra, la
chiudeva, accendeva una sigaretta, la spegneva, ne accendeva un'altra. «Pervertiti!» Finché finalmente si decise, si
piantò davanti a Ines e cominciò a raccontare: con qualcuno
doveva pur sfogarsi.

Fino all'arrivo a Roma, il gran giorno dell'investitura,
era andato tutto bene. Bene, si fa per dire: «Faceva un caldo
tremendo e avevo sotto un tizio che ha russato ininterrotta-
mente da Asti a Civitavecchia e smetteva solo, va' a capire
perché, nelle gallerie. Russava a strappi: hrorh-hrorh. Pausa.
Hrorh-hrorh. Bestia!». Sceso a Termini, proseguì, si era andato a sedere per un cappuccino e un cornetto in un bar nei
dintorni e lì, buttando distrattamente un'occhiata al «Messaggero», aperto sul tavolino accanto alle pagine di cronaca
romana, il cappuccino gli era andato di traverso: il barone di
Lauria? Che ci faceva sul giornale il barone Federico Formosa di Lauria? Aveva allungato la mano chiedendo alla cas-
siera: «Posso?». E finalmente aveva potuto aprire il quotidiano a tutta pagina: *Misteriosa scomparsa di un «barone»:
via con la cassa o assassinato?*

Il pezzo attaccava così: «Che fine ha fatto Ugo Nucifora,
il faccendiere meglio noto nella zona di piazza Vittorio come
il "barone Federico Formosa di Lauria"?». Vi si raccontava
che l'uomo, che si spacciava per «console di sua altezza reale
il principe Giulio Pluto di Nicea, autoproclamatosi capo della casa normanna d'Altavilla e di San Pancrazio, erede del
patriarcato e grande magistero, titolare del supremo ordine

di Ruggero II il Normanno, dell'ordine del cingolo militare, dell'ordine della corona normanna, dell'ordine di San Giorgio di Antiochia per conto di Marziano Lavarello, noto alle cronache come Marziano II» era improvvisamente sparito dal giovedì precedente. Non ne sapevano niente i vicini, che giuravano di non aver notato nulla di strano. Non ne sapeva niente l'unica sorella, che viveva a Strangolagalli, dalle parti di Frosinone: «Non lo vedevo da anni. Ogni tanto mandava un saluto se incontrava un paesano per strada. Non condividevo il suo modo di vivere».

«Le sue mansioni di console» proseguiva la cronaca, «consistevano nell'elargire, dietro compenso, onorificenze della real casa con diplomi in aulico linguaggio e senza economia di timbri e sigilli. Ai poveracci che volevano togliersi la soddisfazione di essere cavalieri o commendatori (fra gli insigniti ce n'è di umilissime condizioni), il benefico "barone" Federico Formosa di Lauria faceva prezzi di assoluto favore, dalle venti alle trentamila lire, mentre ai facoltosi la vanità veniva a costare di più. Sembrerà incredibile, ma di queste onorificenze il "barone" riusciva a smerciarne a migliaia.»

«Ladro! Maledetto ladro!» era sbottato Zinzani sentendo un fiotto di sangue che gli saliva al cervello. Trecentomila lire, gli aveva scucito! Trecentomila lire per uno schifosissimo titolo fasullo che vendeva agli straccioni per dieci volte meno: «Ladro!». Come aveva fatto a cascarci? Come diavolo aveva fatto a cascarci?

Fame. Una fame animalesca e feroce, come sempre gli succedeva quando era nervoso, si era impadronita improvvisamente di lui. E mentre si accaniva su cornetti e maritozzi, panini e paste secche, aveva ruminato a una a una le possibili vie d'uscita. Riprendere il treno per tornare a casa? Escluso. «Ladro maledetto!» Cercare qualche amico portaborse per sapere se l'Onorevole era a Roma e se per caso poteva dargli un appuntamento così da non buttar via il viaggio? Rischioso: come l'avrebbe spiegata, la sua venuta? Sfogare la rabbia con quella sgualdrina somala che gli aveva presentato dalle parti di via Nomentana quel porco del geometra Tresoldi? Neanche a parlarne: era troppo scosso per avere quelle voglie. Al diavolo. Conte di Dodona Castriota doveva diventare e Conte di Dodona Castriota sarebbe diventato: «E guai se non mi fa anche Cavaliere del Sacro Militare Ordine Costantiniano di Santa Maria Odigitria!».

Un'ora dopo, battute a una a una tutte le strade dei dintorni perché non è buona creanza presentarsi troppo presto a casa degli imperatori di Bisanzio, sia pure alloggiati al terzo piano di un palazzo umbertino di via Piemonte sopra una Passamaneria Ferrogami e figli, pigiava il pollice sul campanello dove stava scritto: S.A.I.M. Lav. res. priv. Probabilmente Sua Altezza Imperiale Metropolita Lavarello residenza privata. Nel silenzio del sabato mattina, in una Roma afosa e deserta, aveva sentito distintamente il campanello: uno squillo trionfale che pareva preso dai telefilm di *Ivanhoe*. Sistemata la cravatta, si era specchiato nella vetrina della passamaneria ispezionandosi da capo a piedi. Era fradicio di sudore. Che caldo!

Dopo aver atteso un tempo interminabile, si era deciso a dare altri due colpetti. Uno se l'era perso per colpa del cigolio di una bicicletta di passaggio, l'altro l'aveva sentito benissimo. Era proprio *Ivanhoe*. Chissà dove aveva comprato quell'arnese, l'imperatore. Mai sentito un campanello così. Nessun cenno di risposta. Il sole era già alto e, tra i palazzi della strada, per buona parte all'ombra, aveva trovato lo spazio per andare a battere proprio lì, dove stava lui. Che sole! Un sole africano, spietato, che picchiava furibondo i cristiani che avevano la ventura di stare allo scoperto. I cristiani nervosi, poi... Ogni minuto che passava, Torquato Zinzani era sempre più agitato e gocciolante.

«Ma c'è?» aveva chiesto al portiere, indicando il terzo piano.

«C'è, c'è...» aveva risposto quello sollevando di malavoglia la testa dal «Tempo».

«Sicuro?»

«Abbia pazienza!» era sbottato l'altro, infastidito, ricacciandosi nella lettura del giornale.

Tre squilli. In crescendo. Con l'ultimo così violento che pareva suonar la carica di Ivanhoe nella disfida per lady

Rowena. Tre minuti di attesa, non uno di più. Poi aveva preso a premere e premere il campanello come un ossesso, paonazzo di rabbia, urlando nella strada vuota: «Vien giò, imperator! Vien giò, bastardo! Te e quella vacca della Basilissa mi avete rotto le palle! Un'ora e dieci che suono! Un'ora e dieci!».

«Cossa ghe xé? Cossa galo da xigare, sior? Xelo mato?» l'aveva interrotto una voce. Girata la testa, si era trovato davanti una robusta signora sulla sessantina, vestita con una specie di grembiule a fiori, i capelli raccolti sulla nuca, che lo guardava con aria di rimprovero reggendo due enormi borse della spesa: «E allora? Suona così, a casa sua? Urla così, per strada? Come un matto?».

«Ma lei chi è, scusi?»

«Gilda Calegaro. La governante con delega alle provvigioni e ai rapporti esterni.»

«Eh?»

«Mi digo quel che i me gà dito di rispondere a domande come la sua: governante con delega alle provvigioni e ai rapporti esterni. Se preferisce, la serva. Va bene?»

«Di chi?»

«Della siora Basilissa.»

«Ma sono su, di sopra, lei e il figlio? Il portiere dice...»

«Sicuro che sono su. Sicuro.»

«E allora?»

«Allora cosa?»

«Perché non aprono? Avrò suonato cento volte.»

«Cento volte? Ah, bongiorno! Auguri!»

«Cioè?»

«Ah, mi no me intrigo. Non mi impiccio. Ma Sua Altezza Imperiale, quando gli suonano il campanello due volte, già comincia a invocare tutti i santi del Bosforo. Al terzo squillo decreta l'allarme alle armate bizantine.»

«E perché non mi ha aperto?»

«Lu? El senta: mi arivo da Meolo, provincia de Venessia, e penso solo a lavorar. Ma lu galo mai visto un imperador andar ad aprire una porta?»

«Non apre la porta?»

«E non risponde al telefono. Lui lo farebbe anche, quando è indispensabile. Nol xé cativo. Ma la mama lo ferma: "Marziano! Un imperatore non si abbassa ad aprir le porte…". Basta, ho già parlato troppo.»

«Salgo con lei?»

«Ma si figuri!»

«Perché no?»

«Impossibile. Escluso.»

«Escluso? Ho pagato, io! Mi è costato un sacco di soldi, il mio contado!»

«Cossa galo comprà? Un contado? E da chi?»

«Dal barone Federico Formosa di Lauria: trecentomila lire!»

«Maria Vergine: da Ugo!»

«E anche il cavalierato del Sacro Militare Ordine Costantiniano di Santa Maria Odigitria, col contado di Dodona Castriota!»

«Me pareva in effetti, 'desso che 'o guardo mejo, che lu el gavesse 'a facia da mona.»

«Ma come si permette! Il suo imperatore ci mangia, coi soldi miei! Lei ha fatto la spesa, coi soldi miei! E io ho diritto…»

«Torni a suonare fra cinque minuti. Mi dia il tempo di salire.»

«Io ho pagato e ho diritto…»

«Cinque minuti. Il tempo di salire.»

E l'aspirante Cavaliere del Sacro Militare Ordine Costantiniano di Santa Maria Odigitria, conte di Dodona Castriota, Maggiordomo Maggiore della Real Casa Epirota ing. Torquato Zinzani era rimasto lì, piantato come un chiodo nella strada deserta, a contare uno per uno ogni secondo di quegli ultimi interminabili minuti. Era fradicio. Spossato. Incapace ormai di resistere al sole che martellava. Il naso che gli gocciolava di sudore, le vene sulle tempie violacee, la testa colta da improvvisi capogiri. Finché il maledetto momento era arrivato.

«Chi è?»

«Io.»

«Io chi?»

«L'ingegner Torquato Zinzani, sono! L'ingegner Torquato Zinzani!»

«Desidera?»

«Voglio vedere il suo schifosissimo imperatore! Esigo di vedere...»

«Sua Altezza Imperiale, piuttosto contrariato, mi ha comunicato che non intende riceverla. Se vuole posso darle l'indirizzo della sua segreteria per un appuntamento.»

«Ma mi pigliate per il...»

«Sua Altezza Imperiale non intende riceverla.»

«Vecchia...»

«Sua Altezza Imperiale non intende riceverla.»

«Vi denuncio! Vi denuncio tutti!»

«Sua Altezza Imperiale non intende riceverla.»

Stravolto, l'aspirante Maggiordomo Maggiore della Real Casa Epirota aveva infine ceduto. E dopo aver rabbiosamente schiacciato il campanello un altro paio di volte per disperazione, si era incamminato lentamente verso Termini. Il callo sotto il piede sinistro, tormentato dai sampietrini, non gli aveva risparmiato per un attimo fitte lancinanti. La giacca impregnata di sudore gli era parsa pesare, metro dopo metro, un chilo in più. In piazza Esedra, ormai in vista della stazione, si era infine liberato della cravatta di seta di Jack Emerson. E l'aveva appesa a un lampione.

Rosetta scopre il rododendro

«Osto: suonano.» Si scosse appena. Il fischio che emetteva nella fase del rilascio del fiato, «fischio da peschereccio!» gli dicevano gli amici del Circolo Giobatta Secca, si fermò a mezz'aria. Restò lì un attimo, a galleggiare nel vuoto. Indeciso. Poi uscì fuori tutto, esausto, mentre lui si girava dall'altra parte grattandosi l'orecchio. «Osto: stanno suonando» insistette Ines alzando la voce e conficcandogli un gomito nella schiena: «Osto! Ostooo!».

Di colpo, capì. In fondo in fondo alla memoria recuperò anche il trillo del campanello che aveva scacciato via. Anzi: i trilli. Prima appena accennati, con rispetto. Poi insistenti. Sgradevoli. Allungò la mano per prendere la sveglia, gli cadde. Cercò di recuperarla nel buio, e cadde anche l'abat-jour. «Minchia!» Finalmente fu in piedi. Giusto in tempo per sentire il maresciallo Spampinato che al piano di sotto batteva con la scopa sul soffitto: «E allooooooora? Facciamo festa?». Non bastasse, scattò Nisticò, il cagnetto. Che prese ad abbaiare come un forsennato. Su questo non aveva torto, quella pitima del Luiso Vignola. «Trecento millimetri di cane, trecento scassamenti quotidiani» imprecò Osto. Se la vedeva come se ce l'avesse davanti, quella maledetta bestiola giallastra: quando partiva nella sua sceneggiata da epilettico sbarrava gli occhietti a palla, rizzava il pelo corto e si sollevava a scatti da terra come fosse colpito da una scossa elettrica. Mica un salto normale, da cane normale. No: lui si sollevava perfettamente orizzontale, rigido come un cane di legno, le zampette ben piantate nel vuoto, e restava sospeso un attimo, nell'aria, finché non ricadeva a terra sulle quattro zampe rimbalzando all'istante per esprimere al meglio la sua natura di cagnetto bastardo.

Osto si affacciò nel corridoio, sbatté contro la solita cassapanca che Ines aveva avuto in regalo da zia Malvi, tirò un moccolo, arrivò finalmente al citofono e ringhiò: «Chi è?».

Muto.

«Chi è?»

Muto.

«Cos'è, uno scherzo?»

Muto.

«Ines! Il citofono non l'hanno ancora aggiustato?»

«Dovevano venire ieri. Non lo so. Sono tornata tardi. Non ci ho badato.»

Andò in cucina, sbatté di nuovo col solito stinco contro la solita cassapanca («Ma perché proprio qui dovevamo metterla? Perché proprio qui? Perché?»), tirò su le persiane, mise fuori la testa. Buio completo, rotto soltanto dalla luce fioca dei lampioni. Scrutò nell'oscurità cercando di indovinare le ombre. Il campanello suonò di nuovo. Duro. Metallico. Insopportabile.

«Chi è?» domandò ancora sporgendosi di sotto e cercando di trovare il tono e il volume giusto della voce che gli permettessero di essere sentito e insieme di non eccitare ulteriormente Nisticò, il suo padrone e possibilmente neanche quella vipera di Tilde, la portinaia, un donnone immenso dalla carne lattea e gelatinosa che viveva avvolta in rosei vestiti a fiori di taglia spropositata che però addosso a lei parevano così stretti che ogni bottone sembrava fosse stato iniettato a pressione negli avvallamenti della stoffa.

«Chi è?»

Silenzio.

«Piantala! Scendi a vedere! Falla finita! Stiamo svegliando tutto il condominio» gli diceva Ines dalla camera.

«Ma che ore sono?» chiese lui di rimando.

«Le tre meno dieci.»

«Le tre meno dieci? Le tre meno dieci!»

Ormai era fuori dalla grazia di Dio. Andò in cucina, prese un coltello grosso (non si sa mai: maledetti anni Sessanta!), si mise addosso la giacca da ospedale blu coi bordi marron comprata quando si era tolto una ciste, sbatté contro la solita cassapanca, tirò il solito moccolo alla zia, sbucò sul pianerottolo e cominciò a scendere. Quattro piani. Alle tre di notte. Con la luce al secondo piano («Ma non aveva detto che la cambiava, quella lampadina? Non aveva giurato che la cambiava?») che faceva i soliti schizzi di luce a intermittenza.

Finalmente fu giù. Al di là del vetro smerigliato del portoncino non si vedeva niente. Buio e basta. Infilò la faccia tra le sbarre verticali del telaio e schiacciò il naso sul cristallo: niente. Solo un'ombra nera con un fagotto in braccio. Una figura anonima. Con qualcosa di spettrale. Ma non era minacciosa. Anzi, chissà come chissà cosa, aveva qualcosa di conosciuto. Di più, di familiare.

«Che c'è?»

«Sono io, Osto.»

«Io chi?»

«Alvaro.»

«Alvaro di cumpari Anacleto?»

«Sì.»

«Di zia Egea?»

«Di zia Egea, sì.»

«Quello di Cesarò?»

«Quello di Cesarò. Apri.»

«Ma tu non stavi in Svizzera?»

«Apri. Ti spiego.»

Spalancò la porta, finalmente. Entrò un soffio di aria gelida. Cattiva. Cattiva come sanno essere cattive, quando già si va verso la primavera, le code di certi inverni su al Nord e specialmente nella campagna, o quello che resta della campagna invasa da strade e capannoni intorno a Torino. Entrò il gelo, e subito dopo il gelo un uomo magro magro sperso in un cappotto di lana pepe sale, di quelle lane povere, ispide e legnose che i bambini odiano perché pungono e gli adulti perché in realtà di caldo ne tengono sempre troppo poco. Aveva gli occhi febbricitanti, la faccia scavata come ce l'hanno scavata i figli dei contadini delle Madonie.

«Che fai, Alvaro? E cos'hai lì?»

Il cugino figlio di cumpari Anacleto di Cesarò aprì il plaid che aveva in braccio un po' di qua e un po' di là come se scartocciasse una caramella. E spuntò fuori il viso di un bambino. Un bambino piccolo. Le orecchie paonazze per il freddo. Le manine avvolte in un paio di guantini fatti a maglia. Poteva avere tre o quattro anni. Dormiva. Spossato.

«Tuo figlio?»

«Figlia.»

«E quanto ha?»

«Tre anni e mezzo. Va per i quattro.»

«E che minchia...»

«Mi fai salire?»

«Eccheè, non ti faccio salire? Dammi qua. Hai solo quella valigia? Te la porto io. Andiamo. Facciamo piano che al terzo piano c'è un maresciallo dei carabinieri che tiene un cagnetto isterico.»

Primo piano, secondo piano, terzo piano. «Wha! Wha! Wha-wha-wha-wha!» scattò Nisticò. «Isterico!» disse Osto. E furono su, al quarto. Ines stava sulla porta, gli occhi pesti, i capelli in disordine, la mano destra sul petto a tenere chiusa la scollatura dell'accappatoio: «Alvaro? Cosa fai qui a quest'ora, Alvaro?». Poi vide la bambina, che stava giusto giusto aprendo gli occhi: «Piccola... Oh, povera piccola».

La prese in braccio: «Quanto è che non mangia?».

«Da ieri pomeriggio, alle sei e mezzo.»

«Metto su un po' di latte. Vieni di qua, nel tinello. Come mai questa sorpresa? Cosa è successo?»

«È una storia lunga. Mi tolgo il paltò e vi spiego. Non ho molto tempo.»

«Allora?»

«Vi devo chiedere un piacere. Grande. Un piacere molto grande.»

«E cioè?»

«Vi giuro su Rosetta... Ve l'ho detto che si chiama Rosetta?»

«Bello, Rosetta. Le sta bene, come nome. È quello di tua sorella, no?»

«Era il secondo nome di nonna Egea. Non la volevo chiamare Egea. È un nome che pesa.»

«Allora? Cosa succede?»

«Vi giuro su Rosetta che non oserei mai farlo, se non fossi disperato. Mai. Ma devo chiedervi un regalo grande.»

«Cioè?»

«È una storia lunga…»

«Forza.»

E raccontò davvero tutto. E continuò a raccontare mentre Ines dava alla piccola due frollini e il latte. E dopo che nella stanza era entrato Giacomo. E poi ancora dopo l'arrivo di Grazia, che cominciava a essere grandicella ma ancora si accoccolava sulle poltrone tenendosi strette le ginocchia come fanno i bambini. L'unica che pareva indifferente, o che perlomeno ostentava una flessuosa e annoiatissima indifferenza standosene raggomitolata sulla sponda della credenza, era Nerina, la gatta. Una soriana mora adottata, dopo mille pianti, per smorzare il lutto di Graziella dopo la condanna a morte del gallo Ercolino.

«E allora?» lo interruppe Osto, un po' sulle spine.

«Rosetta non ci potrebbe stare, in Svizzera. Anzi: diciamo che ufficialmente non c'è mai stata.»

«Cioè?»

«Insomma: è clandestina.»

«Stai scherzando…»

«Per niente.»

«Clandestina?»

«Ce ne sono almeno venti o trentamila, come lei. Forse di più. Un mio amico ne tiene quattro, in casa, di bambini. I tedeschi li chiamano *Versteckte Kinder*. Bambini nascosti. A Zurigo, come a Basilea e da altre parti, il consolato ha aperto perfino degli asili e delle elementari, per loro. Clandestini. Anche se molti preferiscono non rischiare. E tengono i figli sottochiave.»

«Vieni al punto.»

«Ho una vicina di casa, una persona cattiva. Deve avere

annusato qualcosa. Capita sempre così. Un vicino di casa ce l'ha con te perché hai una perdita d'acqua in bagno e per farti un dispetto…»

«Non me ne parlare» sospirò Ines. «Abbiamo anche noi i nostri problemi. A partire dal maresciallo siciliano che sta sotto con la moglie. Brave persone ma… Dico io: ci può stare un cane in un condominio? Ma con la scusa che è maresciallo… "Signoooora, vuole insegnare la legge a mmia? A mmia me l'insegna?".»

«Ines, lascia perdere» rise Osto.

«Non è così?»

«Non sei buona a parlare il siciliano, te l'ho detto mille volte. Lascia perdere. Almeno davanti ad Alvaro di cumpari Anacleto.»

«Perché? E tu? Credi di non essere ridicolo quando cerchi di parlare come parlava mia zia Malvi? "Giò, ziora, galla fato la pulenta?" Ma dài!»

«Mamma! Fa' finire Alvaro» sbuffò Giacomo.

«Dicevo: questa vicina mi ha fatto intendere che mi denuncia.»

«Continuo a non capire.»

Alvaro tirò un respiro lungo lungo. Si buttò indietro sulla sedia, guardò la piccola che aveva ripreso sonno in braccio a Ines, si passò una mano tra i capelli e si accese una sigaretta. Nervoso.

«Ho trovato gli orfanotrofi pieni. Non me l'hanno presa.»

«Orfanotrofi?»

«Così fanno, quelli che devono liberarsi in fretta dei figli clandestini. Non puoi sgarrare, a Zurigo. A un operaio l'hanno espulso perché, dopo mesi che in fabbrica si lamentavano tutti del rancio, una schifezza, una mattina ha buttato il piatto dalla finestra. Espulso. Da un'altra parte gli davano una tirata d'orecchie. In Svizzera, per aver buttato il piatto dalla finestra, hanno buttato fuori lui. Foglio di via. E addio tutti gli anni che aveva accumulato come stagionale.»

«Ma gli orfanotrofi?»

«Lo fanno in tanti, ti dicevo. Quando capiscono che un vicino li ha denunciati o che la portinaia ha fatto la spia, qualche volta non hanno il tempo di andare a portare i figli a casa, che ne so, a Trapani o a Gemona... Troppo lungo è il viaggio. Ad andare e venire ti giochi il posto. E allora fai quello che ho fatto io: pigli la macchina, corri giù verso la frontiera, entri in Italia, cerchi il primo orfanotrofio e lasci lì la creatura.»

«Ines, ci fai un caffè per piacere? La piccola la posiamo sul divano. Dorme» disse Osto. Aveva la bocca impastata. Questa poi...

«Grazia, torna a dormire.»

«Ma papà!»

«A letto.»

«Ho quattordici anni!»

«A letto.»

La ragazzina sparì sbattendo la porta. «La porta no!» s'irrigidì il padre. Troppo tardi. Di sotto, Nisticò ricominciò ad abbaiare. E il maresciallo Spampinato a battere con la scopa sul soffitto: «E allooora?».

«Scusa Alvaro, questo cagnetto è un incubo.»

«Insomma: non me l'hanno presa, Rosetta. Tre orfano-trofi ho girato. Li ho pregati. Supplicati. Niente. Mi hanno detto che sono già pieni di orfani di frontiera. Così li chia-mano, questi bambini. Sono pieni e non possono accettarne più. Pieni. Ormai erano le undici di sera. Che potevo fare? La piccola era distrutta. Ha tre anni e mezzo. Indietro non potevo tornare. Mi sono ricordato di voi. Sono diventato pazzo per trovare la strada. Queste periferie... Fortuna che mi ricordavo della torre del deposito del gas. Non è che alle due di notte c'è tanta gente in giro per chiedere un'informa-zione.»

«Ma tua moglie dov'è?»

«Alba è rimasta a Zurigo. Fa le pulizie. Sennò non ce la facciamo a pagar la casa. Alle cinque deve essere sul posto.»

«Ma domani, anzi, oggi, non è domenica?»

«Anche la domenica lavora. Non ci poteva proprio veni-re. Io pure lavoro. Ma monto a mezzogiorno. Per questo ho tentato questa scappata.»

«E allora?»

«Vi devo chiedere una cosa grande: vi devo chiedere se mi tenete la bambina.»

«Tenere la bambina?» risposero in coro. E girarono gli occhi sulla piccola, che se ne stava a dormire là sul divano. Tranquilla. Con un respiro così leggero che poteva quasi venirti il dubbio se respirasse davvero o ne facesse a meno. Ines scosse appena la testa: «Ma semo mati? E dove la metemo?». Veniva sempre fuori il veneto, quando era nervosa.

Osto cominciò a grattarsi l'orecchio sinistro, piegandolo e ripiegandolo. Giacomo passava lo sguardo, ironico e curioso, dal padre alla madre e dalla madre al padre, come a dire: qui vi voglio. Un silenzio lunghissimo.

«Lo so, vi chiedo troppo» disse Alvaro.

«Non è che chiedi troppo. È che…»

«Lo so: è troppo.»

«Ma no, figurati. È che…»

«Insomma: dove la mettiamo? Con chi può stare tutto il giorno? Un bambino ha bisogno di cure, di attenzioni» disse Ines. E levava gli occhi al cielo e scuoteva la testa. Osto, però, guardava ora la piccola con uno sguardo nuovo. Intenerito. Come già assaporasse il piacere di questa dolce invasione che veniva a sconvolgere i piccoli riti consolidati della quotidianità. Tastò cauto il terreno: «C'è sempre mia madre. Appena torna dall'ospedale… Sai che non si muove mai…».

«Agata? E se poi si gioca la bambina al lotto?»

«Ma che dici? Che dici? Scusa, mia madre sarà pure un po' matta con tutte 'ste storie di maghi e fatture, ma gioca così… Per noia. Perché non sa cosa fare. Avesse una bambina…»

«Sta male?» interruppe Alvaro.

«No, no…. Ha avuto una fitta al costato, si è preoccupata e sta facendo dei controlli. Tutto qui. Martedì mattina la dimettono e torna a casa.»

«Vive qui con voi?»

«Per forza. Sai che mio padre non c'è più con la testa. Se restava da sola al paese…»

«Ma ragiona: dove la mettiamo? Siamo stati anni a pestarci i piedi e adesso che cominciamo a respirare...» insisteva Ines.

«Hiiii! E respireremo lo stesso!»

«Io mi trasferisco a dormire sul divano in sala da pranzo, Graziella che ormai è grande si prende la cameretta mia e la bambina va al posto suo in camera della nonna. E il cerchio è chiuso» disse Giacomo.

«Siete tutti matti» ribadì Ines, che già aveva pesato le difficoltà, i problemi, gli intoppi. «Capisco che la bambina ha bisogno di aiuto, ma...»

Alvaro era sulle spine, guardava l'orologio, lo riguardava, lo portava all'orecchio nel timore che si fosse fermato, si agitava sulla sedia...

«Scusate. Lo so, è pazzesco chiedervi una cosa così e mettervi pure fretta. Ma io devo ripartire per Zurigo subito. Subito. Mi sto giocando il posto. Sette anni, sono, che mi tengono sospeso coi contratti stagionali. Mi mancano pochi mesi per avere le carte in regola. Pochi mesi. Se mi salta il contratto adesso, perdo tutto e devo ricominciare da capo. Non posso. Vi prego. Quindici giorni. Quindici... Poi, l'altra domenica, torno a trovarla e me la porto via. Magari si libera qualche posto in un orfanotrofio.»

«Lascia stare l'orfanotrofio! Basta! Non si mettono i bambini negli orfanotrofi» chiuse Ines finendo come sempre per prendere in mano la situazione. Si girò verso Osto: «Quando finisce i controlli, tua madre?».

«Te l'ho detto, dovrebbero dimetterla dopodomani mattina. Certo, glielo dovremmo chiedere...»

«Hai sentito: non c'è tempo. Alvaro deve andarsene subito. Fine.»

«Resta lunedì mattina... Come ci arrangiamo?»

«Ci sto io!» sbucò da dietro la porta Graziella, che non si era persa una parola.

«No, io» disse Giacomo.

«E i tuoi clienti?» chiese Osto.

«Ci andrò nel pomeriggio.» E fu definitivo.

Alvaro soffiò fuori tutta la tensione, tirò un respiro lungo, mandò giù la saliva: «Grazie. Persone come voi sono rare. Grazie». Si alzò, andò verso il divano, si chinò a baciare la figlioletta. Disse solo: «Ciao. Fa' la brava». Si sollevò, allargò le braccia: «Non so come dirvi...».

«Vai, vai. Ma te la senti, di guidare?»

«Tutto a posto. Tutto a posto. Grazie anche da Alba.»

«Ti faccio un altro caffè.»

Cinque minuti ed era fuori. In cucina restarono tutti in silenzio. Lontano, sentirono il motore che si avviava, l'auto che partiva, le marce che scalavano. Ecco, pensarono tutti insieme, ha girato l'angolo. Guardarono la piccola. Dormiva.

«A nanna» disse Ines, che si sentiva improvvisamente esausta. «Domani non sarà una giornata facile.»

«E la bambina?»

«Ce la portiamo a letto.»

* * *

Suonarono alla porta che erano esattamente le sette e otto minuti. Un suono lungo. Deciso. Prepotente. «La bambina!» pensò Osto. E prima che insistessero nel fracasso svegliando la piccola schizzò verso l'ingresso, guardò nello spioncino e vide chi già era sicuro di vedere: il professor Giosuè Cornelio Alberganti, l'inquilino del quinto piano. Un docente di greco politeista che diceva di avere quotidiane conversazioni con Zoroastro e che viveva da solo, senza lo straccio di una moglie, perché perdutamente innamorato di una amadriade, una ninfa dei boschi. Si guardò il pigiama a righe. Era in ordine. Aprì.

«Carisssssimo: l'ho vista!»

«Chi?»

«Nefertiti.»

Nefertiti! Questo pazzo suonava alla gente la mattina alle sette e otto minuti, di domenica, per parlare di Nefertiti!

«Lei saprà senz'altro, carissimo, chi era Nefertiti. Trattasi della sovrana dell'antico Egitto, prima moglie di Akhenaton, il faraone con il quale diede inizio alla riforma religiosa (ma io ho motivo di ritenere che fosse lei, l'anima del progetto: grande donna! Grande donna!) che portò al culto del dio Sole, Aton. Lei saprà senza meno che la poveretta, al dodicesimo anno di regno di Akhenaton, perse con ogni probabilità i favori del faraone. E sa con chi fu sostituita in quello che noi diremmo il dorato talamo? Fu sostituita da una delle sue sorelle. Io non capisco: era davvero una donna bellissima. Perché liberarsene? Bellissima. Proprio come nel busto che la rappresenta al museo di Berlino. Ma che dico? Di più! Di più!»

«Scusi, professore: capisco il suo entusiasmo...»

«Ci credo! Perbacco! Mica capita tutti i giorni di vedere Nefertiti! Ero lì che leggiucchiavo un trattatello sull'esoterismo americano quando mi giro ed era lì. Sul trumò.»

«Sul trumò...»

«Sul trumò, le dico! Elegante. Bel portamento. Raffinata. Gioielleria di classe.»

«Sul trumò... Nefertiti sul trumò.»

«Eh, carissimo: sono soddisfazioni.»

«Professore: sono le sette e dieci.»

«Beh, sapendo che la sua signora esce alle sette meno cinque precise, i suoi figlioli alle sette e trentacinque e lei alle...»

«Professore: è domenica.»

«Domenica?» sbarrò gli occhi folgorato dalla rivelazione. «Oggi è domenica?»

«Domenica» sospirò Osto.

«Scusi.» Sollevò un attimo il cappello in segno di saluto. Accennò a un inchino. Si accomodò sull'avambraccio il manico dell'ombrello che aveva fino ad allora usato come bacchetta per sottolineare i passaggi del racconto. Borbottò: «Domenica, domenica... Scusi, scusi...». Girò i tacchi e sparì.

«Era Lando?» chiese a bassa voce Ines quando Osto tornò a letto.

«No, non era Lando» rispose lui con un sussurro, mentre la bambina si girava dall'altra parte. «Gli avevo già detto ieri che stamattina non sarei andato a pescare. Troppo freddo. La primavera non si decide proprio ad arrivare, quest'anno. L'anno scorso eravamo già usciti quattro o cinque volte.»

«Non mi dire che era "lui"» sbottò a ridere.

«Era "lui", l'Alberganti» rispose un po' ingrugnito.

«Ti sta bene. Così impari ad attaccar bottone con tutti.»

«Io non attacco bottone: sono gentile.»

«Fatto sta che te li rimorchi tutti tu. Mica si sogna di appiccicarsi a me, quel vecchio trombone che parla con gli dei, i morti, i Lari e i Pedati.»

«Penati. Pe-na-ti, non Pedati.»

«Va ben, gli antenati. Quelli delle statuine. Hai capito lo stesso...»

«Non è lo stesso. I lares familiares, o "dei del focolare"...»

«Dormi.»

«E poi il professore non è un vecchio trombone. È un neopoliteista. Visionario, questo sì. Un po' picchiatello. Ma non è cattivo.»

«Dormi.»

* * *

«Ines: ma la bambina è sveglia!»

«Sveglia?» accorse lei, lasciando le faccende nelle quali era occupata. «Sveglia?» dissero i ragazzi, che già da un pezzo avevano fatto colazione. E in un attimo furono tutti lì, in camera.

«Ciao piccolina. Buongiorno! Come mai non mi hai chiamato?» chiese Ines.

Rosetta le puntò addosso gli occhi. Li spostò su Osto e da lì su Giacomo e su Graziella. Studiò tutti intimorita, li soppesò, si guardò intorno, scrutò l'armadio a sei ante coi bordini dorati, l'attaccapanni dietro la porta socchiusa dove spiccava un impermeabile giallo, il lampadario che pendeva con sei palle bianche decorate. Piegò appena gli angoli della bocca e cominciò a piangere. Un pianto intenso. Inconsolabile. Muto. E proprio questo lasciò tutti impotenti.

«Questa piccola piange come nessun bambino piange» disse Ines, che ricordava bene le urla disperate dei figli, quando erano piccoli. Certi strilli che parevano le sirene del-

la centrale elettrica. C'era da chiudere le finestre, se attacca-
vano. Da serrare le porte. Ricordava i mesi alle Casermette.
E di come Grazia, che pure all'arrivo a Venaria era già grandicella, scoppiava immediatamente in lacrime, andando a ri-
morchio, appena sentiva piangere altri bambini al di là delle
paratie. E avvertiva ancora nella carne la lama tagliente del-
l'Argentea, una che aveva dedicato la vita sua a rovinare
quella degli altri e non perdeva occasione per sottolineare
velenosa che, certo, «come possono tirar su bene i figli dei
concubini che vivono more uxorio in peccato mortale?».

«Piange come fosse muta» disse Giacomo, passandosi la
mano sulla barbetta che stava cercando di farsi crescere.

«Ce l'avrà la lingua?» chiese Graziella, dondolandosi sul
letto.

«Non diciamo sciocchezze. Certo che ce l'ha. Alvaro ce
l'avrebbe detto se ci fossero stati dei problemi. Non ci ha
detto nulla. Quindi...»

Ines sollevò la piccola, la strinse al seno riconoscendo in
se stessa la meccanicità dolce dei gesti mille volte ripetuti.
Le asciugò le lacrime: «Buona, buona Rosetta. Qui ti vogliamo bene tutti. E il tuo papà ti ha lasciato solo per un po'.
Chissà quanto gli manchi. E quanto manchi alla mamma. Ti
hanno chiesto un sacrificio perché dovevano fare così. Ma finirà tutto bene. C'è solo da avere un po' di pazienza. Devi
fare pipì?». La bambina fece segno di sì. La vestì con quello
che aveva addosso all'arrivo, la portò in bagno, continuò a
parlarle, a sorriderle, a rincuorarla. «Finito? Brava. Lo vuoi
un po' di latte coi biscotti?» Rosetta fece segno di sì. «Non
me lo dici: sì?» Silenzio.

Mangiò muta. Lentamente. La testa bassa. Gli occhi fissi sul latte e sui biscotti. Diffidente. Attenta a non fare il più
piccolo rumore. Aveva due trecce castane tenute strette da
nastrini rossi, un nasetto appena schiacciato, gli occhi che
davano sul verde. L'aria di una piccola signorina intelligente
e riservata.

Ci provò Osto, a farla parlare, raccontandole che dietro
casa c'era un bellissimo prato e un contadino che aveva le
vacche e un cavallo e lì vicino c'era anche un grande parco

chiamato La Mandria dove c'erano volpi, lepri, cervi e cinghiali. Ci provò Ines, dicendole (guarda le cose strane che capitano tutte insieme) che le era appena finito tra le mani un vecchio scatolone pieno di camicette e canottiere e gonnelline che erano state di Graziella: «Ti staranno benissimo». Ci provarono i ragazzi. Niente. Non una parola. In quel preciso istante, squillò il telefono.

«Pronto, Osto? Alvaro sono. Volevo notizie della bambina. Tutto bene?»

«Tutto bene, ma…»

«Che c'è?»

«Alvaro, la bambina tiene problemi?»

«No… Perché? Che problemi dovrebbe avere?»

«Non parla.»

«Non parla?»

«Muta.»

«Muta?»

«Muta, ti dico. Intelligente, si vede che è intelligente, ma non parla. Muta come le statue della Fontana dei Dodici Mesi al parco del Valentino.»

«Non è possibile.»

«È così.»

Seguì un silenzio, lunghissimo.

«Non credevo fosse così grave. Non credevo. Neppure Alba se n'era accorta.»

Una voce in linea, sgradevole, disse qualcosa in tedesco. «È l'operatrice, mi ricorda che abbiamo già parlato tre minuti. Non ti preoccupare.» Silenzio.

«Alvaro, sei ancora lì?»

«Sì.»

«La piccola sembra spaventata. Non da noi, dico. Da tutto… È sempre così, quando la portate in giro?»

«Non so, è la prima volta, per lei. Non era mai uscita prima.»

«Non ho capito.»

«Ti ho detto che non era mai uscita prima.»

«Stai dicendo che per tre anni e mezzo è rimasta chiusa in casa?»

«Sì. Non è uscita mai.»

«Ma...»

«Bisogna viverci, qui, per capire. Conosco bambini, figli di amici nostri, che sono usciti di casa per la prima volta a otto anni. Che non sono mai andati alla finestra e non hanno mai scostato la tendina perché la mamma gli aveva detto che sarebbe arrivata la polizia a portarli via. Che hanno sempre giocato a giochi tipo "dire senza parlare". Così è, la storia. Il figlio di uno che conosco, una mattina che stava da solo, è scivolato da una scaletta e si è rotto due costole. Non ha fiatato finché non è tornata la madre. Due ore con due costole rotte senza un lamento. A sette anni.»

«Ma Rosetta, con voi, parla?»

«Certo che parla. Con noi sì.»

Silenzio. Un silenzio lunghissimo.

«Lo so: vi ho chiesto un favore grande.»

«Stammi bene, Alvaro. Salutami Alba.»

* * *

«Ci siamo visti qualche volta sulle scale ma permetta che mi presenti: mi chiamo Luiso Vignola. Professor ragionier Luiso Vignola. Piacere.»

«Piacere mio, Cleveland Lagumia, postino.»

«Come ha detto?»

«Cleveland.»

«Cle...»

«Camastra Lampedusa Erice Vizzini Erice Lampedusa Alcamo Noto Donnafugata. Ci-elle-e-vu-e-elle-a-enne-di: Cleveland.»

«Perché non "Como"?»

«Scusi?»

«Perché deve farla così complicata? C come Como! Tutti dicono così, quando devono compitare le lettere di una parola difficile: C come Como. Perché Camastra?»

«Ma...»

«Lei dirà senz'altro che non sono affari miei.»

«Ecco...»

«Giusto, giusto. Ma perché Donnafugata invece che Dalmine o Domodossola?»

«Amore.»

«Amore?»

«Di Partinico, sono.»

«E allora?»

«Donne e buoi dei paesi tuoi. Mi piace spiegare Cleveland con le iniziali delle città siciliane. Ma mi potete chiamare "Ciccio".»

«Signor Ciccio: il regolamento condominiale...»

«Mi volete offendere?»

«Perché?»

«Vi ho forse offeso, io?»

«Ma cosa ho detto?»

«"Signor" Ciccio.»

«E allora?»

«Io qualcosa ho studiato: Ciccio è colloquiale, "Signor" Ciccio è una presa per il...»

«Ma si figuri!»

«Una cosa è Ciccio, un'altra Signor Ciccio: cambia tutto.»

«Ma...»

«Così è» sentenziò il postino.

«Io ero venuto con bel modo, ma se lei la mette su questo piano aggressivo...»

«Mi dica! Prego, mi dica!»

Erano fatti per non capirsi. Ciccio, le braghe del pigiama che gli calavano da una parte, la canottiera da vogatore che esaltava la panza, i pochi capelli arruffati, se ne stava lì ostile, sulla porta, la mano destra sullo stipite come se fosse piazzato di traverso a un'eventuale intrusione: proprio la domenica mattina quello lì doveva suonare il campanello? Proprio mentre si pigliava una mattinata di sonno? Lo sapeva o no che i postini devono levarsi alle cinque e mezzo? E che ci faceva, con addosso un grembiule da bottegaio?

Luiso, che nel suo grembiule stava compostissimo, era tutto un tic: proprio sul suo pianerottolo (il suo pianerottolo!) doveva finire quel siciliano? Otto figli! Come conigli sono, certi meridionali! Per forza che i torinesi chiamano tutti «napuli» e vedono male quelli del Mezzogiorno, diceva mamma Berenice, «nonostante persone a modo e squisite come noi!». Conigli! Come conigli! Otto delinquenti sul «suo» pianerottolo! Deciso a dominare la palpebra dell'occhio destro che batteva nervosa, Luiso sollevò la sua Bibbia personale, le braccia tese in faccia al postino come Mosè con le tavole sul monte Sinai: «La vede? *Enciclopedia di Polizia* di Luigi Salerno».

Se la sistemò sul braccio sinistro e con la mano destra l'aprì a pagina 301 seguendo le righe con il dito: «Disturbo delle occupazioni. Secondo l'art. 659, che sostituisce l'art. 457 dell'abrogato codice penale: "Chiunque mediante schiamazzi o rumori, ovvero abusando di strumenti sonori o di segnalazioni acustiche, ovvero suscitando o non impedendo strepiti di animali, disturba le occupazioni o il riposo delle persone, ovvero gli spettacoli, i ritrovi i i trattenimenti pubblici è punito con l'arresto fino a tre mesi, o l'ammenda fino a lire 24.000". È chiaro?».

«Chiaro cosa?» chiese Ciccio.

«Qui ci siamo: "Il suscitare strepiti di animali", fosse pure l'azione delittuosa "sorretta da un animus jocondi…".»

«Strepiti di animali? Animus jocondi?»

«Oh, senta: la parte di chi non capisce può anche risparmiarsela!»

«Ma cosa vuole da me? Cosa diavolo vuole da me?»

«Insomma! Si contenga! Non mi dirà che lei non si accorge del forsennato abbaiare del cane del maresciallo Spampinato (io mi chiedo: un maresciallo! Un maresciallo!) quando gioca in cortile coi suoi bambini!»

Il postino s'irrigidì e gli piantò addosso gli occhi minaccioso: «E lei li sente? Al sesto piano? Con le finestre tappate come sono sempre le vostre per le manie della polvere di sua madre?».

«E lei mette in dubbio la mia parola?»

«Ma lasci perdere. E lasci stare i bambini. Si sposi! Si sposi!»

«Come si permette…»

«Si trovi una donna! Si sposi!»

Si voltò e fece sbattere la porta.

L'altro strillava: «Ne parleremo all'assemblea! Screanzato! All'assemblea!».

* * *

Verso le undici si spalancò improvviso un cielo bellissimo. Di quelli che puoi vedere solo in certe giornate speciali, quando le montagne della corona alpina sono ancora bianche, l'aria pare leggerissima e in pianura lungo il Po l'inverno cede di colpo lasciando il passo all'irruzione della primavera. «Picnic al Giardino Roccioso!» disse Osto. «Non ho niente in frigo…» disse Ines. «Quello che c'è, c'è.»

Trovarono tre scatolette di Simmenthal, della fontina, un po' di pane avanzato, dei grissini, sei arance. Caricarono tutto sulla macchina e partirono.

Era un mese che ce l'avevano, quella 600 multipla verde pistacchio del '56. L'avevano comprata di seconda mano da un operaio bellunese della Fiat per trecentoquindicimila lire. La metà circa di quanto costava la nuova 600D. Aveva ventiseimila chilometri, ne faceva undici con un litro di benzina, poteva portare sei persone e l'acquisto aveva macerato di dubbi e timori, per settimane, la famiglia intera: sei mesi di stipendio! E tutte quelle cambiali da firmare! Ed era giusto spendere così tanto per una macchina usata? E se avesse avuto delle magagne? E se i consumi fossero stati superiori? Osvaldo Cunico, che lavorava nello stesso reparto del venditore, aveva garantito per il bellunese e per la macchina: «L'ha trattata meglio di come tratta sua moglie».

Il giorno che erano andati a ritirarla, Osto aveva caricato tutta la famiglia e, imboccata l'autostrada per Milano fino a Rondissone, si era preso il lusso di premere l'acceleratore a tavoletta. Con Agata che si faceva spaventata il «nominepatris» e Ines che rideva stringendo Graziella: «Novantatré all'ora!». Ed erano entrati in un bosco bellissimo lungo la Dora arrivando fin quasi a un vecchio mulino e sulla via del ritorno, che avevano scelto di fare per la strada normale, si erano fermati in un'osteria per bere una cioccolata.

Osto guardò nello specchietto retrovisore Rosetta, seduta in braccio a Ines sul sedile dietro e pensò che era stata proprio una bella idea, comprare la macchina. La bambina non perdeva una sola scena di quel mondo che le si spalancava davanti. Ines le spiegava tutto. E le mostrava i viali, il Lungo Po, i tram che sferragliavano carichi di persone, le chiese, i parchi. Finché arrivarono al Giardino Roccioso. Si fermarono su una panchina vicino a un ruscello. La piccola, a un certo punto, cominciò a puntare il dito su questa o quella pianta. Osto, che qualcosa ci capiva, rispondeva. «Platano.» «Frassino.» «Firmiana.» «Paulonia.» «Ippocastano.» «Rododendro.» «Faggio.» «Salice piangente.» Giacomo tirò fuori una barretta di cioccolato. La scartò. Rosetta ne prese un pezzetto. Mangiò. Sorrise. Poi puntò il dito su un albero un po' più in là. E disse: «Rododendro». Osto fece un sorriso, si accese una nazionale e aspirò: «Il nome più difficile, eh?».

Il mal di denti dell'assassino triste

«Una mosca! Lei si rende conto, maestro Aliquò? Un mare di problemi per una mosca! Cose di pazzi, come dice lei, cose di pazzi!» E stringeva il pollice e l'indice per illustrare a tutti, signori della corte e inquilini del condominio, «colti et incliti», quanto una mosca fosse «una bestiola piccolissima, ma vorrei dire microscopica, ma vorrei dire infinitesimale».

Era uno di quei momenti in cui Osto l'avrebbe volentieri strozzato, l'avvocato Pompeo Lo Surgi Lo Surgi, che coi suoi due appartamenti credeva di dominare la palazzina condominiale. Quando lo bloccava sulle scale, al ritorno da scuola, per pavoneggiarsi raccontandogli i dettagli più assurdi della sua attività professionale: «Dico io: quanto è grande un neutrone, ah? E un protone? Ha idea, lei, di quanto è grande un protone? Eppure, lo sa Iddio il botto che possono fare. Dico bene? Oh! Questa mosca di cui le parlavo, questo insetto oserei dire neutronico e protonico e comunque quasi invisibile, mi sta facendo impazzire! Impazzire! Me lo rimproverano pure i colleghi: "Lei ci mette troppa passione anche nelle cause minime, avvocato Lo Surgi Lo Surgi…"».

«Ci siamo» pensò Osto rassegnato. «Adesso mi racconterà per la millesima volta del doppio cognome.» Non c'era verso di scamparla.

«Lei si chiederà: "Perché l'avvocato cassazionista Lo Surgi Lo Surgi si chiama così, pittorescamente diciamo, proprio Lo Surgi Lo Surgi?"»

«Me l'ha già spiegato, avvocato.»

«Un errore dell'anagrafe, amico mio. Un banale errore

anagrafico» tirò dritto senza avere neppure prestato orecchio alla risposta di Osto, che del resto non gli interessava affatto. «L'impiegato, presumibilmente, doveva avere già scritto nell'apposito registro il cognome una volta allorché, forse richiamato da un evento esteriore, si distrasse e tornò paro paro a riscrivere questo cognome che, ereditato da generazioni di chiarissimi luminari della giurisprudenza, immeritatamente porto. Lei cosa avrebbe fatto, caro maestro?»

«Non so.»

«Me lo chiesi, giunto in età adulta: sono io in diritto di cambiare ciò che il Destino, muovendo la mano di quell'impiegato distratto, ha voluto donarmi?»

«Se lei permette…»

«Dica, dica.»

«È l'una e mezzo, avvocato. A casa mi stanno aspettando. Scusi, sa…»

«Ma per carità, caro! Per carità! Buon appetito. La lite giudiziaria della mosca, però, gliela devo proprio raccontare. Mirabolante! Mirabolante!»

* * *

«Uova e patate?» Osto esaminò l'insalatiera con un'aria desolata. Rosetta lo guardò di sotto in su con occhio divertito. A lei piacevano, le uova. E pure le patate. E mai al mondo, comunque, si sarebbe sognata di contestare qualcosa a quella vecchia forse svampita ma affettuosa nonna Agata. La prima nonna della sua vita.

«Uova e patate! Uova e patate!» sbuffò Osto. «È la terza volta questa settimana che ci fai mangiare uova e patate.»

«Non ti piacciono le patate?»

«Mamma!»

«Non ti piacciono le uova?»

«Mamma! Ma Ines non ti aveva dato millecinquecento lire per le bistecche?»

«Me le aveva date.»

«E tu?»

«Io cosa?»

«Mamma: le millecinquecento lire!»

«Le ho dovute spendere.»

«Non mi dirai…»

«Sì, le ho date a Pippo il Falso.»

«A Pippo il Falso? Ancora a Pippo il Falso?»

«Teneva un ambo sicuro. Ma-te-ma-ti-co, mi disse.»

«E com'è finita, con questo ambo matematico?»

«Niente.»

«E quanto avevi giocato?»

«Mille lire. Cinquecento le avevo date a Pippo per la soffiata.»

«Ma l'ambo, niente.»

«È colpa del malocchio.»

«No: è colpa della tua testa. Come fai a credere ancora a quel vecchio cieco pazzo? Secondo te perché lo chiamano Pippo il Falso, ah?»

«Quella volta del treno, però, l'aveva indovinata, l'aveva!»

«Ma quelle ovvietà le indovinavo pure io. E te lo ripeto pure. Vecchia: a me gli occhi! Sappi che se prenderai il treno da Torino a Villa San Giovanni il giorno dopo l'inizio delle ferie alla Fiat, farai un viaggio d'inferno, con un caldo pazzesco e sbattuta in piedi in mezzo ai vagoni tra una montagna di valigie e l'odore dei calzini sporchi! Ecche: 'u mago ci vuole? 'U mago ci vuole?»

Rosetta rideva. «Nonna matta» disse. «Nonna matta.» E le si strofinò addosso, ricambiata da una carezza burbera: «Taci tu».

Giorno dopo giorno, la piccola aveva cominciato a prendere confidenza con le cose. Si era mossa guardinga, centimetro dopo centimetro. Come una gatta che, portata in una casa nuova, prima dichiara che il trasloco non le è piaciuto per niente facendo cadere un vaso, poi si adatta e comincia ad allargare il suo territorio ispezionandolo pezzetto per pezzetto. Aveva così scoperto la camera di nonna Agata, dove l'avevano messa a dormire tra le proteste iniziali della vecchia appena tornata dall'ospedale. Poi il salotto, con le foto incorniciate sul ripiano della vetrinetta, le poltrone di finta pelle color pistacchio, il tavolo, le sedie di formica, il tavolino di vetro a tre gambe arcuate, con quel buffo vassoio di peltro fatto come un fazzoletto inamidato e dalle quattro punte lavorate e aguzze. Poi ancora la cameretta di Graziella.

La scoperta più incredibile, che aveva subito sentito il bisogno di comunicare a nonna Agata, fu però «La Tv dei Ragazzi»: parlavano tutti in italiano! Braccobaldo Bau e Topo Gigio, Yoghi e Bubu... E così i cartoni che le lasciavano vedere la sera al Carosello, un attimo prima di metterla a letto: Susanna Tuttapanna e la Mucca Carolina, Angelino e il vigile Concilia, che abbaiava in siciliano: «Qui a schifio finisce!». A Zurigo no, non era così. Anche lì aveva la televisione. Ma parlavano tutti tedesco. Una lingua che non capiva. E che, chissà perché, la inquietava.

«Meno male che la mamma e il papà mi facevano vedere i cartoni senza volume» confidò un giorno alla nonna.

«Senza volume? E come mai?»

«Non lo so. Mamma diceva che era un gioco. Che i vicini non dovevano sentire che guardavamo delle cose per bambini. Lei giocava sempre a questo gioco. Quando tornava con un regalino piccolo per me lo metteva in fondo in fondo alla borsa così nessuno lo poteva vedere.»

* * *

Suonò il telefono. Era Ines. Disse che aveva solo un minuto, che Zinzani la mattina l'aveva fatta impazzire e che nel pomeriggio sarebbe tornata tardi: «Abbiamo un sacco di problemi con le consegne».

«Ha» le rispose Osto.

«Ricominci?»

«"Ha" un sacco di problemi con le consegne. Lui li ha. Non tu. Tu devi solo fare il tuo lavoro. Fine.»

«Perché: non lo faccio?»

«Altroché: tutti i giorni dalle sette e mezzo alle sette di sera più qualche sabato mattina, più certe cose che ti porti a casa da finire la domenica...»

«È il mio lavoro. La mia azienda.»

«No: è il tuo lavoro ma è la "sua" azienda.»

«Non capirai mai.»

«No, no: capisco benissimo. Tu non sei una segretaria. Voglio dire: non sei più una segretaria normale. Sei diventata una tota sabauda. Quella che ogni industriale, professionista o dirigente al mondo vorrebbe avere. Sempre puntuale. Sempre presente. Sempre disposta a rinviare le ferie. Sempre decisa a finire il lavoro qualunque cosa succeda, a costo di fermarsi la sera fino a mezzanotte.»

«Quello capita raramente. E lo sai.»

«Sempre disponibile a saltare il pranzo…»

«Farebbe bene anche a te, qualche volta.»

«Non ti preoccupare: ci pensa già mia madre.»

«L'ha rifatto?»

«Sì.»

«E le bistecche?»

«Se le è mangiate Pippo il Falso.»

«Ma cos'ha questa donna, nel cervello? Cosa? E i ragazzi?»

«Hanno mangiato quello che ho mangiato io: pasta col sugo, uova e patate.»

«Ancora uova e patate?»

«Eeeeh: ancora uova e patate.»

«Va ben, ciao: se ce la faccio passo io in rosticceria, stasera. Ti va bene un pollo?»

«Preferirei se facessi da mangiare tu però…»

«Va bene un pollo?»

«Va bene.»

«Vai dal Rovigatti, questo pomeriggio?»

«No. Ieri mi ha messo in imbarazzo. Già mi pesa andare la mattina a scuola e qualche pomeriggio a tenere la contabilità a una fabbrica di vernici per arrotondare…»

«Colpa anche tua se ci siamo caricati di cambiali. Il divano poteva aspettare e…»

«Sai che non è di quello che mi lamento. È che non la smette di chiedermi cose che non posso fare.»

«Ancora?»

«Ancora. Voleva che trovassi il modo di fare sparire una

fattura. Ma come faccio a far sparire una fattura? Mica sono Pippo il Falso… Lo sa come sono fatto io. Lo sa. "Cavalier Rovigatti" gli ho detto, "io la contabilità gliela tengo e lei si risparmia un ragioniere, ma non mi tiri in mezzo nelle cose in nero. Le schifezze no. Le schifezze se le fa da solo ché non le voglio manco vedere."»

«E allora?»

«Allora mi piglio tre ore mie. E vado a pesca.»

«Con Lando?»

«Non può. Da solo. Se non fa freddo mi porto dietro la piccola.»

«Non ci pensare neanche. Ieri sera con la maglia pesante ero gelata.»

«Te l'ho detto: solo se non fa freddo.»

«Se poi si prende una bronchitina…»

*   *   *

Buttò l'amo che erano le quattro e mezzo. Al solito posto. La conosceva da anni, quella curva del Ceronda, poco prima che il torrente andasse a confluire nello Stura di Lanzo. Era un posto dove la campagna era ancora campagna. Dove arrivavi in riva al fiume facendoti largo in una selva di matteuccia, una felce non molto comune in Piemonte, dentro la quale capitava di vedersi levare all'improvviso, in uno sbattere di ali che schiaffeggiava l'aria, un tuffetto o una folaga. Se non addirittura un falco pescatore o un'oca selvatica. Certi giorni, se avevi fortuna, potevi vedere volpi e cinghiali… E se avevi un po' di pazienza, perché quello è un pesce che può farti ammattire e devi avere la costanza di scherzarci per ore e ore, qualche volta, potevi tirar su un temolo.

Si cercò nelle tasche una caramella. Si chiese perché quelle che costavano poco dovessero avere la carta che ti si appiccicava alle dita. Tirò fuori un vecchio ritaglio della «Domenica del Corriere» che gli era finito in mano la mattina scivolando fuori da un sussidiario dal quale voleva recuperare una lettura. Doveva averlo messo via meccanicamente. Lo aprì, lo riconobbe. Era una poesiola sulle complicazioni coniugali della Bergman, firmata «Il Cavaliere Errante» e intitolata *Ingrid, che barba!*. Doveva essere del 1949, forse del 1950... La prima parte era noiosetta, la seconda, che aveva sottolineato con una matita rossa, irresistibile.

> Era una donna abbottonata e casta,
> tanto che scelta fu, tra varie stelle,
> a impersonar la vergine ribelle,
> santa Giovanna d'Arco; ed una vasta
> pubblicità lodava e ingigantiva
> le pure doti dell'illustre diva.
> Ma in questo mondo, ahimè, cadere è umano
> (si son veduti certi capitomboli!):
> Ingrid un giorno, capitata a Stromboli,
> l'influsso vi subì di quel vulcano
> ed all'amore un fiammeggiante osanna
> le uscì dal petto. Addio, santa Giovanna!

Sorrise, ripiegò la pagina, se la rimise in tasca, controllò la canna, richiamò il filo per controllare l'esca, tornò a gettare l'amo e riprese a fissare, in un varco che si spalancava tra gli alberi, il profilo delle montagne, che si delineava sempre più netto via via che il sole calava colorando il cielo di rosso.

Era lì da mezz'ora quando, silenziosissimo, apparve un ometto piccolo e strano. Poteva avere sessant'anni, portava un paio di braghe luride, una camicia dal colore indefinibile, un maglione sgualcito e una vecchia giacca di fustagno. Trasandati i vestiti, trasandata la barba, che doveva essere di almeno una settimana. Occhi piccoli e scuri. Sopracciglia cespugliose che gli segavano il viso orizzontalmente dandogli un'espressione selvatica.

Non disse una parola. Si accucciò sulle ginocchia, incrociò le braccia e restò lì, inchiodato, lo sguardo fisso sull'acqua. Osto gli buttò un'occhiata distratta. Neppure lui aveva voglia di parlare. Restarono così, mentre il sole calava dietro le montagne che sembravano a un passo.

«Poiane» disse a un certo punto lo sconosciuto, accennando col mento a un paio di uccelli che spiccavano il volo radenti nella luce del tramonto.

«Le conosce?»

«Pure al paese mio ci stanno le poiane. C'è uno stagno, tante canne... C'erano tante zanzare una volta che... Credo ci siano ancora. Credo.»

«Da dove viene?»

«Cagliari. Un paese vicino. Non mi ricordo neanche più come si chiama. Non ci vado da trentasette anni.»

«Emigrante?»

«Carcerato.»

«Ah...»

«Lei c'è mai stato, dentro?»

«No.»

«Trentasette anni.»

«Dove?»

«Tanti posti. Gli ultimi ventidue anni li ho passati ad Aversa.»

Osto tirò su la canna, guardò il sole, valutò di avere ancora il tempo per qualche lancio. Controllò la mosca, che si era pazientemente costruito da solo. Tirò fuori le sigarette: «Fuma?».

«Grazie. Anche ad Aversa potevo fumare. Ma le sigarette preferivo usarle, all'inizio, per darle alle guardie. Un pacchetto per fare la doccia d'estate, dieci sigarette estere per cambiare le lenzuola, venti per una saponetta di Marsiglia. All'inizio ci tenevo. Poi, boh... Alla fine ti abitui a tutto.»

«E perché finì dentro?»

«Omicidio. Una donna.»

«Ah...»

«Iside. Iside Conciu.»

«Perché?»

«Non so come è successo. È successo.»

«Quanti anni aveva?»

«Ventuno.»

Osto riavvolse il mulinello, tirò su l'amo, controllò la mosca, toccò con perizia due dettagli minimi che gli sembravano importanti. Lanciò.

Saltò fuori così, a strappi, come se estrarre dalla memoria ogni brandello di ricordo gli costasse un'enorme fatica, che lo sconosciuto si chiamava Bernardino Salis, che si era fatto quindici anni in giro per vari penitenziari per omicidio volontario, che era finito in manicomio criminale ad Aversa perché aveva mal di denti.

«Mal di denti?»

«Non ci si crede, lo so. Un mal di denti pazzesco. Mi faceva morire. Tremavo tutto. Ero detenuto nel carcere di San Sebastiano, a Sassari. Volevo qualcosa. Una medicina. Qualcosa. Un compagno mi disse di provare con le brocche di garofano, che potevamo tenere in cella per fare il minestrone. Non servì a niente. Loro, le guardie, non mi volevano ascoltare. Ho dato di matto. Non ricordo bene. Mi sono svegliato legato a un letto di contenzione ad Aversa.»

«Ad Aversa?»

«Nudo. Quelli dove stai in croce sopra una tela di plastica. Un mese lì, mi sono fatto, cacandomi addosso. Finché mi è esploso un ascesso.» Tirò distrattamente un sasso in acqua, si rese conto di avere disturbato i pesci, si scusò: «C'era pure un altro che era entrato per un mal di denti. Uno bravo. Dopo due mesi di letto di contenzione, appena slegato si è impiccato. Non credo che era matto, almeno quando arrivò. Anch'io non ero matto, credo. Una volta no, non ero matto.»

Ventidue anni dopo, l'avevano mandato a casa. Pena scontata. «Clinicamente guarito»: così c'era scritto sui documenti.

Osto diede due colpetti, leggeri leggeri, alla canna: «Un temolo» bisbigliò. «Forse è un temolo. C'è un libro che racconta come 'sto pesce possa farti dannare. Un bel libro.»

«Le posso fare una domanda?» chiese lo sconosciuto.

«Prego.»

«Quanto costa oggi, nel 1962, un litro di latte?»

«Centoquaranta lire, mi pare. Sì, centoquaranta.»

«Un chilo di pane?»

«Comune?»

«Comune.»

«Centosettanta, centottanta. Dipende…»

«La pasta?»

«Centotrenta o centoquaranta il pacco da mezzo chilo.»

«Bastardi…» borbottò il galeotto. «Bastardi…»

Ormai il sole era andato giù. Osto recuperò amo e filo, ne fissò con gli elastici l'ultimo tratto alla canna, ripose accuratamente la mosca in una scatoletta di fiammiferi. Ormai era buio.

«Viene anche domani?» chiese lo sconosciuto.

«Se ce la faccio…»

* * *

Quella sera, Osto non riuscì a chiudere occhio. Si girava e rigirava. E più si rivoltava nel letto, più gli apparivano nitide e dolorose le immagini del povero Bernardino che, legato come un cristo, sbatteva la testa a destra e a sinistra, urlando come un disperato, nel suo letto di contenzione, straziato dal mal di denti. L'aveva visto, il manicomio criminale di Aversa, in un cinegiornale che parlava di Leonarda Cianciulli, la Saponificatrice di Correggio, che al processo aveva urlato «torturatemi, fucilatemi, sarebbe il più bel giorno della mia vita», aveva appese in cella due foto di bimbi, uno col cappellino da marinaretto, l'altro coi boccoli. In mezzo un'immagine di Gesù col grande cuore rosso scoperto. Lei, vestita con un abito a righine dai colletti a punta, era in piedi davanti a una finestra con le sbarre e recitava come una cantilena, con aria stralunata: «Ecco, sono giunta qui ad Aversa, addio Reggio Emilia, addio Correggio! Dove sono tutti i miei bimbi? Che brutto destino il mio. Ah, perché non morii a dodici anni? Quando ebbi la meningite, perché non morii allora? Ah, no. Sono qui per i miei figli. Diciassette ne ho avuti, solo quattro sono viventi. Ah, il non riscatto costami spasimi e tormenti… Spasimi e tormenti…».

«Osto! Ma te ne vuoi stare buono? Cosa c'è?» scoppiò a un certo punto Ines tirandogli un calcio sotto le coperte.

«Scusa.»

«Cosa c'è?»

«Ho conosciuto uno, su al torrente.»

«Uno chi?»

«Uno. Un poveraccio, che si è fatto trentasette anni dentro. Mi ha fatto pena.»

«Se si è fatto trentasette anni dentro vuol dire che se li doveva fare.»

«Ma...»

«Mica mettono dentro la gente così, a caso.»

«No, però... Insomma, mi ha fatto pena.»

«Dormi.»

«Lo mandarono al manicomio criminale perché aveva mal di denti.»

«Figurati.»

«Perché dovrebbe mentire? L'ho letto anch'io, di uno finito così. Non è che nelle carceri certi dottori stiano lì a farsi tanti problemi. Aveva un mal di denti spaventoso, non gli volevano dar retta e diede di matto.»

«Dormi.»

* * *

Il pomeriggio del giorno dopo, si liberò della contabilità della Vernici Industriali Rovigatti più in fretta che poteva, se la filò un attimo prima che il padrone lo bloccasse per una qualche bolla di accompagnamento, si infilò nella 600 pistacchio e raggiunse il suo posto sul Ceronda. Sciolse gli elastici della canna, aprì la scatoletta con le mosche, ne mise una all'amo, lanciò, controllò la tensione del filo, adagiò morbida la canna sul cavalletto. Un attimo dopo, dalla selva di erbacce, sbucò fuori Bernardino. Accennò appena a un saluto. Si accoccolò muto esattamente dove il giorno prima.

«Ha mangiato?» chiese Osto.

«No.»

«Le ho portato un panino. Mortadella. Va bene?»

Fece sì con la testa. Cominciò a mangiare.

«Ho portato quel libro che parla del temolo. Vuole sentire?»

Fece ancora sì.

«È di un francese, De Boisset: "La pesca del temolo è

un passatempo da uomo raffinato. È uno sport tutto finezza e sfumature: la prima qualità degli attrezzi, dalla canna alla mosca, è la flessibilità, la leggerezza. Il lancio, la ferrata e la lotta con il pesce sono esercizi di abilità, mai di forza".» Controllò la canna. Riprese a leggere: «La sua caccia si svolge in un quadro scevro di banalità; le sue fantasie imprevedibili, il suo umore essenzialmente mutevole aggiungono alla bellezza della sua pesca l'attrattiva costante dell'imprevisto».

«Quanto costa la mortadella?»

«Sulle trecento lire.»

«Bastardi.»

Ce l'aveva, spiegò, con suo fratello e la cognata. E raccontò con gli occhi febbricitanti fissi sul punto esatto in cui il sughero galleggiava formando piccoli cerchi concentrici, che era arrivato a Torino con in tasca 1.210.460 lire. «Dico: un milione duecentodiecimila e quattrocentosessanta lire. Guadagnati in anni e anni di galera componendo interruttori elettrici per la Bassano-Ticino.»

In Sardegna non aveva più nessuno. Era una vita che non riceveva una lettera o una cartolina. Uscito dal manicomio criminale, aveva preso il treno per Torino. Si ricordava di questo fratello emigrato a Venaria. Sua madre, prima di morire, gli aveva scritto che stava in un pezzo di casa occupata ai casermaggi, le vecchie strutture militari savoiarde abbandonate al degrado. C'era andato a piedi, da Porta Susa.

«Tutta a piedi?» chiese Osto stupefatto.

«Tutta a piedi.»

«Ma sono un sacco di chilometri.»

«Avevo tempo.»

Il fratello lo aveva accolto scrutandolo di sbieco. Ispido. Diffidente. E ancora più ispida era stata la moglie. Fin quando non avevano saputo, appunto, di quel milione duecentodiecimila e quattrocentosessanta lire. Gli avevano dato una baracca per gli attrezzi lì vicino, una cuccia di cane con tetto di lamiera e il pavimento di terra. E avevano preso a portargli qualcosa da mangiare, a pranzo un po' di pasta, la sera una brodaglia o una ciotola di riso, finché non erano finiti i soldi. E l'avevano sbattuto fuori.

«Finiti i soldi? Ma quanto...»

«Tre mesi.»

«Tre mesi? Uno sta al Grand Hotel tre mesi, con quei soldi. Mangia, beve, si fa i massaggi e ne avanza pure...»

«Mi dicevano che mentre ero dentro tutto era aumentato di prezzo. Che c'era la "lira pesante". O una cosa simile. "Una follia!" dicevano. "Costa tutto una follia!" La pasta tremila vecchie lire al chilo, il pane quattromila.»

«Bel fratello...»

«Senta: le posso fare un'altra domanda?»

«Mi dica.»

«Se chiedo di tornare ad Aversa, mi ci rimandano?»

Alzò le spalle. Cosa rispondere? Recuperò il filo, fissò gli elastici, ripose la mosca nella solita scatoletta di fiammiferi. Ormai era buio.

«Non è che sto più tanto bene, qui fuori.»

«Dove dorme, adesso?»

«C'è una stalla, qui vicino. Mi arrangio.»

«Se posso fare qualcosa per lei...»

«Voglio tornare ad Aversa.»

* * *

«Hanno ammazzato Lando!» «Oddio! Gasparotto?» «Che c'è?» «Hanno ammazzato Lando!» La notizia partì dal pianerottolo del secondo piano, scese in portineria, rimbalzò e schizzò su in un attimo fino al settimo. Cinque minuti e tutti gli inquilini di via Giovanni Battista Morgagni si sporgevano con la testa nel vano delle scale. Nisticò attaccò ad abbaiare isterico finché la signora Matilde, che tutti chiamavano la Marescialla, non lo prese in braccio per affacciarsi lei pure sul pianerottolo: «Che c'è? Che c'è?».

Erano le otto di sera. Un vicino raccontò di aver visto la moglie e il ragazzo più grande del povero operaio padovano che uscivano di corsa, verso le sette e tre quarti, per salire su un tassì: «Non so come li avessero avvertiti. Lei aveva una faccia...». Si concentrarono a gruppi nelle case di chi aveva il televisore. Osto, che era appena riuscito a comprare a rate un Brionvega Algol arancione da quattordici pollici, liberandosi del vecchio arnese di seconda mano che l'aveva fatto ammattire per via di certe righe orizzontali che spezzavano le immagini spostando le teste delle annunciatrici tutte a sinistra e il corpo tutto a destra, si ritrovò il ragionier Caforio e la moglie, l'idraulico del sesto e tutta la famiglia di Cleveland Lagumia: lui, la moglie, la suocera salita dalla Sicilia, otto figli e un gatto in braccio alla bambina più piccola.

Il telegiornale parlò di tutto, meno che di Lando. Col risultato che alle dieci di sera, messi a letto i bambini più piccoli, erano tutti sul portone, chi stringendosi nell'impermeabile, chi con una copertina sulle spalle, a far la posta al maresciallo Spampinato: se non lo sapeva lui...

«Muto, sono» disse lui appena arrivato, chiudendo a chiave l'utilitaria.

«Muto è» sentenziò la moglie Matilde accaparrandoselo e trascinandolo via, rosa dalla voglia di sapere tutto ed eccitata dalla maligna soddisfazione di lasciare gli altri con un palmo di naso.

«Muto» ripeté il maresciallo. E per essere più chiaro, incrociò il dito indice della mano destra e quello della sinistra davanti alle labbra a culo di gallina: «Segreto istruttorio». E, seguito dal codazzo vociante che protestava («Ma quando vi trovate senza sale di domenica, come la settimana scorsa, allora sì che vi ricordate dei vicini! Allora sì! Allora il signor maresciallo Spampinato Tranquillo non è altezzoso come oggi»), salì le sue rampe, infilò la chiave nella toppa e sparì dietro la porta. «Disgraziato» disse qualcuno. Nisticò riprese ad abbaiare.

*   *   *

Quella sera Osto non toccò cibo, non disse una parola a tavola e non tentò neppure di andare a letto. Cercò di distrarsi piazzandosi davanti al televisore con lo sguardo fisso sulla replica di uno sceneggiato già visto, tirò fuori i quaderni di scuola coi temi da correggere, decise di mettere in ordine la libreria sistemando svogliatamente di qua i saggi e di là la narrativa. Ines gli accennò qualcosa che lui neanche sentì, rinunciò alla risposta, si avviò verso la camera posandogli una mano sulla spalla: «Prova a dormire un po'».

Rimasto solo, si sentì mancare il respiro, tirò su piano piano le tapparelle di plastica verdognola e spalancò la finestra. C'era la luna. Una luna enorme. Una di quelle lune che sembrano disegnate dai bambini. Si ricordò di quella volta che erano saliti una domenica d'estate, in Vespa, su per la Val Grande fino a Balme e al piano della Mussa e dopo una camminata in cui Lando aveva sputato l'anima («Maledette Alfa! Giuro che non fumo più!») erano arrivati fino alle baite dell'Alpe Tovetto. E lì, addentando un panino con la coppa sotto un sole accecante, intimoriti dalla grandiosa bellezza dell'Uia di Ciamarella che li dominava, si erano detti ridendo che «Dio doveva essere davvero in forma il giorno in cui aveva creato delle montagne così». E a un certo momento, puntando il dito dietro un pino cembro, Lando aveva indicato un piccolo e impalpabile arco luminoso nell'azzurro del cielo: «La luna».

Si asciugò una lacrima, sentì un brivido di freddo, fu colto dal ricordo di Ebe Marchionni, la vecchia ballerina che era morta guardando al balcone il tramonto sulle valli di Lanzo ed era stata sepolta in solitudine, senza che un'anima seguisse la salma fino al cimitero fatto salvo il malinconico Santulli toccato al cuore da padre Santino. Chiuse la finestra, si stese sul divano, scivolò in un sonno inquieto.

* * *

Pescatore ucciso sul Ceronda: l'omicida non lo conosceva neanche, strillavano i quotidiani del giorno dopo. Il pacco era ancora chiuso nel cellophane, buttato sul marciapiede, e Osto era già lì, all'edicola. Divorato dal bisogno di sapere. Ad aspettare il giornalaio, un veneto calvo e mingherlino che veniva da Lendinara. Finalmente quello arrivò, gettò un'occhiata al titolo, disse «Ostia!», cominciò a spacchettare, afferrò un quotidiano per sé e uno per quel cliente così mattiniero.

Pescatore ucciso sul Ceronda: l'omicida non lo conosceva neanche. Osto vide la foto del luogo del delitto, riconobbe il «suo» posto, vide un corpo steso di traverso sotto un lenzuolo, la canna abbandonata da una parte, un piede dentro l'acqua. Intuì con la coda dell'occhio, prima ancora di leggere, il sommario: «L'assassino, un ex detenuto, avrebbe scelto la vittima a caso spiegando il folle gesto così: "Volevo tornare in manicomio criminale"».

Lesse tutto l'articolo senza mai tirare il fiato. A un certo punto si accennava a «ripetuti tentativi compiuti nei giorni scorsi dal Salis per essere arrestato».

Un altro pezzo, sotto il titolo *Assassinato per caso*, raccontava con una gran quantità di dettagli che «da almeno una settimana il folle, il quale prima di apparire qualche mese fa a Venaria aveva trascorso gli ultimi ventidue anni nel manicomio criminale di Aversa, cercava di essere arrestato».

Aveva girato tutti i posti di polizia e le caserme dei carabinieri e perfino della finanza di Torino e dei dintorni: «Arrestatemi, voglio tornare ad Aversa». Insultato un vigile urbano per strada: «Arrestatemi, voglio tornare ad Aversa». Sputato su una macchina della polizia: «Arrestatemi, voglio tornare ad Aversa». Pisciato sul portone della chiesa: «Voglio tornare ad Aversa».

Finché non aveva rubacchiato qualcosa al mercato. Rovesciato qualche banco di frutta. Spaccato un po' di vetrine a colpi di mattone. «Un pazzo» raccontava al cronista uno dei negozianti. «Diceva: mi dovete arrestare, siete obbligati ad arrestarmi, ho diritto a essere arrestato. Diceva che voleva tornare in manicomio criminale. I carabinieri l'avevano denunciato a piede libero: "Bevi di meno". A me, però, non sembrava ubriaco per niente. Triste. Quello sì. Mi pareva immensamente triste.»

Osto chiuse il giornale, se lo infilò in tasca, cominciò a camminare. Il sole, levandosi, batteva sulle montagne. Vide il vecchio Pierino Zolicheur passare col suo carretto carico di secchi e damigiane per l'acqua e lo salutò. Gli cadde l'occhio su un complesso di palazzine e si chiese perché avessero costruito tutti quei condomini senza piantare un solo albero. Arrivò al Ceronda, si fermò a guardare l'acqua che scorreva, si chiese che fine avesse fatto la canna di Lando e si sentì in colpa per esserselo chiesto. Svoltò un angolo e si ritrovò in piazza della Santissima Annunziata, gironzolò sotto i portici barocchi, si ricordò di aver letto che l'architetto l'aveva disegnata con la forma ovale di una bomboniera perché tutti provassero un senso di tenerezza, levò gli occhi alla chiesa della Natività, scartò di lato perché un camion stava per metterlo sotto. Salì per la contrada Maestra fino alla piazza che si apriva sulla Reggia. Si domandò se era giusto lasciare che quella meraviglia cadesse in pezzi. Il bar Castello era aperto. Entrò, ordinò un caffè e chiese di fare una telefonata. Chiamò la direttrice della scuola, le spiegò cos'era successo, le domandò se, perfavore, potesse sostituirlo: «Non capiterà più. Ma oggi proprio non me la sento». Tornò a casa, prese le canne e andò a pescare.

La sera, era davanti alle Nuove. Suonò alla porta del carcere. Chiese se era possibile far consegnare uno scatolone al detenuto Salis Bernardino. Gli risposero che, per ora, era in isolamento. Chiese se poteva lasciar giù quelle due cose: «Sono sicuro che ne ha bisogno». Gli domandarono se era un parente. Rispose: «No, però... Insomma: quasi». Il secondino lo guardò di sbieco, diffidente. Poi si decise e aprì lo scatolone: c'erano una canottiera, due paia di mutande, una camicia, un maglione di lana, un libretto illustrato sulla pesca del temolo e tre fialette.

«E queste?» chiese l'agente.

«Sono fialette del dottor Knapp. Gli dica che sono per il mal di denti.»

Amerigo, fragore soprannaturale

«Come vi chiamate?»

«Agata.»

«Voi siete stanca, Agata. Stanca.»

«Tengo le gambe...»

«Lo so, ve le sentite gonfie. Pesanti. Ma più ancora è il peso che tenete dentro.»

«Ecco...»

Mancavano dieci minuti all'una. Dopo quasi quattro ore di attesa, buona parte passate in piedi, la nonna era finalmente davanti ad Amerigo Bonasorte («Dio lo benedica e l'abbia in gloria: anima santa») indossato da Cesira Capasso. Proprio quello era il verbo che la Guaritrice di Roccabascerana usava: indossare. L'aveva pure scritto il giornale: «Donna Cesira indossa Amerigo la mattina alle sette e se ne sveste all'imbrunire». Talvolta, se i pellegrini erano troppi, se ne svestiva pure più tardi. Alle nove, pure alle dieci di sera...

E guariva gli zoppi e ridava la luce ai vecchi semiciechi per la cataratta e leniva le pene delle mogli cornute e individuava un punto preciso nel domani in cui ragazze da marito che ormai erano un po' in là con gli anni senza aver mai palpitato per un appuntamento avrebbero loro anche trovato «'nu brave guaglione». Lo si poteva leggere anche sulle foto ricordo che i questuanti si portavano via: «Amerigo Bonasorte, nel cuore di Gesù, tiene nel cuore a te».

Neri i capelli, nera la maglia, nera la gonna, nere le calze, nere le scarpe, donna Cesira era la moglie di un verduraio che aveva girato per anni con l'Ape le contrade dell'Irpinia a vendere frutta e verdura e mai aveva pensato di poter guarire qualcuno finché non era morto appunto l'amatissimo Amerigo, il figlio di sua sorella. Un ragazzone monumentale che pareva il ritratto della salute ed era capace di mangiarsi un coniglio e un pollo da solo, certe volte, per scacciare col cibo il suo immenso dolore: aver dovuto lasciare il seminario per certi problemi sui quali, per quanto i parenti cercassero di farsi strada nella sua dolorante riservatezza, non aveva mai voluto dire una parola. Tornato in famiglia, si era messo lui pure a girare con un Ape per vendere articoli di merceria. Finché una mattina la Madonna, che l'aspettava dietro una curva a gomito lungo un viottolo dalle parti di Morra de Sanctis, non se l'era preso facendolo sbattere contro un sicomoro.

«Un sicomoro!» si erano subito detti in casa, tra le lacrime. E prima ancora di chiedersi cosa ci facesse là in Irpinia quell'acero montano e come avesse fatto a crescere bello e robusto senza mai dare un frutto, zia Cesira già era andata a rileggersi quel brano del Vangelo in cui Gesù, visto quell'ometto che si era arrampicato su un sicomoro per vederlo arrivare, dalle parti di Gerico, gli aveva detto: «"Zaccheo, scendi subito, ché oggi devo fermarmi a casa tua." In fretta scese e lo accolse pieno di gioia. Vedendo ciò, tutti mormoravano: "È andato ad alloggiare da un peccatore!". Ma Zaccheo, alzatosi, disse al Signore: "Ecco, Signore, io do la metà dei miei beni ai poveri; e se ho frodato qualcuno, restituisco quattro volte tanto". Gesù gli rispose: "Oggi la salvezza è entrata in questa casa, perché anch'egli è figlio di Abramo; il Figlio dell'uomo infatti è venuto a cercare e a salvare ciò che era perduto"».

La sera stessa dei funerali, spossata dalla fatica e dal dolore, zia Cesira si era stesa un momento, a casa della sorella, in quello che era stato il letto di Amerigo. «Distesa che fu su quel letto» avrebbe poi raccontato ai cronisti suo fratello Callisto, «venne colta da una crisi e cadde sul pavimento. Le gambe si irrigidirono e il corpo divenne pesantissimo: quattro persone non riuscivano a sollevarla. La cosa mi colpì subito perché mia sorella è piccolina. Fui il primo a intuire che uno spirito doveva essere entrato nel suo corpo, perché queste cose un tempo accadevano abbastanza spesso dalle nostre parti. Feci uscire tutti dalla camera, chiusi l'uscio e poi, rivolto a mia sorella che era priva di conoscenza, esclamai: "Tu sei Amerigo!". E lui, per bocca di mia sorella, rispose: "Mi hai riconosciuto, zi' Calli'". Quindi aggiunse: "La Mamma Celeste mi ha mandato su questa terra".»

Da quel momento, come spiegava il libretto *Amerigo, fragore soprannaturale* che Agata aveva sfogliato in quelle quattro ore di attesa e come si raccontavano tra loro le decine di persone venute a vedere la santona, zia Cesira aveva cominciato a indossare il nipote tutti i santi giorni, «fatta eccezione per i giorni santi». Sulle prime l'aveva indossato giù, al paese, diventato nel giro di pochi mesi meta di migliaia di pellegrini che arrivavano da tutto il Mezzogiorno a piedi, in bicicletta, coi pullman. Poi, incentivata anche da una visita del comandante della stazione dei carabinieri, un valtellinese che le aveva sbrigativamente prospettato un soggiorno nelle patrie galere «a lei e al defunto Amerigo», aveva deciso di indossare il nipote dalle parti di Torino, dove molti dei suoi clienti già si erano trasferiti.

Il trasloco alle Casermette si era rivelato anzi una bella pensata. Non ne aveva risentito Amerigo, giacché la Mamma Celeste «non aveva precisato il luogo dell'apostolato», e non ne avevano risentito gli affari. La casa della veggente era infatti assediata da anime in pena ed era diventata un mercato di prodotti vari, governato da un paio di cognate, dove si vendeva di tutto: portachiavi a forma di pneumatici contenenti la fotografia del povero giovane schiantatosi sul sicomoro, pozioni oleose dal miracoloso potere terapeutico, dischi a 45 giri con le prediche di Amerigo riprese dalla voce di zi' Cesira, fotografie a colori (cinquanta lire formato cartolina, cento la 13x18, trecento la 18x24) del caro defunto e poi candele di Amerigo, accendini di Amerigo, zoccoletti di Amerigo, ventagli di Amerigo, abat-jour di Amerigo, motocarri Ape in miniatura di plastica, altri Ape da costruire ritagliando dei cartoncini sagomati e perfino profumi di rosette di Amerigo da appendere allo specchietto della macchina.

E c'era chi giurava che l'anima buona di Amerigo, attraverso le mani e la voce di zia Cesira, gli avesse guarito le vene varicose. Chi assicurava di aver avuta salva la gola colpita da una terribile laringite e di aver anzi potuto partecipare al Gran Festival di Caserta, vinto con la canzone *Vurria vurria vurria*. Chi, come Onorato Salgemma, si dichiarava pronto a testimoniare che c'era lo zampino del caro ragazzone in odore di santità nel prodigio della sua Vespa che una mattina, senza un goccio di benzina nel serbatoio con tutti i distributori chiusi, «proprio mentre mio padre era ricoverato in ospedale e necessitava di una visita», era riuscita a fare «in cinque minuti ventisei chilometri alla media di centottanta orari: senza benzina!». Chi, come Renato Scapin, esule da Abbazia, si inginocchiava alla memoria del beato defunto che gli aveva fatto perdere il vizio: «Fumavo due pacchetti al giorno. Alfa. Una mattina mi alzo, bevo il caffè, faccio per accendermi la sigaretta... E invece sento un profumo di rose. Dico: cos'è questo profumo? Era Amerigo. Da quel momento, più toccato una cicca».

«Zia Cesira, voi mi dovete togliere il malocchio» disse Agata.

«Ditemi» annuì la santona.

«È una cosa vecchia. Molto vecchia.»

«Ditemi.»

«Tengo addosso una fattura salomonica brasiliana.»

«Una fattura salomonica brasiliana?»

«Una fattura salomonica brasiliana.»

«E come...»

«È una storia lunga. Mia nonna Benunzia...»

«Benunzia, si chiamava? Proprio così: Benunzia?»

«Proprio così: Benunzia. La chiamavano Nunzietta, ma Benunzia era.»

«Andate avanti. Anche se qualcosa so.»

«Voi sapete?»

«Da molto tempo.»

«Non ci dormo la notte. Dopo tanti anni...»

«Povera donna.»

«Mia madre mi ha pure messo nome Agata, per cercare di liberarmi. Voi lo sapete che l'agata muschiosa...»

«Lo so.»

«Dicevo, questa Benunzia era stata portata da suo padre nelle Meriche che era ancora piccola. Era cresciuta in Brasile, aveva fatto le scuole, si era innamorata di un giovanotto calabrese lui pure emigrato laggiù. Un bravo ragazzo, diceva lei. Ma una testa calda. Che leggeva troppi libri. Anarchico. Nonna mi raccontava che le leggeva delle cose strane. Incantata, era. Innamoratissima. Voi sapete com'è: "L'amu'ri cumince ccu ru cantu e finisce ccu ru chjantu". E così finì. Il demonio li prese. Il demonio. Avete mai sentito nominare la Colonia Cecilia?»

«Una colonia per i bambinetti?»

«Una colonia di Sodoma e Gomorra!»

«Ah, ecco...»

«Ma voi, che state vicino alla Santa Vergine, non sapete già?»

«So. So. Ma voi avete bisogno di parlare e io v'invoglio. Andate avanti.»

«Voi dovete sapere che in questa colonia anarchica, messa su con il consenso dell'imperatore del Brasile, si praticava... non so come dirlo... il libero amo...»

* * *

«Dov'è la bambina? Dov'è Rosetta? Disgraziata: dov'è la piccola?» urlò Osto facendo irruzione nella stanza seguito da tre o quattro assistenti della santona che avevano inutilmente cercato di trattenerlo. Aveva il fiatone, gli occhi spiritati, le mani che gli tremavano per la tensione.

«Ma...» disse zi' Cesira.

«Con lei, vecchia imbrogliona sudicia, facciamo i conti un'altra volta» rispose il maestro spazzando via con una manata gli amuleti e le carte e i pendoli e tutto quel che c'era sul tavolo. Afferrò il braccio della madre, le piantò le dita a tenaglia nella carne, la fece alzare e la strattonò verso l'uscita: «Dov'è la bambina? Dov'è la bambina?». La vecchia, stralunata, si lasciava trascinare cercando di mettere un po' d'ordine nei suoi pensieri: «La bambina? Non è all'asilo?».

«No, perché non ce l'hai mai portata.»

«Ma certo che l'ho portata! Tutte le mattine, la porto.»

«Questa mattina no. Già controllato. Capirai: arrivo a casa da scuola, trovo tutto chiuso, niente sui fornelli... Ti pare che uno non controlli?»

«E tu dici che la bambina...»

«Non l'hai mai portata all'asilo. Mai.»

«Eppure...»

«Te lo dico io come è andata: tu stavi portando Rosetta all'asilo quando ti è venuta l'ispirazione di passare di qua a farti spillare un po' di soldi da questa maga.»

«Non è una maga: è una guaritrice.»

«A farti spillare un po' di soldi da questa imbrogliona.»

«Non chiede soldi.»

«Certo, perché non è scema. Mica vuol prendersi le denunce per truffa, zi' Cesira. Siete voi donnette stupide che la coprite d'oro con le offerte.»

«È una sensitiva. Mi ha detto subito: "Lei tiene le gambe gonfie". Subito.»

«E ci credo! Eri stata in piedi qua fuori quasi quattro ore! Pure io te lo dicevo. Sarò mica un sensitivo, ah? Ma la piccola, la piccola!, dove l'hai lasciata?»

«Forse era qui fuori, che giocava con altri bambini.»

«Quando l'hai vista, l'ultima volta?»

«Non so... Poco fa...»

«Tre ore, mamma! La piccola è stata vista l'ultima volta tre ore fa! Me l'ha detto una delle ragazzine che ci giocavano insieme! Tre ore! Che sia maledetta! Tu e le tue fattucchiere.»

Due minuti e intorno a loro si era radunata una piccola folla di persone pronte a dare il via alla battuta di ricerca: «Com'è questa bambina?». «Quanti anni ha?» «È alta o bassina?» «Che vestito porta?» Tirava un'aria pesante. E quello chiedeva: «Cosa posso fare?». E altri: «Come possiamo dividerci?». Osto, che un certo spirito organizzativo ce l'aveva, diede una descrizione sommaria di Rosetta, spiegò che aveva due trecce corte, un grembiulino bianco con il fiocco rosa e distribuì la gente in quattro squadre: «Voi battete tutta via Mensa, voi risalite via Amedeo di Savoia, voi scendete verso via Mascia, noi giriamo qua...».

Lo conosceva bene, Osto, il quartiere che metro per metro stava pattugliando. Quei due mesi passati lì, in quella chiassosa e miserabile babele di persone ricche di rabbia e di sogni che si sistemavano dove potevano occupando tutto quello che si poteva occupare, dalle vecchie caserme alle scuderie a certe cascine abbandonate della residenza ducale, gli erano rimasti conficcati in testa come se avesse vissuto sul posto per anni.

Riconobbe quella che era stata la «casa» di Rosario Buttafuoco, un giovanotto molto volonteroso che si era costruito una baracca di compensato e cartapesta usando come muri d'appoggio quelli di un porticato vicino alle cucine e ci aveva passato due inverni durissimi di nebbia e di gelo, con la moglie e due bambini piccoli, uno dei quali non ce l'aveva fatta ed era stato portato via una notte dalla tosse canina. Riconobbe in un corridoio la vecchia stufa rossa in cotto di Olindo Brustolon, un vicentino che, scartate l'Australia («massa distante») e la Francia («massa spusa soto el naso»), la Germania («massa crauti») e il Brasile («massa caldo»), era venuto a Torino con la fissa di trovare un posto alla Fiat e finché non era stato in grado di farsi una casa sua e portar su da Thiene la morosa Giulietta, si era adattato a vivere per anni in una specie di scatolone di due metri per due. Riconobbe il caos di urla e pianti, le file di panni stesi, l'odore dei sughi pieni di aglio. E si sentì stringere il cuore nel rivedere come ciascuno aveva personalizzato il proprio scatolone con le foto del paese, dei genitori e della naja appese con le puntine alle fragili pareti.

Una per una, tirandosi dietro la madre muta e sconvolta dalla paura di aver commesso un errore irreparabile, Osto passò tutte le abitazioni del borghetto. «Una bambina?» gli rispose un vecchio che, a orecchio, doveva essere abruzzese o molisano. «Lei vuol sapere se ho visto una bambina?» Scosse la testa: «Qui sono tutti bambini. Sei abitanti su dieci, forse di più, sono bambini».

In lontananza vide risalire in bicicletta Gerardo Zappulla, il ciabattino, un siciliano che veniva da un paese vicino. Gli posò una mano sul manubrio con un'aria che non ammetteva discussioni: «Gera': un piacere me lo fai? Ci siamo persi la figlia di Alvaro, quella che sta da noi finché a Zurigo non gli fanno 'sto benedetto contratto fisso».

«Ma sta ancora da voi?»

«Sì, ma ti dicevo…»

«Non si doveva fermare quindici giorni? Un mese massimo?»

«E invece sta ancora con noi. Ma se mi ascolti…»

«Se n'è dimenticato, Alvaro? Lo sapevo. Mai piaciuto, tuo cugino.»

«Ooooh! Mi stai ad ascoltare o no? È sparita, alle Casermette. Dovresti correre alla stazione dei carabinieri… Magari hanno avuto qualche segnalazione. Chiedi del maresciallo Tranquillo Spampinato. Abita nel nostro palazzo. È un tipo un po' montato dalla moglie. E ha l'aggravante di tenere in casa un cane isterico. Ma è una brava persona. Digli che la piccola ha le treccine, un grembiule bianco col fiocco rosa e un maglioncino rosso.»

* * *

Quando il ciabattino arrivò in caserma, maledicendo lui pure la sventatezza della vecchia Agata, gli chiesero di aspettare un attimo sulla panca. Dall'ufficio del maresciallo uscivano voci concitate:

«Che c'entro io? Io l'ho fatta, la legge? Io l'ho fatta? Guardi qui: "Regio Decreto 24/5/25 N. 1102: Approvazione del regolamento per le migliorie igieniche negli alberghi". Legga l'articolo 12: "Nelle camere di alloggio, nelle sale di trattenimento, nei corridoi, nei vestiboli, nei pianerottoli delle scale ed in altri ambienti abitabili, si dovranno porre sputacchiere igieniche in numero adeguato". Lei ce l'ha una locanda, sopra il bar Nazionale? Sì. Ce le ha le sputacchiere? No. E io devo procedere».

«Ma maresciallo: un poch de grumela!»

«Lei chiede, a me!, un poco di intelligenza? Non avrei sale in zucca? Sta dicendo questo? Vogliamo finire dritti nell'oltraggio a pubblico ufficiale?»

«Ma maresciallo, si figuri! Sono dieci anni che viene da me a bere il caffè.»

«Che pago.»

«Ci mancherebbe, ho forse messo in dubbio…»

«Avrei proprio voluto vederla, avrei voluto.»

«Voglio solo dire che ormai il tabacco non lo mastica più nessuno. Che senso ha tenere delle sputacchiere che, mi permetta, fanno schifo?»

«Senta: qui c'è poco da discutere. Lei ha commesso un reato e adesso ci facciamo un bel verbale: "Addì ventiquattro aprile millenovecentosessantatré, rendiamo noto alla competente autorità giudiziaria che innanzi al sottoscritto m.llo Spampinato Tranquillo, afferente la Stazione dell'Arma dei carabinieri…»

«Scusi maresciallo, ma è una cosa urgentissima» lo interruppe il ciabattino decidendosi a fare irruzione nella stanza.

«Che c'è?»

«È sparita una bambina.»

«Una bambina?»

«Quella che sta dagli Aliquò. Nello stesso condominio dove abita lei. Quella che Osto sta crescendo perché suo cugino in Svizzera fa ancora lo stagionale e non se la può portare a Zurigo.»

«Oh, Madonna: Rosetta?»

«Rosetta.»

«E com'è sparita?»

«La nonna, quella vecchia stralunata…»

«Non me ne parli: assilla mia moglie tutti i giorni (un tormento!) per farsi dare i verbali degli arrestati e giocarsi i numeri al lotto.»

«Eh, lei. Si è presa la bambina per portarla all'asilo, è passata davanti alle Casermette dove sta la santona…»

«Chi: zia Cesira?»

«Lei.»

«Fottutissima!»

«Insomma: 'sta vecchia dice di aver sentito una voce, è andata dalla santona, si è fatta quattro ore di coda e si è dimenticata della bambina. Spa-ri-ta.»

«Brigadiere La Monica! Brigadiere La Monicaaaa!»

«Dica!» rispose quello arrivando trafelato.

«Nené lo Sporcaccione è ancora dentro?»

«Controllo.»

«Allora?»

«Solo un attimo. Il tempo di prendere il fascicolo. Ecco: Roviaro Giovanni Arturo, di Gianseverino, detto Nené lo Sporcaccione, nato a Moncalieri... Residente... Precedenti... È fuori. Da tre giorni.»

«Disgraziato! Degenerato!»

Si calcò il berretto in testa, afferrò la pistola d'ordinanza riposta nel cassetto, urlò: «La Monica, muoviti! Muoviti!», e si precipitò fuori liquidando frettolosamente il padrone della locanda: «Con lei ci vediamo in un altro momento».

«Ma chi è questo tizio?» chiese il ciabattino arrancando col fiato rotto dietro il maresciallo.

«Uno sporcaccione. L'ultima volta si è fatto due anni perché, davanti a una scuola, si era sbottonato... Vabbè, ci siamo capiti.»

«Oddio! E lei pensa...»

«Io non penso niente. Ma voglio controllare.»

* * *

«Dov'è?» chiese brusco il maresciallo Spampinato.

«Dov'è chi?» rispose Nené senza neanche alzare gli occhi dalla sedia che stava impagliando. Il garage in cui viveva, che era insieme camera da letto e cucina e laboratorio e cesso in una bolgia di fornelli e brandine, camere d'aria e ringhiere, stracci e vasi da notte, era di un fetore insopportabile.

«Lo sai benissimo chi.»

«Arabo. Lei parla arabo, per me.»

«Voglio sapere della bambina.»

«Ricominciamo?»

«Ti ho detto che voglio sapere della bambina.»

«Ma se non so neanche di cosa parla!» Puntò gli occhi del maresciallo, allargò le labbra in un sorrisetto sudicio, fece l'occhiolino e aggiunse: «Il mondo è pieno di bambine. E di sporcaccioni».

«Se l'hai toccata giuro che stavolta ti ammazzo. Ti pianto la pistola in bocca e sparo. Ti sparo, sporcaccione.»

«Carissimo maresciallo, non è un po' dësdeuit, come diciamo noi piemontesi? Non è un po' sgarbato? Eppure vi insegnano che dovete avere garbo, nell'interrogare la gente. In punto di diritto, l'articolo...»

«Smettila, lo so benissimo che hai studiato un po' di legge prima di rovinarti.»

«Di essere rovinato, prego: io non avevo fatto niente. Siete voi che mi avete mandato a monte la vita.»

«Se eri meno sudicio non te la mandava a monte nessuno, la vita.»

«Voi due siete testimoni. Uno, minacce. Due, ingiurie gravi. Tre, violazione di domicilio. Quattro...»

«Macché testimoni! Maiale! Prova ad aver toccato la bambina e ti sparo io se non ti spara lui» saltò su il ciabattino. E cominciò a cercare in giro, in mezzo a quel casino, un qualcosa che potesse...

«Da quand'è che l'Arma fa compiere le perquisizioni ai collaboratori di passaggio?» chiese Nené levando il mento, buttando indietro il ciuffo di capelli e allungandosi mollemente sulla sedia con aria di sfida. Era un uomo sulla cinquantina, magro, dalle unghie molto lunghe e curate con una maniacalità che contrastava con la sciatteria e la sporcizia del giubbetto, della camicia a quadretti celeste, dei pantaloni, dei calzini che gli calavano sfibrati sulle caviglie. Figlio di un dentista, ne aveva combinate tante che il padre, un vecchio gentiluomo, lo aveva infine buttato fuori di casa, aveva chiuso lo studio e si era barricato nel suo appartamento a Ciriè, straziato dal dolore e dalla vergogna, rifiutandosi di uscire perfino sul pianerottolo per sedici anni.

«La perquisizione te la faccio io» rispose il maresciallo. E cominciò, usando una matita per non toccare tutte le schifezze sulle quali andava a parare, a guardare qua e là. Con metodo. Ostentando, quando trovava qualcosa che faceva particolarmente ribrezzo, tutto il suo raccapriccio. Finché non si avvicinò a un enorme bidone, in fondo al garage, pieno di un nauseabondo liquido giallastro.

«E questo?»

«Piscio.»

«Piscio?»

«Piscio.»

«Ma che...»

«Ho letto che c'è uno a Trieste, un mezzo matto intellettuale, che mette via da anni la pipì per sapere quanto piscia un uomo nella vita. Mi è venuta la curiosità...»

«'Mmazza, che schifo.»

«Tutta roba naturale.»

«Adesso vieni con noi in caserma.»

«Non vi sporcherò la macchina?»

«Muoviti.»

Già in macchina, mentre La Monica girava la chiave d'accensione, sentirono avvicinarsi una sirena. Sbucò da dietro l'angolo, sgommando, la seconda macchina della stazione. Era Cosimo Accettura, l'appuntato. Un pugliese sveglio. Giovane. Gran lavoratore. Un po' distratto a volte dalle donne. Si fermò, scese, mise la testa dentro il finestrino di Spampinato e disse: «Maresciallo, Nené non c'entra».

«Com'è 'sta storia?»

«È stato in stazione da noi tutta la mattina.»

«Che cosa?»

«Era da noi. Doveva firmare un verbale. Le cose erano andate un po' per le lunghe.»

«E perché non me l'hai detto prima?»

«Quando siete schizzati via mica lo sapevo che venivate qui. Mi hanno riferito della bambina solo adesso.»

«Si sa niente?»

«Niente.»

«E perché non mi hai detto niente tu?» si girò il maresciallo verso lo Sporcaccione.

«Non me l'avete chiesto» rispose l'altro, con una smorfia sfrontata.

Spampinato scese di scatto, gli spalancò la portiera, lo prese per il bavero: «Ma va' a pisciare, va'. Va' a pisciare, disgraziato».

* * *

Cercarono, disperatamente, per tutto il pomeriggio. Entrarono a chiedere informazioni in tutti i bar. Interruppero tutte le partite di biliardo. Suonarono a tutti i campanelli. Rintracciarono un paio dei fruttivendoli che avevano fatto mercato la mattina in paese. Chiesero a tutti i bambini. Si affacciarono in tutti i negozi. Interrogarono le suore dell'asilo Apostole del Sacro Cuore. Risalirono il fiume facendo la stessa domanda a tutti i pescatori. Fecero annusare al lupo del barbiere, come avevano visto al cinema, il berrettino della piccola che era rimasto nella borsa della nonna: il cane annusò, li guardò senza capire, tornò a rosicchiare sul marciapiede un vecchio stinco di bue che aveva trovato da qualche parte. Batterono metro per metro, per una segnalazione falsa, il boschetto alla rotta del Roppolo.

Erano già le sei passate quando Osto, stremato dalla fatica, il collo della camicia ormai incollato dal sudore alla pelle, il maglione ridotto in condizioni pietose, i capelli appiccicati alle tempie, gli occhi febbricitanti per l'angoscia, si rese conto di colpo di essersi completamente dimenticato di sua madre. Tornò alle Casermette. La vecchia, pallida come la morte, lo sguardo fisso, le mani callose e chiazzate di viola che tremavano, sgranava il rosario sotto un androne in mezzo a un gruppetto di altre donne anziane.

«Mamma» le disse con dolcezza, «vieni, ti porto a casa.»
Lei alzò appena la testa: «Niente?».
«Niente.»

* * *

La vide subito, appena fatta la curva: «Santo Iddio!». Inchiodò, scese, sbatté la portiera, inciampò in una scatola buttata per terra, cascò battendo sul gomito destro, si rialzò e si mise a correre sull'erba spelacchiata dello spiazzo che c'era davanti a casa. Rosetta giocava con un pallone che tirava scalciando goffamente a un uomo che glielo ributtava mostrando un certo stile. Metro dopo metro, gli occhi annebbiati, Osto cercò di inquadrare l'individuo con cui aveva a che fare: alto alto, pelle e ossa, stempiato, capelli un po' lunghi, barbetta, maglione grigio scuro, blue jeans, l'aria sciatta di uno che non doveva passarsela tanto bene. Come fu addosso alla piccola, l'afferrò rabbioso di emozione, la strinse forte, l'allontanò un attimo, ansimando, per controllare che tutto, dalle treccine ai sandali, fosse a posto: «Tutto bene? Tutto bene? C'è qui lo zio, piccola. C'è qui zio Osto».

Poi si girò ostile verso lo sconosciuto e ringhiò: «Chi è lei, ah? Chi diavolo è?».

«Lei deve essere il maestro Aliquò» rispose l'altro, tranquillo.

«Che storia è questa?»

«È il maestro Aliquò, giusto?»

«Le ho chiesto: che storia è questa?»

«Una storia banalissima. Una storia di mattoline.»

«Cioè?»

«Rosetta dice che lei, un giorno che andava a pesca, l'aveva portata a vedere un nido di mattoline. Non so come le chiama lei: non conosce la mattolina? È della famiglia dei passeri. È detta anche tottavilla. Ecco, la bambina aveva visto questo nido in mezzo all'erba, vicino al Ceronda. E voleva tornare a vederlo. Come spesso capita ai bambini, si è persa. Io l'ho incrociata che piangeva, me la sono caricata sulla canna della bicicletta, mi sono fatto dire dove abitava e sulla base dei suoi ricordi, facendo qualche giretto perché non era facile individuare esattamente il posto, l'ho riportata qui. Dove stavamo aspettando lei. Ecco tutto.»

«E dove l'avrebbe trovata?»

«Non dove l'"avrei": dove l'ho trovata. Sulla strada per Druento.»

«E lei che ci faceva lì?»

«Il pastore.»

«Pecore?»

«Uomini.»

«Fa lo spiritoso?»

«No, faccio il prete.»

Ecco cos'era! Ecco cos'era quel luccichio. Osto si avvicinò un po' e mise a fuoco la spilla puntata sul maglione: un piccolissimo crocefisso d'argento. Pesò meglio l'ormai ex nemico, posò Rosetta per terra e tese finalmente la mano buttando fuori il fiato in un sospiro di sollievo: «Scusi. Osto Aliquò».

«Don Oreste Magliati. Ma mi puoi chiamare solo Oreste.»

«Scusi, non la conoscevo.»

«Io sì conoscevo te. Uno di questi giorni sarei venuto a trovarti.»

«E come fa a...»

«Tu non sei mica il maestro elementare che vive nel peccato?»

«Ci si mette anche lei?» si irrigidì Osto ritirando la mano. «Il parroco ci ha già reso la vita abbastanza dura... "La dama bianca": così chiama mia moglie. Come la donna di Coppi. È vero, non siamo sposati. E allora?»

«Tranquillo. Ci sono preti e preti. Volevo solo dirti che mi piacerebbe venirvi a trovare. Se posso...»

«Venga pure. Ma ci trova a casa solo nel tardo pomeriggio.»

«Benissimo. Di solito timbro l'uscita alle cinque e mezzo.»

«Timbra l'uscita?»

«Lavoro in fabbrica. Prete operaio.»

«Ma va'! Uno di quelli...»

«Uno di quelli. Stammi bene.»

*   *   *

«Scusami» disse la nonna. «Sono una vecchia matta.»

«Nonna matta» rispose ridendo la piccola. Agata la prese per mano, la portò a togliersi il grembiulino, andò in bagno, controllò che fosse acceso il boiler dell'acqua calda: «Forse è meglio se facciamo un bagno». Mentre spogliava la bambina per cambiarla, si fece raccontare tutto. «È stata solo colpa mia» insisteva. «Solo colpa mia.»

Mentre le sbottonava la camicetta fu colta da un pensiero: «Che giorno è oggi: venerdì? Lo sapevo: "Di vennari e di luni 'n si taglianu i spiruni". Hai capito? Di venerdì e di lunedì non si devono manco tagliare le unghie! Eh, questa me la ricordo! Questa me la ricordo!». Si scosse un attimo: «Aspettami un momento». Andò in cucina, prese un foglietto di carta dalla credenza, recuperò una penna, si mise a sedere e riepilogò i numeri: «La bambina: 2; il pianto: 65; il nido: 80; la paura: 90...».

Il carrubo sul mare di Naxos

«Processo verbale di rinvenimento, identificazione e sequestro di un anatroccolo.» Il maresciallo Tranquillo Spampinato sentì il fuoco divampargli dentro: «La Monicaaaaa!». Il brigadiere entrò ansimante per la corsa: «Agli ordini!».

«Stai qui che ti devo leggere una cosa. Vediamo se la riconosci: "Processo verbale di rinvenimento, identificazione e sequestro di una papera nella persona di Bonazza Ugo Francesco fu Annibale, nato a Comacchio il 16.3.1926, residente a Venaria, Case Sparse, celibe".»

«L'anno 1963, addì 18 del mese di marzo, presso la presente Stazione dell'Arma, noi sottoscritti brig. La Monica Arizio e app. Scaglia Fiorenzo, afferenti la citata stazione, riferiamo a chi di dovere quanto segue. Questa mattina, circa alle ore 8,17, innanzi ai verbalizzanti, il sig. Cubeddu Mario, nato a Calangianus (Sassari) e residente in Venaria, località Antica Fonte, denunciava a questo comando il furto, nel di lui cortile dell'abitazione, di una quantità imprecisata e imprecisabile di polli, galline e anatroccoli per danni complessivi di lit. 15.000.»

Sollevò la testa, puntando gli occhi sul brigadiere, che se ne stava impalato e terreo: «Mi stai a sentire, sì? Ora, a parte il fatto che "circa alle ore 8,17" è una grandissima bestialità, perché o sono "circa le otto e un quarto" (approssimativo) o "le 8,17 precise", questa cosa che vado a leggere adesso mi pare mondiale. Mon-dia-le. Ascolta, ascolta... "Immediate indagini portavano a identificare il luogo ove veniva custodito un anatroccolo, nella persona del sunnominato Bonazza Ugo Francesco fu Annibale. Lo stesso, chiestogli chiarimenti circa la presenza del pennuto nella sua abitazione, affermava trattarsi di una gallinella d'acqua e che comunque l'aveva rinvenuta nelle vicinanze di un laghetto in prossimità della sua abitazione medesima. Impossibilitati a espletare ulteriori accertamenti per la presenza in loco di un cane di taglia voluminosa, razza approssimatamente lupo, i sottoscritti verbalizzanti procedevano al sequestro cautelativo dell'animale e rintracciavano il derubato Cubeddu Mario. Giunto sul posto, egli Cubeddu, sotto gli occhi di noi operanti e dello stesso Bonazza riconosceva suo il detto anatroccolo riservandosi di confermare ciò con matematica certezza dopo avere proceduto al confronto con le altre ovaiole della covata istessa rimaste domiciliate presso la sua abitazione"».

«Ma il meglio viene adesso» infierì impietoso il maresciallo, levando alto il verbale per mostrarlo al mondo: «"Chiestogli perché non aveva denunciato in caserma il ritrovamento del papero, il Bonazza non sapeva fornire plausibile risposta ed era quindi invitato a seguire i verbalizzanti in calce in caserma." E che era 'sto papero, La Monica, un'arma impropria? Un'arma che doveva denunciare? Appuntato Accettura! Vieni pure tu a sentire la fine, Accettura: "Noi, Uff. di Pg, unitamente al Cubeddu, ci portammo quindi al pollaio dove si presumeva fosse stato sottratto l'animale. Alla vista di altri simili coetanei, l'anatroccolo vi entrava gridando e festoso, mentre gli altri gli facevano festa. L'anitra madre, vieppiù, non si scagliava contro il cucciolo in oggetto, cosa che avrebbe fatto qualora l'anatroccolo fosse stato estraneo alla nidiata. Tale comportamento convinse noi sottoscritti della identificazione del sunnominato anatroccolo. Identificazione confermata dal Cubeddu medesimo. Si procedeva quindi alla denuncia del Bonazza Ugo Francesco…"».

«Brigadiere La Monica!» si interruppe: «Quanto tempo ci hai perso, eh? Due ore, tre ore, quattro ore?». Il brigadiere se ne stava a testa bassa. Distrutto. «Con tutte le cose che abbiamo da fare!» esplose Spampinato. «Con tutte 'ste barzellette che ci rovesciano addosso! L'anatroccolo! L'identificazione dell'anatroccolo!» In quel preciso momento, spuntò nello specchio della porta la faccia di Osto Aliquò.

«Problemi?»

«Temo.»

«La bambina?»

«Ma no, Rosetta sta bene.»

«Ma quando se la ripiglia, il padre?»

«Ogni tanto telefona. Chiede. S'informa. Ma qualche volta abbiamo l'impressione, a dirla tutta, che lo faccia più per tamponare che per altro. Insomma, non credo gli pesi più di tanto che della piccola ci facciamo carico noi.»

«Quanto tempo è che ve l'ha lasciata?»

«Un anno e mezzo, mi pare. Forse più. Le dirò, non ci dispiace affatto. Ormai è come fosse figlia nostra. Il giorno che verrà a riprendersela... Non ci voglio pensare. Le dicevo: temo di avere...»

«... un problema.»

«Sì. Le voglio mostrare una lettera. È di un avvocato di Catania, un certo Tullio Gaspare Sturiale. Lo conosce?»

«Perché: lo dovrei conoscere?»

«Dicevo così. Mi scrive questo avvocato che un suo cliente sarebbe interessato a comprare dei terreni che mio padre, per un giro di parentele che non le sto a raccontare, ereditò diversi anni fa dalle parti di Taormina. Poca roba, qualche tre ettari. Ma stanno sul mare. E in un posto che, quando ero piccolo, gli pareva infelice assai. Tanto che papà se n'era venduto un altro pezzo, lì vicino, in cambio di un po' di terra buona, un po' sassosa ma buona, dalle parti di Randazzo. Solo che adesso...»

«Maestro Aliquò: ma io che c'entro?»

«Insomma, pare che quel nostro appezzamento sia proprio in mezzo, come San Marino nella Romagna, al terreno su cui stanno costruendo un bellissimo complesso alberghiero e che lì, sul terreno mio, voglio dire, siano già previsti dal progetto finanziato dalla Cassa del Mezzogiorno la piscina e un ristorante a mare.»

«Previsti dal progetto?»

«Eh!»

«Finanziato coi soldi della Cassa?»

«Eh!»

«Sulla terra sua?»

«Eh!»

«E come fa la Cassa ad approvare il progetto di un privato sul terreno di un altro privato?»

«È quello che vorrei sapere anch'io.»

«Non sarà che suo padre, prima di morire…»

«Ma mio padre non è morto.»

«Ah! Scusi. Siccome sua madre ora vive qui con lei, pensavo…»

«Le spiego.»

«Per carità, mica voglio farmi i fatti vostri…»

«No, guardi, non ci sono segreti. Ma lei pure viene dal Mezzogiorno e…»

«Calabria.»

«Pure mia madre… Dicevo: lei pure, da meridionale, sa che su certe cose noi siamo un po' riservati. Beh, papà non c'è più da anni, con la testa. Dopo l'incendio del teatrino di pupi che mandavamo avanti in famiglia, del quale credo di averle già raccontato…»

«Sì, ricordo…»

«… non ha più detto una parola. Lasciato il lavoro di falegname e tappezziere, per un po' si dedicò ai quattro campi che aveva lì, dietro l'Etna. Finché un giorno tornò a seminare dove già aveva seminato la settimana prima. Lavorò dodici ore, faticando come si fatica da noi in certe giornate di sole furibondo, senza ricordarsi che lì era già passato. Poche settimane dopo, già non ci riconosceva più. Mamma ci fece una malattia. Era convinta che tutto dipendesse, prima ancora che da quel mafioso di don Bastiano Ficarotta, da un malocchio per via di sua nonna alla Colonia Cecilia.»

«Questa è arrivata pure a me: ma che era, 'sta Colonia Cecilia?»

«Lasciamo stare. Ne parliamo un'altra volta. Dicevo: mamma ci fece una malattia. Passava le ore al suo capezzale: "Placido! Placido!". Gli preparava il coniglio all'etnea con il limone e l'origano nella speranza che riconoscesse i sapori e

237

coi sapori lei... Una pena. Papà non ricordava più neppure dove stava il cesso, in cortile. Ogni tanto faceva la pipì sui muri. Insomma, a un certo punto, prima che uscisse pazza pure lei, abbiamo fatto ricoverare lui in un cronicario e ci siamo portati lei qui in Piemonte.»

«Ma il filo? Qual è il filo?»

«È quello che non riesco a capire: come ha potuto il comune... Allora mi sono detto: qui prima di ogni altra cosa sarebbe il caso di sapere di chi sia questa Encelado Immobiliare, società anonima.»

«Ence... che?»

«Encelado. Questo lo so chi era: il gigante dell'Etna. Il figlio di Urano e di Gea che Zeus, arrabbiatissimo non ricordo bene perché, seppellì con l'aiuto di Atena sotto il vulcano.»

«E lei vorrebbe che io mi informassi...»

«Con discrezione. Se non le chiedo una cosa contraria al suo dovere, s'intende.»

«Non so...»

«Maresciallo, veda lei.»

«Ma lei quando li incontra, questi che vogliono comprare?»

«Pensavo di andare giù in estate. Ma questo avvocato Sturiale mi mette un sacco di fretta. Dice che in comune hanno fatto dei pasticci. Che vanno sistemati. Che loro lo farebbero volentieri ma... Insomma, vado giù col treno dopodomani notte. Sabato la scuola è chiusa per la disinfezione. Ho chiesto alla direttrice il lunedì, martedì sono di nuovo qua.»

«Una mazzata.»

«Bah... Se si deve fare...»

«Maestro Aliquò, già che ci siamo: ma di bolletta elettrica, lei, quanto paga?»

«Intorno alle cinquemila lire.»

«Ah...»

«Perché?»

«E gli altri condomini?»

«Lo stesso, credo. A parte l'avvocato dell'ultimo piano che avrà centottanta metri di casa. Perché?»

«Niente, niente...»

* * *

«E tu?» «Tu cosa?» «Lo sai.» «Dimmelo!» «Mi ami?» «Sì, ti amo ti amo ti amo! E sarò tua per sempre, amore mio.» «E se ti chiedessi…» «Se me lo chiedi tu.»

Osto arrotolò furente il giornalino e attaccò a gridare: «Graziella! Graziellaaa!». L'urlo riempì tutta la casa, Rosetta sollevò la testa dal quaderno su cui stava disegnando, Nisticò scattò nel suo abbaiare convulso. La ragazzina arrivò trafelata, il viso infuocato, la fronte imperlata di sudore. Portava un maglioncino arancione, un paio di pantaloni viola.

«Ma come ti vesti! Che razza di colori!»

«Cosa c'è, papà?»

«Cos'è questo?»

«Un fotoromanzo.»

«E da quando in qua leggi fotoromanzi?»

«Li leggono tutte, nella mia classe.»

«Non mi dirai che la figlia della dottoressa Scassiri…»

«Sì. È inutile che tiri sempre fuori Giovanna. E poi perché non…»

«Ma senti che titoli! Dico: senti che titoli! *Inganni pericolosi*; *Al di là del tramonto*; *Prima che sia finita*; *Illusioni perdute*; *Cuori in angoscia*; *La prova*. Ma che minchia di titoli sono, ah? L'amooore! L'amooore! Eccheè 'sto amore, ah?»

«Papà! Ho quindici anni!»

«Appunto: quindici anni! Una bambina, sei! Una bambina!»

«Ma…»

«Robaccia! Questa è robaccia! Come puoi crescere se riempi la tua testolina…»

«Ma…»

«Un mondo di oche! Col trucco pesante e le cosce di fuori. Basta leggere una trama qualunque: "Marta sta per sposarsi con Ivano, tutto è ormai pronto per il matrimonio, quando proprio alla vigilia Katia e Cristina organizzano per la futura sposa una festa di addio al nubilato piena zeppa di bei ragazzi per una serata di innocenti trasgressioni ma lì Marta incontra John: è un colpo di fulmine...". Dico: "Innocenti trasgressioni". Ma come può una bambina...»

«Ma...»

«Non ci sono "ma". Quando torna tua madre...»

«Ma...»

«Stai zitta. Quando torna tua madre...»

«Sono qua» disse Ines aprendo la porta. Richiuse, si sfilò l'impermeabile, lanciò un'occhiata interrogativa ad Agata, puntò dritta su Graziella: «Allora?».

La figlia scoppiò in lacrime, diede uno strappo alla madre che aveva allungato una mano per consolarla, corse a rifugiarsi in camera, si buttò faccia in giù sul letto.

«Ma cosa?» Non riusciva a capire.

«Guarda cosa legge tua figlia: "Marta sta per sposarsi con Ivano, tutto è ormai pronto per il matrimonio, quando proprio alla vigilia Katia e Cristina organizzano per la futura sposa una festa di addio al nubilato piena zeppa di bei ragazzi per una serata di innocenti trasgressioni ma lì Marta incontra John: è un colpo di fulmine".»

«E allora?»

«Lo vuoi sapere il titolo? *Innocenti trasgressioni*...»

«E tutta questa guerra per un romanzetto?»

«Ti pare poco?»

«Osto: ti xé mona!»

La sera, a tavola, c'erano solo lui, la madre Agata e Rosetta. Graziella se ne restò chiusa a chiave in camera, Ines arraffò qualcosa nel frigorifero e si piazzò davanti al televisore, Giacomo per solidarietà con la sorella disse che andava a farsi un giro. Osto sparecchiò, tirò malinconicamente fuori i temi che aveva portato a casa da correggere, si sedette al tavolo della cucina. Lavorò fino a tardi. Quando finalmente andò a letto, si infilò sotto le coperte, si avvicinò guardingo alla compagna, saggiò la temperatura della sua ostilità con un cauto «buonanotte, Ines».

«Mona» rispose lei.

«Ma...»

«Meno male che vai via tre giorni. Non ti sopporto quando non vuoi capire.»

E si girò dall'altra parte.

* * *

«Mai più!» Proprio una bella nottata in treno, si era fatto. Quello di sopra si era mangiato una soppressata all'aglio con un filone intero di pane e un litro buono di vino rosso, impestando tutto lo scompartimento. Quello di sotto aveva deciso, per risparmiare, di dividere la cuccetta con un figlio sui dieci anni, col risultato che nessuno dei due era riuscito, tra un lamento e l'altro, a chiudere occhio. E, non bastasse ancora, due dei tre lettini sull'altro lato erano occupati da esseri mostruosi che a prima vista erano sembrati inoffensivi ma per tutta la notte avevano esibito una varietà stupefacente di grugniti, ronfi, fischi, ronzii, scariche di sussulti, rollii e ansimi comatosi. Ogni tanto aveva provato, con un educato sussurro, a interrompere il concerto: «Sssssch! Scusate...». Quelli avevano risposto sempre in automatico: un «ronfg» secco stoppato nel deflusso, tre secondi di minaccioso silenzio, un respiro dolcissimo e profondo, un «wruuug» di sortita, un «gruf-gruf» di assaggio. Fino a riguadagnare il ritmo perduto.

All'arrivo alla stazione di Taormina-Giardini Naxos, scese, cercò i bagni, si rinfrescò la faccia, uscì. C'era un Ape. Chiese al giovanotto seduto con un piede sul manubrio se poteva dargli un passaggio, contrattò il prezzo e si fece portare direttamente lì dove aveva il terreno.

Via via, mentre il moto-furgoncino schizzava per le stradine a precipizio sbandando pericolosamente di lato nelle curve a gomito, pensava che la Sicilia era davvero bellissima. Soprattutto in primavera. Aveva lasciato una Torino piovigginosa e triste, ed eccolo immerso in un mondo di ginestre, lavanda, oleandri, lentisco, rosmarino, oleastro, palme, tamerici. Un mondo di un verde così verde da essere rilucente anche sotto la polvere sollevata dalle motorette, dalle utilitarie, dalle corriere. Gli venne in mente, a rivedere la natura così rigogliosa di quella costa, una cosa che aveva letto da qualche parte. La testimonianza di un grande proprietario terriero acese ai primi del Novecento: «Il mercato di Catania non basterebbe a dare sfogo alla nostra frutta, perché un solo giardino di Acireale sarebbe sufficiente per provvedere una città più popolata di Catania».

«È dopo la curva!» gli urlò nell'orecchio l'autista. Improvvisamente, dietro una grande macchia bianca di oleandri, ecco il mare. Blu. Incredibilmente blu. Cento metri più avanti, un cantiere spropositato. Gru enormi che svettavano nel cielo, betoniere che giravano e giravano impastando il cemento, tubi che spuntavano da tutte le parti, un formicolio di operai al lavoro. Erano già al primo piano.

Osto ci girò intorno, cercò con gli occhi il carrubo che una volta era in mezzo alla sua proprietà. Un carrubo maestoso, della varietà moresca, con un grande tronco dalla muscolatura possente e una enorme chioma di foglie verdissime che luccicavano al sole. Dicevano avesse quattro o cinque secoli. Ma c'era gente in paese pronta a giurare di aver sentito che stava lì «dai Beati Paoli e pure più indietro». Forse (forse) lo avevano piantato gli arabi, che lo chiamavano *kharrub*. Ci aveva giocato da bambino, Osto, sotto quelle fronde. E avrebbe scommesso la vita stessa che nessun albero al mondo faceva un'ombra come l'ombra di quel carrubo. Ricordava come suo padre, prima di spegnersi nell'intelletto ed evaporare nel suo mondo irraggiungibile, lo guardava con orgoglio e con ammirazione: «È solenne!» diceva. «Solenne!»

L'avevano segato senza rispetto. Lasciando lì la base del tronco, mozzata. Oscena. Un cadavere. Era la prima volta, pensò il maestro, che vedeva il corpo morto di un albero come un cadavere. Si guardò intorno. Avevano buttato giù il muretto basso, più una linea di confine che un muretto vero e proprio, che faceva da cinta. E spianato una tettoia che il vecchio Placido aveva tirato su per andarci, qualche domenica d'estate, a mangiare l'anguria.

«È bbbello, eh!» disse una voce allegra. Si girò, ostile. Vide un uomo sulla quarantina, il capello liscio un po' lunghetto sotto la paglietta, i baffi curati, un vestito chiaro, scarpe di vacchetta morbida testa di moro, un gran sorriso panoramico che esibiva denti bianchissimi. Gli davano sui nervi, quei denti così bianchi. E gli davano sui nervi le scarpe e la paglietta, il vestito e l'anello che portava al mignolo.

«Aveva almeno quattro secoli.»

«Permette? Natale Floresta. Geometra Natale Floresta.»

«Aveva almeno quattro secoli.»

«Non la seguo.»

«Il carrubo.»

«Quale carrubo?»

«Quattro secoli.»

Il geometra affondò la mano destra nella tasca della giacca, tirò fuori un pacchetto di sigarette, ne accese una, soffiò una nuvoletta.

«Il maestro Aliquò?»

«Quattro secoli, aveva.»

«Ma Aliquò, tu lo sai che la Sicilia è piena di carrubi! Piena!»

«E lei sa che quello era mio.»

«Eeeeera! Appunto: eeeera!»

«Lei non mi piace.»

«Tu sì invece, maestro Aliquò. Iiiiih, che sarà mai: solo perché non abbiamo ancora formalizzato il passaggio di proprietà? E che ci vuole? Un minuto ci vuole. Saliamo a corso Umberto, ci andiamo a pigliare un caffè, passiamo dal notaio e tu nel pomeriggio puoi già riprendere il treno per tornare dai tuoi figli e da Rosetta a Venaria Reale. Ricco, Aliquò! Tu sei ricco!»

«E se io non volessi vendere?»

«Al caffè Umberto ce ne andiamo. E tu devi pure provare i cannoli. Insisto.»

«E se io non volessi vendere, a lei?»

«Una pasta incredibile! Come la tasti coi denti, appena appena, quella si slabbra, si sfregola, si sfarina, si apre in mille ventagli di prelibatezza! E la crema! Che crema!»

«E se io non volessi vendere?»

«Ventiseimila lire al mese, Aliquò! Ventiseimila lire al mese devi pagare, di mutuo, per la casa che hai comprato.

Più le spese. Più i soldi che tua madre si gioca coi maghi e le fattucchiere. Più Rosetta, che doveva stare da te quindici giorni e sono già passati gli anni. Hai più cambiali che capelli, Aliquò!»

«Informatissimi, siete.»

«Bravo! Coraggioso. A noi piacciono gli uomini coraggiosi. Allegro, Aliquò: due milioni ti diamo! Hai voglia il carrubo! E quando te li sognavi, due milioni?»

«Due milioni? Per tre ettari sul mare, qui ai Giardini Naxos?»

«Hai ragione, sono troppi: uno e otto.»

«Ma...»

«Facciamo uno e mezzo.»

«Non...»

«Uno e tre. Chiuso. Alle sei. Notaio Abbatista Mario Luigi, via Castelluccio Mazarò, vicino al giornalaio. Puntuale. A don Antonino non ci piace aspettare...»

*   *   *

Tornò a Taormina a piedi. La giacca buttata sulle spalle. La bocca piegata in una smorfia amara. Passò a trovare suo padre in cronicario, glielo mostrarono che stava seduto su una panchina con un cappello stretto tra le due mani e lo sguardo fisso su un chiodo, lo guardò solo da lontano. Gli avrebbe fatto troppo male, se una scia di lucidità gli avesse attraversato la mente, sapere del carrubo. O avrebbe fatto troppo male a lui non essere riconosciuto. Lasciò agli infermieri dei torroncini: «Gli piacevano». Comprò una salsiccia da mangiare "a' menzu 'o pani" come alla festa di sant'Agata a Catania, si accoccolò accanto a una fontana, addentò il panino, scoprì che non aveva fame, gironzolò tutto il pomeriggio, salì al Santuario della Madonna della Rocca e di lì proseguì fino al Castello. Se ne restò così un'ora. Gli occhi fissi sul mare di un blu disperatamente bello. Gli venne in mente, chissà perché, Teocle, il naufrago che Nettuno aveva sbattuto sulla spiaggia di Capo Schisò. Ogni tanto guardava l'orologio. Le ore non passavano mai.

Alle sei meno un quarto era davanti allo studio del notaio. Alle sei e cinque aveva firmato. Alle otto era sul binario. Nel suo scompartimento, stavolta, c'era uno che doveva aver deciso di portarsi su al Nord qualche chilata di pecorino. Sotto, c'era uno che cominciò a russare prima ancora che il treno si muovesse e gli fece venire in mente che in tutti i momenti centrali della sua vita c'era qualcuno che russava. Uscì nel corridoio. Passò la notte a chiacchierare con un poliziotto di Favara che lavorava in questura a Pordenone e un elettrauto di Comiso che andava a trovare suo fratello in Germania. Fumarono tantissimo. Verso le tre di mattina, dalle parti di Vallo della Lucania, bastonati dal sonno e dall'angoscia, confidavano l'uno all'altro quanto bella fosse la Sicilia e quanto belli fossero i siciliani.

*   *   *

Come varcò la soglia della palazzina la portinaia lo individuò e gli disse: «Chiede il maresciallo se passa un attimo da lui». Salì, suonò. Nisticò prese ad abbaiare mentre la Marescialla, posato l'occhio sullo spioncino, gli spalancava la porta. «Buonasera, maestro. Le chiamo mio marito.» Spampinato era in ciabatte, portava un vecchio maglione militare di quelli con le fessure sulle spalle, aveva il tovagliolo in mano e masticava qualcosa.

«Aliquò, quella società... È una cosa seria... Don Antonino Faraci... Non so se mi spiego. Un uomo pericoloso, mi dicono. Molto pericoloso» disse gravemente.

«Non ha più importanza, ho già venduto.»

«Venduto?»

«Venduto.»

«E come ha fatto, senza la procura di suo fratello che sta ad Adelaide?»

«Non so. Ha fatto tutto il notaio.»

«Un certo Abbatista?»

«Lui.»

«Pericoloso.»

«Lasci stare. Grazie. Adesso sono ricco.»

«Caro maestro! Non sa quanto mi fa piace…»

«Un milione e tre.»

«Un milione e tre? Le hanno dato un milione e tre?»

«Un milione e tre. Mi posso comprare una Millecento. O poco più.»

«Per tre ettari sul mare sotto Taormina?»

«Per tre ettari sul mare sotto Taormina.»

«Erano una fortuna…»

«Erano.»

Infilò la chiave nella toppa. Prima ancora di girarla, la porta si aprì. «Ciao papà» disse Graziella. «Ciao Graziella» rispose. Aprì la borsa e tirò fuori un anellino: «Te l'ho preso a Taormina. È una cosa piccola. Solo un pensiero». «È bellissimo.» Ines stava lavando l'insalata sul secchiaio, voltò la testa, gli fece l'occhiolino. «E io?» chiese Rosetta. «Ho portato qualcosa anche a te.» Si mise una mano in tasca, ne estrasse due torroncini. Se la rimise in tasca. E posò sul tavolo una carruba.

Chinato al bacio della Santa Porpora

«Depravatis moribus.» Schiantata, Ines non si era neanche tolta l'impermeabile. Si era accasciata su una sedia ed era rimasta lì, inebetita, in cucina. Al ritorno di Osto non si era ancora mossa. Il mento posato sulla palma della mano destra, il gomito piantato sulla tavola. I capelli scomposti. Gli occhi gonfi di lacrime. Per terra c'erano ancora le borse della spesa. Se n'era completamente dimenticata. Lui si chinò, raddrizzò un gambo di sedano che si era sfilato, tirò fuori le cose che andavano messe in frigorifero, ripose il pane nella cassetta col portellino scorrevole e infine si decise a rompere l'aria.

«Che c'è?»

«Depravatis moribus.»

«Non capisco...»

«Depravatis moribus: ecco cosa c'è scritto.»

«Depravatis moribus?»

«Quindici anni ho aspettato, l'annullamento. Quindici anni di documenti, rinvii, avvocati, ricorsi. Quindici anni a rovinarmi il fegato, a subire le ironie degli ipocriti come quella disgraziata della portinaia... Mi hanno tenuta quindici anni appesa a una speranza per poi farmi sapere che l'unica via d'uscita per l'annullamento, secondo la Sacra Rota, sarebbe quella di farmi passare per una donna di costumi depravati.»

«Cose di pazzi» disse Osto, sedendosi dall'altra parte del tavolo e intrecciando le mani dietro la testa. «Cose di pazzi.» E in un attimo gli sfilarono davanti tutte le stazioni della loro via crucis. La comunione negata di don Olimpo. Il parroco di Ciriè che gli aveva detto che non li voleva a messa la domenica. Le chiese piemontesi parate a lutto per protesta contro la condanna a quarantamila lire di multa del vescovo di Prato Pietro Fordelli, reo d'aver diffuso una lettera nelle parrocchie bollando il matrimonio civile di due fidanzati come «l'inizio di uno scandaloso concubinato» e i due poveretti, con tanto di nome e cognome, come «pubblici peccatori». La maledizione contro le coppie di fatto: «Saranno loro negati i sacramenti, non sarà benedetta la loro casa, sarà loro negato il funerale religioso».

Era pesata come un macigno, su di loro, quella condizione di emarginati, in un'Italia dove Brigitte Bardot seminava turbamenti collettivi solo confidando che il giorno più bello della sua vita era stato «una notte». Dove «La Stampa» pubblicava allarmate denunce dei medici contro il twist «giacché le audaci sequenze dei movimenti flessuosi, felini, morbidi o a scatti che impegnano svariatissime articolazioni» in un «andazzo avanti-indietro e latero-laterale» potevano portare a gravi «dislocamenti dei dischi interposti tra vertebra e vertebra». Dove il giudice Pietro Trombi attaccava i film d'amore pieni di «quei baci saltellanti che non risparmiano un centimetro quadrato dell'epidermide facciale del soggetto maschio o femmina, quei baci a mordicchio, a risucchio, a ventosa, ad aspirapolvere, così stucchevoli da annoiare anche il più cretino e smidollato ricercatore di emozioni erotiche».

Era stata dura, prima in Polesine, poi a Venaria. Cattolico in qualche modo si sentiva lui, anche se aveva sempre votato a sinistra e se l'avevano sempre messo a disagio certe manifestazioni di fede primitiva della sua Sicilia. Come la processione dell'Annunciazione a Taormina dove, nel momento in cui si incrociavano il corteo maschile guidato dalla statua di san Giuseppe e quello femminile con in testa una Madonna col pancione, la folla gridava: «Non è cornuto Giuseppe santo! / L'ha ingravidata lo Spirito Santo!». Cattolica si sentiva lei, tirata su tra vespri, novene, mesi mariani, pomeriggi di catechismo, processioni con le bandiere e gli stendardi e i cori: «Andrò a vederla un dì / in cielo, patria mia, / andrò a veder Maria...».

L'unica cosa in cui Ines si riconosceva, di quella soluzione per la Sacra Rota che l'avvocato le prospettava nella bozza con la traduzione a fianco, era il passaggio sulla «mulier infantilis». Proprio così era, quando aveva sposato l'Italo in partenza per la guerra. Una ragazzina. Così ingenua, avrebbero potuto testimoniare le amiche, da pensare davvero che i bambini venissero concepiti per il caldo del letto nel quale dormono un uomo e una donna: «Putasse prolem mero coniugum simul cubantium calore concipi». Una ragazzina cresciuta senza mai mettere in discussione l'autorità di un padre al quale dava del voi. Un padre che in casa «tamquam tirannus et absolutus dominus agere solebat».

«Beh, almeno questo è giusto» si sforzò di ridere asciugandosi gli occhi con un canovaccio che aveva a portata di mano. «Pace all'anima sua, ma papà era davvero un po' tiranno. Il giorno che è morto mia mamma era così impietrita dal dolore che non riusciva a piangere. Strizzava il fazzoletto tra le dita e lo guardava imbambolata chiedendosi come mai non le affiorasse una lacrima. Ma per lei, sinceramente, è stata anche una liberazione. Sono sicura che avrebbe vissuto meglio, senza. Se la tibicì non se la fosse portata via quasi subito...»

«Ma il fatto di aver pianto per anni quel poco di buono di tuo marito e di aver scoperto che viveva in Danimarca...» insisteva Osto.

«Neanche una riga. Non c'entra, dice l'avvocato. Su quel versante non possiamo ottenere niente.»

«Niente?»

«Niente.»

«Ma allora...»

«Colpa mia. Il matrimonio non c'è mai stato per colpa mia. Lo gò imbrojà, poareto. Non gli avevo detto che non volevo figli, poareto.»

«Ma questo non è vero!»

«Vero, falso, torti, ragioni... Dice l'avvocato che l'unica strada per l'annullamento, "rivelatasi negli anni impraticabile ogni alternativa", è quella che io mi assuma la parte della donna depravata. "Cioè che io faccia la parte della sgualdrina?" gli ho detto. E lui: "Ma no, signora, è solo una finzione giuridica! Una finzione giuridica!".»

«E Italo?»

«Ah, lui! Un uomo pio. Senti la lettera che quel poco di buono, mai andato in chiesa in vita sua, ha allegato agli atti: "A Sua Eccellenza il Cardinale Vicario, il sottoscritto Picotto Italo, chinato al bacio della Santa Porpora, si onora di esporre…".»

«Chinato al bacio della Santa Porpora?»

«Così c'è scritto. Fariseo.»

«Scusa, ma alla fine ve lo darebbero, questo annullamento? Mica l'ho capito.»

«Sì. Se mi assumo la parte della peccatrice, credo di sì.»

«E tu?»

«Tu cosa?»

«Ci stai?»

«Non lo so.»

«Sono sincero: non mi piace.»

«Neanche a me.»

«Ci stai o no?»

«Pur di chiudere?»

«Sì, pur di chiudere.»

«No. Non ci sto.»

Osto si alzò, girò intorno al tavolo, le passò una mano tra i capelli.

* * *

«Maestro carissimo! Siete già a tavola?»

«Avvocato Lo Surgi…» rispose con cortese rassegnazione, passandosi rapidamente il tovagliolo sulla bocca nella speranza che l'altro capisse.

«Lo Surgi Lo Surgi, prego. Non so se gliel'ho mai detto, ma per una bizzarria dell'ufficio anagrafe…»

«Scusi, avvocato, ma non è che me lo può raccontare ogni volta…»

«Glielo avevo già detto?»

«Più volte.»

«Mi perdoni, carissimo! Sa, è una vita che devo spiegarlo venti volte al giorno. E ho tante cose per la testa… Vengo al punto: mia moglie, che sta preparando un filettino di manzo al pepe, si chiedeva se per caso voi non avreste uno spicchio di aglio.»

«Vado a prenderglielo.»

Entrò in cucina, aprì il frigo, staccò due spicchi d'aglio, sussurrò all'orecchio di Ines: «È quel minchione dell'avvocato Lo-Surgi-Lo-Surgi.»

«Ma lascialo perdere.»

«Ce l'ho qui, nel gozzo. Sai cosa mangiano stasera? Filetto di manzo. Di mercoledì. Noi col mutuo e le cambiali facciamo fatica a farci un bel bollito la domenica e lui si fa un filetto, la sera, di mercoledì. E vuol farcelo sapere, quel grandissimo…»

«Dagli questo aglio e non farti incastrare.»

«Apposta è venuto, con la scusa dell'aglio: per farcelo sapere.»

«Ma va là.»

«Sicuro è. Sicuro» e sparì in corridoio.

«Avvocato, ecco l'aglio.»

«Alium, otium et voluptas. Sa cosa ha detto oggi un mio collega, in un'arringa? Ha citato Cicerone (che ormai lo usano come l'olio sull'insalata, non so se lei è d'accordo) dicendo: "Quo usque tandem abutere, Catilina, patientiae nostrae?". Ma dico: chi ti ha laureato? Dico: come si fa a confondere un genitivo…»

«Che le posso dire io, avvocato? Non è che col latino…»

«Pensi che a Londra, grazie all'iniziativa di due professori decisi a insegnare ai ragazzi con metodi moderni, fanno perfino un periodico, in lingua latina. Si intitola «Acta diurna» e tira ventimila copie! Dico: ventimila copie! Un amico me ne ha mandata giù una. Ah, il respiro della storia! In prima pagina mica ci sono le polemiche sui balli del peccato o le imprese del Solista del Mitra. C'è la guerra civile!»

«In Katanga?»

«Macché Katanga! La guerra civile fra Cesare e Pompeo! Altro che Lumumba e Ciombè! "Abhinc annos tredecim dum M. Tullius consul nefariam…" Pure le previsioni del tempo ci sono. Le interessa cos'era previsto nel numero che possiedo?»

«No.»

«Frigidum.»

«Prego?»

«Frigidum. Freddo. Direi meglio "freschetto", vista la stagione.»

«Scusi avvocato, magari sua moglie...»

«Per l'aglio? Che aspetti! Dicevo: le pare che i custodi del latino diventino gli albionici (gli albionici!) e da noi non lo sa più parlare nessuno? Ero in chiesa, l'altro giorno... Non so se voi ci andate perché so che chi vive more uxorio non l'accettano volentieri, ma...»

«Avvocato!»

«Dicevo: ero in chiesa l'altro giorno e una vecchia vicino a me che recita? "Confiteo Dei omnipotente, beata semper Virgine Maria" Sei errori in sette parole! Ora, anche un asino sa che si dice: "Confiteor Deo omnipotenti, beatae Mariae semper Virgini". Anche un asino! E non le dico come mi trattano il Pater noster...»

«Avvocato, non è serata.»

«Vado, vado. Mi ricordi che devo parlarle del processo della mosca. Quella è una storia sfiziosa, per capire la nostra povera Italia. Sfiziosissima.»

* * *

«È la maledizione di nonna Benunzia» sospirò Agata tormentandosi il vestito. «Il malocchio per la Colonia Cecilia.»

«Ancora? Mamma, ancora questa storia?» sbuffò spazientito Osto, che aveva sentito entrando la coda dello sfogo.

«L'ha pagata tuo padre, l'ha pagata tuo fratello, l'ho pagata io...»

«E dài!»

«È giusto così. Pure il peccato originale ci è cascato in testa. Il peccato originale.»

«Erano altri tempi. Lo sai com'erano gli anarchici. Tenevano la testa piena di sogni assurdi... Non li puoi giudicare col metro di oggi. Anche questa storia del libero amore che tentarono laggiù in Brasile...»

«Il libero amore!»

«Smettila, mamma.»

«Il libero amore!»

«Smettila.»

«E poi ti stupisci se tua figlia...»

«Mia figlia cosa?»

«Eh, se non la segui cosa puoi saperne tu?»

«Sputa.»

«Ma tu lo vedi cosa legge?»

«Lo so. Fotoromanzi ridicoli.»

«Eh! Magari... Non solo...»

«Mi hai stufato, con questi misteri. O ti spieghi o ti prendi un parlapicca e stai zitta.»

«U' parlapicca tu ti lo divi pigghiari. Tu. Non si parla così a una madre.»

«Me le tiri! Me le tiri!»

«Se tu non passassi tutto il giorno a scuola e poi a tenere la contabilità alla Rovigatti e se Ines non stesse tutta la giornata in ufficio, l'avreste visto cosa tiene sul comodino.»

«E che tiene?»

«Sei tu il padre.»

Un attimo dopo, rovesciata una sedia per l'esasperazione, Osto era di là. Non si curò neppure di far piano. Accese la luce della camera e puntò dritto al comodino di Graziella, che si svegliò di soprassalto. C'era un giornalino, «Il pungiglione». Poco più che un ciclostilato. Lo prese e se lo portò di là. «Potresti almeno spegnere la luce!» gli urlò la figlia alle spalle. Mentre ancora era in corridoio, il padre diede un'occhiata. Gli bastò una frase: «Se potessi usare liberamente gli anticoncezionali...». Rientrò in salotto come un uragano. La televisione, quasi volesse sottolineare il momentaccio, stava trasmettendo un servizio giornalistico sul diluvio a Foc-Foc, sull'isola di Réunion: «Osto, dicono che in ventiquattro ore sono venuti giù 1828 millimetri di pioggia. Madonna! Due metri! In ventiquattro ore».

«Piove anche qui, mamma. Per favore, vai a letto.»

«Vado, vado.»

Osto si accasciò sul divano, Ines si alzò dalla poltroncina e gli si sedette accanto. Era un giornalino scolastico. Le solite cose. Il rapporto coi professori, uno sfogo sui genitori, un articolo contro il caro-libri, un commento alla guerra in Vietnam, un articolo sulla repressione a scuola… E poi quella pugnalata al cuore: un'inchiesta sul sesso tra le ragazze dell'istituto.

«Senti, Ines: "Vogliamo che ognuno sia libero di fare ciò che vuole, a patto che ciò non leda la libertà altrui. Per cui, assoluta libertà sessuale e modifica totale della mentalità. Per cambiare la mentalità, sarebbe necessario impostare il problema sessuale anche nelle scuole, per chiarire le idee su problemi fondamentali che ognuno a una certa età si trova a vivere, in modo che il problema sessuale non sia più un tabù, ma venga prospettato con una certa serietà e sicurezza."»

«Ma come? Una ragazzina…» sospirò Ines.

«Ragazzina? Altro che ragazzina!»

«Non urlare!»

«Che razza di cose legge, ah? Chi gliele ha messe addosso queste idee, eh? Senti qui: "La religione in campo sessuale è apportatrice di complessi di colpa. Quando esiste l'amore, non possono e non devono esistere freni religiosi… La posizione della Chiesa mi ha creato molti conflitti fin quando non me ne sono allontanata". Cose di pazzi!»

«Ma chi le dice? Chi?»

«Tutto anonimo, è. Quest'ultima si chiama G puntato. Solo l'iniziale c'è.»

«G puntato? G. come…» Si alzarono insieme, sbatterono l'uno contro l'altra uscendo, entrarono in camera della figlia come furie.

«Non sono io» sbuffò Graziella, girandosi dall'altra parte.

«Non sono io cosa?»

«Non-so-no-io. Fine.»

«E come fai a sapere di cosa stiamo parlando?»

«Ovvio: siete fuori di testa per quella scemenza dell'inchiesta sul sesso.»

«Una scemenza?»

«Ma l'avete letto come parlano? Ridicolo. Noioso.»

«E questa G., se non sei tu, chi è?»

«Scusate: dovrei saperlo?»

254

«È tuo, il giornalino!»

«Se tu non fossi così terrorizzato per l'onore della tua bambina, papà, avresti potuto leggere almeno chi lo fa, quel giornalino scolastico.»

«Cioè?»

«I compagni più grandi di un liceo scientifico torinese. Me l'ha dato Veronica.»

«E voi di ragioneria...»

«Niente. Noi non c'entriamo niente.»

«Vabbè, buonanotte.»

«Buonanotte...»

*   *   *

«Ha tentato di ammazzarmi.»

«Chi?» rispose meccanicamente Osto, che aveva aperto la porta dopo essersi infilato solo le braghe del pigiama e una camicia, gli occhi pesti e le ossa ammaccate di chi ha dormito davvero male.

«Seth» rispose Sua Eccellenza il professor Alberganti, sceso appositamente dal quinto piano per rovinargli la giornata.

«Eh?»

«Seth, il Dio del deserto, degli stranieri, delle terre di confine. Lei lo ricorderà, senza meno! Gli Egizi lo rappresentavano come uno strano animale in qualche modo simile al cinghiale oppure, in taluni casi precipui, come un uomo con la testa di bestia (potrebbe essere un asino ma, a mio modestissimo avviso, ha le orecchie troppo lunghe) e lo consideravano la personificazione del male.»

«Ah...»

«E devo dire, per Zeus!, che avevano ragione. Ci aveva già provato a farmi fuori quando ero piccolo. Per mezzo di mia madre, inconsapevole sicario (povera donna: inconsapevole sicario) delle sue infide trame. Lei si chiederà senza meno, carissimo: "Come avrà cercato di ammazzarlo?".»

«Beh...»

«Una domanda legittima. Lo dicevo anche stanotte al mio

amico Nietzsche, che ogni tanto si compiace di venire a dialogare con me: il mondo è pieno di mitomani. A farla breve, questo Seth che non può vedere suo fratello Osiride e men che meno Bastet, la dea della Luna e del Sole che noi vediamo rappresentata come una donna dalla testa di leone o di gatto...»

«Whah-whah-whah!» scattò all'istante Nisticò che doveva avere, il maledetto, un orecchio finissimo.

«Quel cane qualche mattina giuro che lo uccido» sbuffò Osto.

«A chi lo dice! Un disturbatore! Uno scassa-sonagli, direbbe il mio povero zio Demetrio. Ma lasciamolo abbaiare. Le dicevo che Seth ci aveva già provato quando ero cit. Oh, scusi, lei è siciliano.»

«Lo so, lo so, si figuri se non so che cit vuol dire bambino.»

«Ecco. Avrò avuto sui sette anni. E avevo avuto i miei primi contatti con Osiride, suo fratello. Lui lo odia, Osiride. E così, usando la mia povera mamma come sicario, inconsapevole sicario, s'intende, provò a farmi secco rovesciandomi addosso una bagna cauda dalla temperatura spaventosa.»

«Una bagna cauda...»

«Lo giuro! O non mi chiamo più Giosuè Cornelio Alberganti.»

«Ma...»

«E ci ha riprovato stamattina!»

«E come arma del delitto cosa ha usato stavolta, la fonduta con gli spinaci?»

«Leggo nel suo tono, carissimo maestro, un non so che di beffarda incredulità. Beffarda incredulità che, mi creda, mi ferisce.»

«Ma no, professore... No... È che... Lo sa che ore sono?»

«Le pare che non lo so? Sette e mezzo. Per la precisione: sette e ventotto. E non è domenica.»

«Il giornale non l'ha preso?»

«Mai. Non lo prendo mai. Sciocchezzuole! Scrivono solo di sciocchezzuole! Senza una riga, dico una, di approfondimento. Non hanno idea della maestà dello spazio e del tempo.»

«Professore: è finita l'ora legale.»

«L'ora legale?»

«Sono le sei e ventotto.»

«Oh, per Mercurio! Per Mercurio! Scusi. Scusi, sa. Mi scusi anche con la sua signora. E sua madre.» Si appoggiò il cappello in testa, si passò una mano sulla fronte, fece un inchino: «Scusi ancora».

* * *

«Ma che razza di canzone è?» sussurrò Osto, chinandosi all'orecchio di Ines che era seduta sullo stesso banco, in fondo alla chiesa, dietro una colonna. Era il loro solito posto. Un buon posto, non fosse stato per gli spifferi gelati che d'inverno si infilavano nelle ossa ogni volta che la porta si apriva per un ritardatario. Ci venivano una volta al mese, in quella parrocchia alla periferia del paese. Una chiesa nuova, in cemento armato, con uno spuntone che usciva di lato per ficcarsi fin dentro il terreno a significare (così aveva detto l'architetto) «il radicamento della chiesa di popolo nella carne stessa della terra» e un altro spuntone che schizzava verso il cielo (così aveva detto ancora l'architetto) per «tendere anche fisicamente alla perfezione e al Dio che da lassù benedice gli oppressi». Ogni volta che tornava, Osto era colto dal ricordo automatico di quello che aveva sospirato con aria desolata il vecchio parroco, dando vita a una leggenda che aveva divertito tutti i parrocchiani: «Povero Gesù, stava meglio nella mangiatoia. Senza architetti».

Giravano sempre, la domenica. Una volta a Ciriè, un'altra a Pianezza, San Gillio, Borgaro... Per non mettere in imbarazzo i parroci. Quella domenica avrebbe dovuto toccare a Robassomero. Mai al mondo sarebbero tornati per la seconda volta consecutiva in quella loro chiesa di Venaria se non fosse stato per don Oreste, il prete operaio conosciuto quando s'era persa Rosetta. Il quale, davanti alle timide proteste di Ines, aveva tagliato corto: «Voi siete miei parrocchiani e venite nella mia parrocchia. Se poi qualcuno avrà da ridire, gli spiegheremo cos'è la carità cristiana».

Erano entrati tuttavia sentendosi un po' a disagio. Disagio aumentato vedendo i jeans e gli stivaletti neri che spuntavano da sotto la tonaca del prete e sentendo quella canzone che, accompagnata da un'assordante chitarra elettrica, apriva la messa al posto dell'organo e dei vecchi rassicuranti cori: «Quando busserò alla tua porta / avrò fatto tanta strada / avrò piedi stanchi e nudi...».

Non meno scioccante fu l'omelia. «Fratelli e amici carissimi» disse don Oreste con aria ispirata, una voce profonda e la testa leggermente piegata di lato. E si zittì. Guardò lentamente a destra, poi a sinistra e in fondo, fin dietro le colonne. Lasciò che le sue pecorelle cominciassero a sentirsi a disagio per la suspense e finalmente, dopo un silenzio interminabile, riprese: «Fratelli e amici carissimi. L'altra settimana abbiamo letto e commentato la lettera enciclica *Pacem in Terris* nella sua parte che più mi pare bella e significativa: "Ogni essere umano ha il diritto al rispetto della sua persona; alla buona reputazione; alla libertà nella ricerca del vero". Oggi leggeremo insieme la lettera che don Lorenzo Milani, il parroco di Barbiana, sull'Appennino toscano, ha mandato insieme con i suoi ragazzi ai cappellani militari».

In chiesa erano tutti basiti. Non volava una mosca. Il maresciallo Spampinato si sistemò con cura la cravatta. Una vecchietta ai primi banchi, un po' sorda, chiese al marito: «Che cosa ha detto?». «Uff! Politica!» rispose quello. Florido Gonella, un veronese grande e grosso che lavorava come ispettore alla Fiat e non faceva mistero di essere missino, si alzò, girò i tacchi, si mise ostentatamente il cappello in testa e si avviò verso l'uscita borbottando così che tutti lo sentissero: «Preti con le braghe!».

Don Oreste non fece una piega. E lesse: «"Non discuterò qui l'idea di Patria in sé. Non mi piacciono queste divisioni. Se voi però avete diritto di dividere il mondo in italiani e stranieri allora vi dirò che, nel vostro senso, io non ho Patria e reclamo il diritto di dividere il mondo in diseredati e oppressi da un lato, privilegiati e oppressori dall'altro. Gli uni son la mia Patria, gli altri i miei stranieri. E se voi avete il diritto, senza essere richiamati dalla Curia, di insegnare che italiani e stranieri possono lecitamente anzi eroicamente squartarsi a vicenda, allora io reclamo il diritto di dire che anche i poveri possono e debbono combattere i ricchi"».

E andò avanti così, per dieci minuti buoni, leggendo quasi tutta la lettera nei suoi passaggi più ustionanti: «"Quando si battono bianchi e neri siete coi bianchi? Non vi basta di imporci la Patria Italia? Volete imporci anche la Patria Razza Bianca? Siete di quei preti che leggono 'La Nazione'?"».

Quando finì, la gente era paralizzata sui banchi. Spampinato si passò un dito nel colletto della camicia, la Marescialla sua moglie finse di cercare qualcosa nella borsetta, il marito della vecchietta sorda tirò fuori l'orologio dal panciotto e guardò scrupolosamente l'ora per darsi un contegno. Lui, don Oreste, era molto soddisfatto. Chiuse la messa un po' frettolosamente, diede l'ultima benedizione, mandò tutti in pace e fece cenno al complessino d'attaccare. Partì la chitarra elettrica, poi entrarono il basso e la voce di una ragazzina altissima e scheletrica: «Quante le strade che un uomo farà / e quando fermarsi potrà? / Quanti mari un gabbiano dovrà attraversar / per giungere e per riposar?». Lui si allontanò dall'altare, passò alle spalle dei ragazzi che suonavano, si piazzò alla batteria, afferrò le bacchette, partì con un passaggio di rullante e tom-tom e si aggregò al coro: «Risposta non c'è, / o forse chi lo sa, / caduta nel vento saràààààà». Sui banchi, erano tutti strabiliati. Nessuno aveva il coraggio di muoversi. Il maresciallo Spampinato, cresciuto come tutti cantando «Adeste, fideles, laeti triumphantes», fu attraversato dall'idea maligna che «con questo baccano pure Nisticò farebbe la sua bella figura» e chiese sentitamente perdono a Dio per il pensiero.

Osto si grattò un orecchio e si ritrovò a pensare, chissà perché, a un prete di Mortara di cui aveva parlato il giornale. Uno che si era innamorato di una parrocchiana e aveva lasciato la veste per sposarla spingendo la vecchia madre Adele a intentargli una causa di interdizione: «È pazzo! Mio figlio è pazzo!». Scrollò la testa al pensiero di com'era finita, coi carabinieri che avevano interrotto il matrimonio in municipio sventolando sotto il naso dei due concubini un divieto alle nozze firmato dal magistrato, il quale voleva prima accertare se il sacerdote non fosse impazzito davvero per sposare una ragazza.

Si chinò all'orecchio di Ines, che era ancora inginocchiata: «Non è che qui finisce come a Mortara?». Lei si scosse infastidita: «Ma cosa ti viene in mente?».

Fuori, quando tutti si erano già dispersi per il sagrato, Osto e Ines attesero don Oreste all'uscita dalla sacrestia. Arrivò in maglione e jeans: «Ho saputo di Graziella e del giornalino. È una brava ragazza. Fidatevi». Aveva in mano un borsone, si accucciò, lo aprì: «Voglio mostrarvi una cosa». Tirò fuori uno strano oggetto con quattro punte: «È un crocefisso. Me l'ha regalato un operaio delle presse. Guardate: il manico di una pinza, un po' di bulloni, una catena, un pezzo di sega. Io ci vedo la classe operaia inchiodata e incatenata insieme. Tutti noi poveri esseri umani siamo questo: dei pezzi, costretti a vivere dentro una catena di montaggio. È bellissimo, vero?».

«Ma…» disse Ines confusa.

Lui le fece l'occhiolino: «Allora, ci sposiamo finalmente?».

«Come ha saputo…»

«La Grande Madre Chiesa sa sempre tutto» rise. E diede una pacca sulle spalle a Osto, imitando la cadenza siciliana: «Alloooora, la sposiamo questa ragazza compromessa, ah?».

«Sa anche che cosa mi hanno chiesto, per darmi l'annullamento?».

«Mi hanno accennato…» rispose impacciato il prete, riponendo il crocefisso.

«Non so se accetto.»

«Ti capisco.»

«L'ha detto lei, leggendo la *Pacem in Terris*.»

«Ogni essere umano ha il diritto al rispetto della sua persona…»

«Ecco…»

«Se volete che ne riparliamo…»

«Non credo.»

Un federale col cappello americano

«E tu vuoi dirmi che ti sei arruolato per questo?» chiese Giacomo, guardando Bombacci dritto negli occhi, ironico e sprezzante, mentre muoveva un cavallo. Era la prima volta, da settimane, che aveva trovato il tempo per attraversare il pianerottolo e suonare al campanello di Errico per una di quelle partite a scacchi in cui si erano accapigliati per anni. Un ritardo dei fornitori gli aveva fatto saltare un giro tra i clienti. Fatti due conti sui soldi persi, spostati gli appuntamenti e tirato un moccolo, si era dunque presentato a casa del dirimpettaio, un ex combattente di Salò che era finito nella Wachkompanie Ettore Muti e, avendo perso una gamba in uno scontro a fuoco, si arrangiava adesso facendo traduzioni dal tedesco.

«Allora?» incalzò il ragazzo.

«Non ti pare un buon motivo?» rispose Errico spostando un alfiere.

«Mica tanto, per mettersi con chi gassava gli ebrei.»

«Non è così semplice.»

«Semplicissimo: di qua c'erano i buoni, di là i cattivi. Fine.»

«Se la vita fosse davvero così…»

«Vuoi venirmi a dire che non sapevi? Treblinka, Dachau, Ravensbrück.»

«Lo so, pare impossibile. Ma non sapevo.»

«Non sapevi! Non sapevi!»

«Oh! Oh! Frena! Sono anni che mi conosci. Anni. E sai che se solo io avessi immaginato… Dico: solo immaginato…»

«Allora perché? Perché?»

«Rabbia. Avevo diciannove anni ed ero rabbioso. So che mi capisci.»

«Cosa vuoi dire? Io non sono rabbioso.»

«Guardati. Fermati a guardarti. Ti vedo, con tuo padre. Tu sai che è una persona perbene. Pulita. Cosa gli rinfacci: di non buttarsi? Di non avere come te la febbre di correre e far soldi e comprare il frigidaire? Di guardarti con un po' di delusione se invece che tenere sul comodino Pirandello tieni l'ultimo fascicolo della Scuola Visiola d'elettronica o i depliant sui potenziometri e i condensatori variabili miniaturizzati?»

«Non è così semplice.»

«Visto? Fossi al posto suo, certe volte ti darei una sberla.»

«Ovvio, sei fascista.»

«Ovvio…»

«Se non ci conoscete / guardateci dall'alto. / Noi siam le fiamme nere / del battaglion d'assalto.»

«Mai cantata» fece spallucce Errico spostando un pedone.

«Figurati» lo irrise Giacomo muovendo ancora il cavallo.

«Mai. Te l'ho detto perché mi chiamo Errico?»

«Malatesta.»

«Esatto: Errico Malatesta. Papà andava matto per lui. Non che ne sapesse molto, intendiamoci. Ma aveva letto da qualche parte, vai a sapere dove, che quello faceva giornali che si chiamavano "L'Agitazione", "Agitiamoci", "Agitatevi"… Lo infuocavano, quei titoli anarchici. Ti ho detto anche qual è il mio secondo nome?»

«No. O non ricordo.»

«Bartolomeo. Come Vanzetti. A papà si era cacciata in testa una ballata napoletana, che intonava strascicando la sua "esssce" romagnola: "Sta tutt'o munno sane arrevutate / pe' Sacco e pe' Vanzette cundannate / e chi vigliaccamente l'ha 'nfamate / mai n'or' 'e pace nun ha da truvà". Era comunista, papà. Acceso.»

«E padre di un balilla. Comunista all'italiana.»

«Sbagli. Mai fatto un sabato fascista, mai fatto un Littoriale, mai fatto un giuramento tipo: "Con il vigore sui campi agonali, con il sapere negli arenghi scientifici…". Boiate.»

«Però te le ricordi.»

«Vorrei vedere te, con la testa che ci facevano a scuola. Comunque mio padre riuscì sempre a tenermi fuori. Senza averne troppe grane. Forse perché era il fratello maggiore di quel cretino di mio zio Menotti, che era il federale del paese e non voleva problemi. Forse perché era l'unico nella zona a molare le falci così affilate che ti ci potevi far la barba e a costruire, con una latta da dieci litri, due cinghie e un po' di tubi, quegli spruzzatori artigianali che i contadini usavano per spargere il verderame.»

«Chiudi.»

«Ventisette luglio 1943. Quello fu il giorno.»

«Due giorni dopo...»

«... la destituzione di Mussolini. Faceva un gran caldo ma tirava un po' di vento. Me lo ricordo perché mia zia Tina aveva steso ad asciugare due camicie nere di mio zio. Vivevamo tutti insieme, in una corte dalle parti di Bertinoro, ogni pezzo di famiglia in un pezzo di casa. Mio papà stava sistemando il dente di un rastrello. Il cappello calcato in testa. Il toscano tra i denti. Vide arrivare suo fratello con la coda dell'occhio, da sotto la visiera. Disse solo: "Al saveiva". Lo sapevo. Veniva avanti dalla stradina quasi saltellando, con un borsalino nuovo di zecca e un sorriso stampato sulla bocca. Fece solo un cenno a Tina, un piccolo cenno col mento, mostrando le camicie nere: "Non è il caso". La zia capì al volo. E si affrettò a rimuoverle. Guardò papà che lo fissava scuotendo la testa schifato, diede un'alzatina di spalle e ridacchiò: "Onestamente, non mi sono mai state bene. Troppo strette di spalle". Guardò me e si toccò il cappello nuovo all'americana col quale aveva sostituito il fez: "Gli americani hanno già occupato tutta la Sicilia. Pochi mesi e saranno qua. Che dite: mi sta bene lo Stetson?".»

«E fu lì che diventasti fascista?»

«Fu lì. Io stavo aiutando papà. Mollai tutto, mi alzai, gli andai incontro, gli presi il cappello nuovo, mi sbottonai la patta e ci pisciai dentro.»

«Nello Stetson nuovo?»

«Nello Stetson nuovo.»

«Ma va'!»

«Piano piano, guardandolo in faccia.»

«E lui?»

«Era sbalordito. Erano quindici anni che faceva il gradasso, in paese. Quindici anni senza lavorare, a fare il prepotente in famiglia, a prendersi il posto di capotavola spodestando anche il nonno. Nessuno era stato fascista com'era stato fascista lui. Avevo ancora nelle orecchie l'entusiasmo con cui aveva spiegato che Renato Ricci, dopo la costruzione del Foro Mussolini, aveva progettato una gigantesca statua in bronzo da fare "impallidire la memoria del Colosso di Rodi". Una bestia alta tre volte la Statua della libertà e piantata in un'area grande cinque volte piazza Venezia: l'Arengo della Nazione!»

«Finisci...» disse Giacomo, ormai estraneo alla scacchiera.

«Gli ridiedi, gentilmente, il cappello pieno di piscio, andai da mia zia Tina che se ne stava lì a bocca aperta, le strappai di mano le due camicie nere. Quando arrivai nella piazza del paese, la trovai piena zeppa di antifascisti. Feci appena in tempo ad iscrivermi al Pnf, prima che la notte sfasciassero la sede. Quando nacque la Repubblica Sociale avevo ancora dentro tanta di quella rabbia che mi arruolai subito...»

«Per lasciarci una gamba: bell'idea.»

«Non ci ho lasciato solo una gamba. Ci ho lasciato amici, parenti, fratelli che mi volevano bene e che non hanno voluto capire. Che si sono rifiutati di riconoscermi la dignità della mia scelta. Così va il mondo. "Le donne non ci vogliono più bene / perché portiamo..."»

«Poteva andarti peggio.»

«No.»

«Perché no?»

«Peggio di così, no.»

«Già che sei in vena di confidenze... Perché Bombacci?»

«Non mi ricordo chi fu il primo, ad attaccarmi questo nomignolo. Ce l'ho. Me lo porto volentieri.»

«Ma perché Bombacci?»

«Perché, perché. Diventerai milionario, coi tuoi ricambi per i televisori e le lavatrici, ma sei una bestia. Come si fa a non sapere niente di Nicola Bombacci? Era un socialista romagnolo dal sangue così caldo che al congresso di Livorno arrivò a tirar fuori la pistola contro un compagno che l'aveva chiamato "rivoluzionario da temperino" e che, vent'anni dopo aver guidato a Mosca la delegazione dei comunisti italiani ai funerali di Lenin, finì appeso con il Duce a piazzale Loreto.»

«Ti sta bene sì, allora, come soprannome.»

«E guai a chi me lo tocca.»

«Va ben, vado. Ciao Fascio, finiamo un'altra volta. Il re, da lì, però, non lo portavi fuori. Con la torre e il cavallo messi così…»

«Figurati.»

«Scusa: che fine ha fatto quel cappello?»

«L'ha tenuto mio padre.»

«Lui ha capito?»

«Ha capito.»

*   *   *

«Whah! Whah! Whah! Whah! Whah!» «Maledetto! Manco il tempo di suonare!» pensò Osto col dito a un millimetro dal campanello del maresciallo Spampinato. Manco il tempo di suonare e quel fottutissimo bastardino di Nisticò dava già in escandescenze. Lo si sentiva di là della porta, sospeso nel suo spasmo epilettico a mezzo metro d'altezza.

«Maestro Aliquò! Prego…» disse la signora Matilde, aprendo. Si era fatta i bigodini. Uno lo aveva dato al cane, che ora ci giocava elettrizzato come desse la caccia a un sorcio.

«Posso farle una domanda?»

«Prego, prego: si accomodi. Un chinotto?»

«No, guardi, il cane…»

«Ooooh, è un po' apprensivo, eh? Tanto caro, ma un po' apprensivo. Non si preoccupi. Se ci sono io è tranquillo.»

«Allora…»

«Alt! Pattine.»

«Pattine?»

«Come le chiama lei? Sa, ho dato la cera. E comunque in casa nostra non si entra, senza le pattine.»

«Pensavo che avendo un cane...»

«A farle una confidenza: ci ho provato a mettergli dei calzini ma...»

«Niente?»

«Niente. Quando abbaia perde il controllo e allora... Mi sbatteva da tutte le parti, piccino. L'ha mai sentito abbaiare? Sa, con questi muri così sottili.»

«Effettivamente lo sentiamo spesso.»

«Quando torna il gommista del settimo, vero?»

«Beh, anche...»

«Vorrei sapere cosa fa la notte, quello. Ma l'ha visto? Io ogni tanto, casualmente, ho avuto modo di sentirlo arrivare, certe notti. E mi è capitato pure, involontariamente, di guardare dallo spioncino. Lei non ha idea. Mai una volta la stessa donna. Dico: mai una volta. Ora, si sa che le ragazze di oggi...»

«Senta, scusi se cambio discorso ma devo andare. Volevo sapere: quanto avete pagato di elettricità?»

«Ah, no: la bolletta è tornata normale.»

«Normale.»

«Normalissima: perché?»

«Ecco: il fatto è che si è raddoppiata la mia.»

«Ah... E ne ha parlato a mio marito, il signor maresciallo?»

«Volevo appunto...»

«Oggi non rientra. Servizio. Non le posso dire di più.»

«Ma si figuri, signora.»

«Non posso: segreto d'ufficio.»

«Ho capito. Mica volevo... Manco mi interessa sapere dove sta.»

«Segreto d'ufficio.»

«Ci vediamo un'altra volta.» Si sollevò dalla poltrona, si avviò all'uscita scortato da un Nisticò che saltava e abbaiava, abbaiava e saltava. Aveva già la mano posata finalmente sulla maniglia per andarsene, quando la donna lo bloccò, chiedendogli con aria complice: «Maestro Aliquò: mi può togliere una curiosità?».

«Mi dica.»

«Ha vinto?»

«Io? Cosa?»

«Le tremila lire su Mike.»

«Eh?»

«Sua madre mi ha detto tutto.»

«Tutto cosa, scusi?»

«Che lei tiene a scuola il figlio di un fantino, che montava proprio ieri un cavallo "in-fran-gi-bil-men-te" destinato a vincere perché la corsa era decisa e in più era protetto dalla beata suor Maria Bertilla Boscardin, la quale senza meno...»

«E cosa c'entrerebbe questa beata suor Maria Bertilla Boscardin?»

«Dice che il suo fantino, fedelissimo della beata dopo una caduta... Insomma: io di cavalli, si figuri, non capisco niente. Ed era tutta una cosa un po' confusa. Ma mi ha detto che garantiva lei...»

«Lei chi?»

«Lei.»

«Lei mia mamma?»

«Lei lei.»

«Lei io? Io?»

«Sennò non le avrei prestato i soldi.»

Il maestro sentì montare un'ondata di sangue su su fino alla testa: «Lei ha prestato dei soldi a mia madre?».

«Perché non avrei dovuto? Mi ha detto che garantiva lei, maestro Aliquò.»

«Scusi. Scusi tanto. Grazie» disse rosso in viso portando la mano al portafoglio: «Quanto le ha dato?».

«Tremila.»

Aveva solo un biglietto da cinque. Voleva prendere un regalino per Ines. Addio. «Avrebbe il resto, per piacere?» La donna rispose qualcosa e sparì nel corridoio per tornare con due biglietti da mille. Il maestro ringraziò, salì al piano superiore, infilò la chiave nella serratura e piombò in cucina viola di rabbia. Agata stava lavando l'insalata, foglia per foglia, con la stanchezza rassegnata che certe donne anziane mettono in ogni gesto. Alla radio davano *La casa del sole* dei Marcellos Ferial.

«Mamma: mai più!»

«Mai più cosa?»

«Lo sai. Mai più.»

«Di Mike, parli?»

«Di Mike parlo.»

«Ah…»

«Da quando ci capisci di cavalli, ah? Da quando?»

«Niente capisco. Niente.»

«E allora?»

«Mi avevano dato la certezza che…»

«E perché hai tirato in mezzo me? Che c'entro io con queste cose, ah? Che c'entro?»

«La Marescialla non mi avrebbe preso sul serio.»

«Perché, chi te l'aveva data, questa certezza in-fran-gi-bi-le?»

«È stato…»

«Non me lo dire: Pippo il Falso.»

«Come l'hai indovinato?»

«Mamma: vuoi vedere che sono un po' mago pure io?»

* * *

Nella cassetta c'era un cartoncino: «Causa irreperibilità destinatario pregasi S.V. recarsi Ufficio Postale di competenza. Oggetto: ritiro pacco. Mittente: abogado Ignacio Vicente Albacete y Asociados, avenida José Zorrilla, 2, Huatusco, México». Osto se lo rigirò tra le mani, stupefatto: «Messico! Un avvocato dal Messico! E che storia è mai questa?». Salì le scale tenendo il biglietto tra l'indice e il pollice, con la delicatezza che meritava una cosa delicata, aprì la porta reggendo la borsa di scuola nella sinistra e il biglietto tra le labbra, ripose la chiave in tasca e si affacciò in cucina: «Ciao Ines, sei riuscita a tornare?».

«L'ingegnere mi ha dato il pomeriggio libero. Ti ricordi che mi devi portare dal dottore?»

«Beh…»

«Non mi dire che te n'eri dimenticato.»

«Ecco cos'era! Sapevo di avere una cosa da fare ma… Fa niente: nessun problema. A che ora chiudono le Poste?»

«Già chiuse.»

«È arrivato un pacco dal Messico.»

«Un pacco dal Messico?»

«Così pare.»

«Ma noi cosa c'entriamo col Messico?»

«Che io sappia, zero. Zero carbonella.»

«Questa, poi…»

«A che ora aprono la mattina?»

«Le Poste? Alle otto.»

«Potrei fermarmi un attimo andando a scuola.»

«E se è un pacco grosso dove lo metti, sul manubrio?»

«Potrei andarci con la 600.»

«La 600? Vuoi andare a scuola in macchina? Con la benzina a centoventi lire al litro?»

«Per una volta… Metti che il pacco sia grosso davvero…»

*   *   *

Era piccolo. Una scatola da scarpe. Avvolto in una carta pesante di colore marrone e legato con degli spaghi. «Devo pagare qualcosa?» chiese Osto un po' in apprensione. «Tutto pagato» rispose l'impiegata. Uscì maneggiando il misterioso pacco con estrema attenzione. Guardò l'orologio: otto e quattro minuti. Aveva tutto il tempo per vedere di che cosa si trattasse. Si sedette in macchina, posò l'involucro sul sedile accanto, sciolse lo spago e l'aprì. Era davvero una scatola da scarpe. Marca Zapateria de Trujillo. Sopra il coperchio era incollata una busta. L'aprì, la scorse fino alla firma: abogado Ignacio Vicente Albacete.

«Distinto señor Aliquò, perdona my italian no bueno (my mama veniva de Segusino de Treviso pero in my casa la lingua era l'espanol) ma espero que, con un poco de paciencia, me intienda. Scribo esta lettera por comunicarve que el señor Xavier Cardias Urugoa Crisafulli, malorosamente, è morto. Era un hombre veramente notevole. Nato in México, era vissuto sempre aqui, in un villaje pequeño che se chiama Colonia Manuel Gonzales, nel distretto di Veracruz.» Un posto «muy lindo» continuava la lettera, dove il padre di Cardias, un certo Robespiero Crisafulli, figlio di un manovale calabrese di sentimenti rivoluzionari, si era trasferito dal Brasile, dove aveva vissuto una brutta esperienza, dopo aver saputo che un gruppo di trevisani aveva comprato della buona terra grazie a una generosa offerta del governo messicano. «El señor Crisafulli teneva una oficina de venta e de reparacion de maquinas de coser y dedicò toda so vida a una increyble pasion: l'archeologia. Una pasion que divorò todo su tiempo, todas suas sostancias, todos suos sentimientos...»

Era uno strano miscuglio di italiano e spagnolo. Facile facile. Dopo il primo capoverso, Osto già non si accorgeva più degli strafalcioni e andava dritto al cuore della storia. Spiegava dunque l'avvocato Ignacio Vicente Albacete che questo Xavier Cardias Urugoa Crisafulli aveva un giorno sistemato una macchina da cucire a un indio di un vicino pueblo e quello, non sapendo come pagare, gli aveva messo in mano un corno di terracotta col muso di una belva dicendo solo: «Antiguo». Era un pezzo bellissimo, lo accettò, lo mise sulla credenza di casa. Passava ore a guardarlo, quel pezzo. Finché gli venne voglia di capire cos'era e cominciò a studiare le antiche civiltà precolombiane. Quando scoprì che si trattava di un pezzo della cultura olmeca, era ormai divorato da una passione febbrile. Comprava, comprava, comprava...

Finché un giorno conobbe quello che tutti, con rispetto, chiamavano el Doctor. Era un campesino uguale a milioni di campesinos: gambe corte, spalle secche, occhi piccoli, capelli fitti e dritti sopra la fronte come fossero una visiera, faccia biscottata dal sole. Al lavoro, però, era inconfondibile. Il migliore di tutti gli huaqueros, cioè i tombaroli. Quando rideva, il che capitava non troppo frequentemente, mostrava una fila di denti neri con un buco al posto degli incisivi. Dice la leggenda che conoscesse metro per metro, cactus per cactus, tomba per tomba, tutte le valli che scendevano dalla Mesa verso il golfo di Campeche. Girava allora, el Doctor, con un cappellaccio calcato sulle orecchie e un'asta di ferro lunga lunga, riconosceva le collinette innaturali, affondava la sonda, picchiava delicatamente tendendo l'orecchio. Di solito, cento volte al giorno, scuoteva la testa: niente. Ogni tanto però chiudeva gli occhi per concentrarsi meglio, mandava giù con più delicatezza la sua stecca di ferro, si illuminava, afferrava la pala e cominciava a scavare.

Ma l'esposa del señor Crisafulli, ahimè, non capiva, scriveva l'abogado: «Todo el dinero! Todo el dinero para buscar ceramica!». Finché, dopo avergli spaccato un uomo-aquila, un reliquiario, una statuetta votiva erotica e un vaso del diametro di un metro ridotto meticolosamente col martello in 826 pezzi («Ochocientosventiseis pedazos!»), non costrinse Xavier Cardias a scegliere: «O me o la ceramica». Lui non ci pensò un attimo: «La ceramica, my amor». E continuò ad accumulare pezzi finché non arrivò ad averne alcune centinaia. E a chiudersi sempre di più, diffidente e astioso col mondo intero, dentro il suo capannone-laboratorio dove dormiva in una cassa da morto tenendo calcato sulla testa un elmo spagnolo del Sedicesimo secolo.

Se n'era dunque andato, ormai vecchissimo, «exactamente el 4 de avril», lasciando in eredità tutta la collezione al municipio di Veracruz fatta eccezione per quello che considerava «el objecto mas precioso». Una statuetta olmeca di giada che raffigurava «un antiguo centurion romano». La «prova ultima y definitiva» dell'arrivo sulla costa del golfo di Campeche di una galera imperiale che probabilmente aveva perso la rotta ed era finita in Sudamerica molto prima dei vichinghi e di Cristoforo Colombo. Un pezzo straordinario che il vecchio aveva deciso di lasciare agli unici parenti che, dopo lunghe e costose ricerche fatte per seguire le tracce familiari dal Messico al Brasile, dal Brasile alla Calabria, dalla Calabria alla Sicilia e da lì al Piemonte, aveva scoperto di avere in Italia: la signora Agata Babbari sposata Aliquò e i figli Ariosto e Ludovico.

«Necesita saber» infatti, aggiungeva l'avvocato, che il defunto Xavier Cardias Urugoa Crisafulli portava come secondo nome lo pseudonimo, Cardias appunto, «de l'anarquista pisano Giovanni Rossi, fundador en Brasil de una comune anarchista che se llamava Colonia Cecilia». Minchia!

La famosa colonia che ossessionava sua madre! Quella dov'era finita nonna Benunzia! Ecco perché! Osto si sentì il cuore in gola e le gambe molli, si passò la lingua sulle labbra secche, mandò giù la saliva e scartocciò con religiosa attenzione il pacchettino che c'era nella scatola, protetto da fogli di giornale appallottolati: c'era! C'era! C'era! Era una statuetta di giada alta circa sette centimetri, un po' logorata dal tempo e senza un pezzetto del piede destro. Ma rappresentava esattamente quello che diceva la lettera: un soldato romano, riconoscibile al di là di ogni dubbio dall'elmo, dalla corazza di cuoio e dalla conformazione del viso, così lontana da tutti i profili indios mille volte visti sui libri e sui giornali.

«Ricchi!» pensò Osto fissando un punto nel vuoto. «Ricchi!» E si commosse al ricordo improvviso della volta in cui, giù al paese, c'era una povertà tale che la mamma aveva litigato con una vicina perché, dopo essersi fatta prestare due uova, le aveva restituite più piccole, o almeno questo aveva strillato l'altra: «Mai più! Mai più!». «Ricchi!» E in quel momento, mentre ripassava la carrellata dei sogni (la Fiat 1500, una lavatrice Ignis con la centrifuga, un televisore Philips da 22 pollici) giù giù fino a un orologio che aveva visto in un negozio di Porta Susa, venne folgorato da una consapevolezza: «Oddio! La scuola!».

Guardò l'orologio: 8,45. Avvolse il centurione nel suo fagotto, richiuse la scatola, girò la chiave per accendere il motore. Gracchiava. Gracchiava gracchiava ma non si accendeva. Finché, dopo sei o sette volte, prese a cicaleggiare sempre più piano, più piano, più piano... «Oddio! La batteria!»

Prese il suo tesoro e scappò verso la scuola a piedi, terrorizzato, vedendo in ogni scalino, ogni marciapiede, ogni buca nei sampietrini l'insidia che l'avrebbe sgambettato facendo rotolare la statuetta sotto un camion di passaggio e ricacciando lui dentro la vita di sacrifici dalla quale si era appena appena affrancato.

Quando riuscì finalmente a riconoscere la scritta Scuola Elementare Zanella, era in condizioni pietose: sfatto, violaceo, le tempie che gli battevano a percussione, il respiro rotto, la camicia sbottonata. Scosso da una tosse secca incontrollabile, trovò sulla porta la direttrice Tommasina Jurich in Nadalut che lo guardava più stupefatta che furente. Era una ossuta e inflessibile profuga dalmata dai modi bruschi, ma era anche una donna di cuore. Capì che doveva essere successo qualcosa e liquidò il caso con una battuta: «Maestro Aliquò, ma questa tosse canina gliel'ha passata il famoso cagnetto del maresciallo?». Colto di sorpresa, riuscì perfino a ridere: «No, Nisticò non c'entra. Scusi. Non succederà più».

Per tutta la mattina, con l'incubo che uno degli scolari si avvicinasse al suo tesoro, non perse d'occhio il pacchetto un solo istante. Costretto ad andare al bagno, se lo portò dietro. E ancora dietro se lo portò quando andò dalla bidella a prendere il suo solito panino con la bologna. Suonata la campanella, si avviò verso casa col passo elastico di chi è finalmente in pace con se stesso. Si fermò in una cabina e telefonò alla moglie in ufficio: «Ce la faresti a tornare per pranzo?».

«Impossibile: non ricordi che l'ingegnere mi ha già dato libero il pomeriggio di ieri? Non glielo chiedo neanche.»

«Ci vediamo stasera. Ho una sorpresa.»

«Cioè?»

«Stasera.»

Colonia Cecilia, maledetti amori

Il pomeriggio, riposto il centurione sopra l'armadio della camera e chiusa la porta a chiave, Osto riprese a leggere la lettera. Scriveva dunque l'avvocato Ignacio Vicente Albacete che il compianto Xavier Cardias Urugoa Crisafulli, come già scritto, era figlio di un anarchico italiano, Robespiero Crisafulli (a sua volta figlio di una «cabeza caliente» visto il nome dato al figlio, precisava) che nel 1878 si era innamorato di alcuni versi di Giosuè Carducci: «Folle censore e stupido / cantor di vecchie fole / me chiami pure, o Italia / la tua diversa prole. / Adulator di trepidi / liberti e vili sofi io non sarò». Li aveva letti in epigrafe a un libro intitolato *Un comune socialista. Bozzetto semi-veridico di Cardias* e scritto appunto da Giovanni Rossi, un veterinario pisano dal temperamento assai esuberante. Un intellettuale generosissimo e strampalato e furente che si era dato quell'incredibile nome di battaglia, Cardias, per celebrare la valvola a forma di anello che regola dall'esofago l'accesso allo stomaco. «Una vision del mundo absolutamente materialista!» disapprovava l'avvocato.

Fatto sta che dopo avere sognato di fondare una colonia utopica in Polinesia, Rossi era riuscito a convincere Pedro II, l'imperatore del Brasile di passaggio a Milano che chissà come era riuscito a incontrare, a consentire un esperimento d'avanguardia: la nascita nella provincia del Paranà di una libera colonia socialista e cooperativa e anarchica di contadini portati dall'Italia.

Robespiero Crisafulli era stato tra i primi a coltivare quel sogno. Ed era partito cantando con gli altri, dal parapetto del piroscafo: «Ti lassio Italia terra di ladri / coi miei compagni io vago in esilio / e tutti uniti a lavorare / fonderemo la colonia social».

«Una experiencia disastrosa» scriveva l'avvocato Albacete «sobre todo par la decisión del colectivo de introducir el libre amor. Un experimento explosivo!» Così devastante da portare all'annientamento della Colonia Cecilia. E a una dolorosissima diaspora dei suoi protagonisti.

Osto si grattò la testa. Inquieto. Non capiva più se voleva sapere fino in fondo o se preferiva restare come era sempre rimasto, lui e tutti gli altri della famiglia, in quel mondo di detto e non detto... Afferrò la lettera per appallottolarla. Si bloccò. Ci riprovò. Si bloccò di nuovo. Riprese a leggere: il grande dubbio di tutta la vita di Robespiero Crisafulli, che dopo la fine della colonia anarchica aveva lasciato il Brasile per il Messico, era di essere lui il padre del bambino di una certa Benunzia, detta Nunzietta. Una brava ragazza calabrese che per amore si era fatta travolgere da quell'esperimento devastante del sesso libero finché, schiantata dai sensi di colpa, aveva abbandonato in lacrime la comune per ritornare a espiare i propri peccati nelle umiliazioni che le avrebbero inflitto nel suo paese in Calabria.

Ormai vecchio, l'anarchico ne aveva parlato al figlio Cardias, avuto da una giovane messicana con la quale si era rifatto una vita, spiegandogli che a distanza di anni aveva cercato in tutti i modi di riconciliarsi con Nunzietta per farsi perdonare d'averla trascinata in quel «paraiso de lagrimas y sufrimientos». Ma non c'era stato niente da fare. Ed ecco che il figlio, in punto di morte, non avendo altri parenti...

Si alzò e andò al telefono per chiamare Ines. Muto. «Ma santo Iddio! Sempre la cornetta in mano!» Maledetta quella volta che per risparmiare aveva accettato il duplex. Gli avevano dato, infatti, una linea spartita con un tizio che abitava nello stesso palazzone, ma la scala accanto, e che pareva non avere altro da fare che starsene al telefono per ore. Provò ancora. Muto. «Ore e ore! Ore e ore!» Doveva fare, da quel che sapevano lui e Ines, il commesso alla sede regionale delle Poste, a Torino. Ma non avevano mai capito «quando». Ogni volta che passavano davanti al bar Marchini, all'angolo di piazza Deledda, lui era là. «Boh…» Provò di nuovo. Libero. Fece il numero.

«ZinCem, Zinzani Cementi, Edilizia e Movimento terra.»

«Ines, hai cinque secondi?»

«Quattro.»

«Era come avevamo intuito noi…»

«Cioè?»

«La Colonia Cecilia… Era come avevamo intuito noi.»

«E tu come lo sai?»

«Te lo spiego stasera. Ciao.»

«Eh eh… Lo sapevo. Ti giuro che lo sapevo. A tua mamma l'hai detto?»

«Non ancora…»

«Chissà se adesso vorrà un po' più bene alla memoria di quella povera nonna…»

«Vedremo. Ciao. Non vorrei occupare troppo il telefono per il nostro socio del duplex…»

«Hai fatto fatica?»

«Come sempre.»

*   *   *

Il pomeriggio se ne andò nella stesura di due tabelle. Nella prima Osto elencò le statuette più celebri e preziose che conosceva o che trovò sull'enciclopedia Utet, dallo scriba del Museo Egizio del Cairo all'Athena Promachos di Selinunte, dal Cecilio Giocondo di Pompei fino al piccolo Buddha conservato a Helgo, in Svezia, che proverebbe l'esistenza di un traffico commerciale in tempi remoti tra i navigatori scandinavi e l'Oriente: «Dico: vuoi mettere la prova di uno sbarco dei Romani in Sudamerica?». Non uno, di tutti quegli oggetti preziosi, gli sembrava all'altezza del suo. Non uno.

Aveva letto che una statuetta romana copia di una scultura greca da poco rubata in un museo valeva oltre centocinquanta milioni. Procedette dunque alla seconda lista, riepilogando, perfezionando e ingigantendo i sogni della mattina. 1) Una casa con un giardinetto, una vite americana e un ciliegio. 2) Una Fiat 1800 con Autovox tipo familiare, da poterci mettere nel bagagliaio anche le canne da pesca. 3) Una cucina nuova marca Naonis. 4) Un televisore Minerva, quello che al Carosello era pubblicizzato da Zaccaria, diavolo di terza categoria. 5) Sei coperte Lanerossi, una per ciascun componente della famiglia. 6) Un furgone Fiat 238 per Giacomo, che a forza di girare con la sua Vespa nuova anche con la pioggia si trascinava ormai un raffreddore cronico. 7) Un vestito per Ines di marca Cori come quelli dell'Eleonora Rossi Drago. 8) Una bicicletta «americana» per Graziella. 9) Un registratore Geloso G257, che nella pubblicità veniva declamato con lo slogan «un maestro ai vostri ordini», per Rosetta.

* * *

«Ho visto dove sono sepolto!» annunciò trionfante il professor Giosuè Cornelio Alberganti.

«Ci ha posato due fiori?» rispose di getto Osto, congratulandosi con se stesso per la prontezza che aveva finalmente mostrato in una risposta a queste incursioni del politeista del quinto piano.

«È stato emozionante: la mia tomba!»

«Se mi dice dov'è potremmo magari portar due gladioli...»

«Sa, carissimo: un tempo appartenni alla Carboneria. Ero amico di Silvio Pellico e finii con lui allo Spielberg. Fu lì che morii. O "moritti"? Lei è maestro, scusi: il passato remoto di morire, prima persona singolare è "morii" o "moritti"? Ho sempre questo dubbio...»

«Morii. Credo. Ma capisco il dubbio... Sa, nella forma del passato remoto prima persona singolare è un verbo in disuso.»

«Non ci morii con questo corpo, ovvio. Con quello del povero Gian Galeazzo Giusti Griglié. Gigigigì, come lo chiamavano in famiglia. Fu una cosa molto dolorosa, le assicuro. Più ancora, direi, dell'amputazione di Pietro Maroncelli. Così andò, quella vita: che ci vuol fare, caro maestro! Meno male che continuo a reincarnarmi.»

«E dov'è questa sua tomba?»

«Pulfero. Un paesino ai confini con la Jugoslavia. Pochi chilometri prima del confine e di Caporetto. Altro luogo che mi è caro.»

«Morì pure lì?»

«No.»

«Volevo ben dire.»

«Restai ferito, però. Il femore. Una scheggia. Nella vita attuale, intendo. Quando ero giovane nel corpo odierno di Giosuè Cornelio Alberganti. Ma lei...»

«Io cosa?»

«Mi pare, come dire, scettico. Perplesso. Dubitante. Non crede alla reincarnazione?»

«Oddio...»

«Lo so, lo so. È dai tempi dei tempi che ho a che fare con persone scettiche come lei. Passavo giusto oggi al Museo Egizio e il professor Mario Maria Quattrone, che come lei sa è uno dei massimi egittologi italiani ma anche un profondo conoscitore dell'archeologia precolombiana...»

«Scusi, professore, devo lasciarla: ho una pentola sul fuoco.»

«Alle cinque del pomeriggio?»

«Sa, i fagioli... Ci vuol tempo...»

«Pasta e fagioli? Ci stia attento! Quand'ero piccolo il dio Seth per mezzo di una bagna cauda dalla temperatura spaventosa...»

«Me l'ha raccontata. Scusi. Scappo.» E chiuse la porta.

Ecco chi poteva valutare la statuetta! Come aveva fatto a non pensarci? Il professor Mario Maria Quattrone, che scriveva sui giornali quegli articoloni così dotti spaziando dagli Ittiti agli Zapotechi! E si rimise a testa china sulla lista dei sogni: «Numero 10, un bel vestito Lubiam per me...».

*   *   *

La sera, a tavola, ognuno aggiunse qualcosa. Giacomo spiegò l'assoluta urgenza di investire il più possibile nei ricambi per gli elettrodomestici «perché quello è il futuro e c'è da raddoppiare l'investimento di sei mesi in sei mesi», Graziella confidò di sognare un afgano e cioè uno di quei giubbotti di pelle coperti da ricami coloratissimi e stilò un elenco interminabile di dischi partendo da *Sha-La-La-La-La* dei Camaleonti. Agata disse che non aveva bisogno di niente, se non di qualche soldo per andare a consultare una certa Catina Cartomanzi, di cui le avevano detto un gran bene. Rosetta chiese di comprare Zurigo a suo papà, così finalmente poteva venire a prenderla e portarla in Svizzera anche se il suo contratto non glielo permetteva ancora. Saputo che non era possibile, invocò in alternativa un mangiadischi rosso con il 45 giri di *Dagli una spinta*. Tutti insieme l'invitarono a cantarla, Osto tirò fuori la fisarmonica e la piccola, in piedi sulla sedia, dondolandosi un po', attaccò sicura: «Il caro nonno Asdrubale lasciò un'eredità / a noi toccò una macchina di sessant'anni fa / un tipo di automobile che ridere può far / ma ridere per ridere papà ci volle andar...».

Erano tutti molto felici. Finché Giacomo non chiese: «Ma chi era questo Giovanni Rossi?».

«Un anarchico italiano. Una testa matta. Un affascinante utopista pazzo che sognava la creazione di un mondo dove l'uomo non è più egoista. E fondò una comune in Brasile piena di questi sogni. Finì in una catastrofe...» rispose il padre.

«Pure la mugghiera sua si accise!» proruppe Agata. «Pure la mugghiera sua! E prima gli morì un figlio, poi gliene morì un altro... Una maledizione, fu. Una maledizione.»

«Ma noi che c'entriamo?» chiese Graziella.

«Te lo spiegherò» rispose Osto. «Un giorno te lo spiegherò.»

«A ru munnu ce vo' fortuna e addr'uortu ce vo' litama. Nella vita ci vuole fortuna, nell'orto ci vuole letame» sentenziò grave nonna Agata. «Laggiù in Brasile fecero confusione. Finì tutto nel letame...»

«Mamma, smettila...»

«Così è, così è...»

* * *

Il pomeriggio del giorno dopo, con venti minuti di anticipo sull'ora concordata prendendo l'appuntamento al telefono, Osto era già davanti al numero 4 di via Felice Cavallotti. Furono i venti minuti più lunghi di tutta la sua vita. Esaminò una per una le decorazioni della palazzina liberty del professor Mario Maria Quattrone, perlustrò con lo sguardo il giardino e decise che sì, l'avrebbe voluta proprio così, la sua casa. Pensò che, a un certo punto, avrebbe dovuto chiedere al professore di assentarsi un attimo per vedere com'erano i bagni. Plurale: era certo che una casa così ne avesse diversi. Stava passando all'esame del gazebo quando sentì una voce alle spalle. Doveva essere quel signore distinto, un po' grosso, dagli occhialetti di metallo leggeri che aveva visto scendere alla fermata del tram.

«Il maestro Aliquò?»

«Sono io.»

«Lei è più che puntuale.»

«Il professor Quattrone?»

«Prego, entriamo.»

Salirono al primo piano. Il professore si tolse il doppiopetto, si infilò una giacca da camera color ruggine, si slacciò le scarpe («scusi, ho un callo che mi fa impazzire»), trovò requie in un paio di ciabatte, si andò a sedere dietro un'immensa scrivania di noce intarsiata sulla quale campeggiava un leggìo e fece cenno a Osto di accomodarsi di fronte: «Mi dica».

Osto posò sul tavolo la scatola di legno che Ines aveva recuperato al posto di quella da scarpe, aprì con dolcezza, un angolo dopo l'altro, il fagottino di panno rosso scuro nel quale avevano messo il loro tesoro, tirò fuori la statuetta e la porse. Il grande Quattrone ebbe un guizzo negli occhi. Prese con mille premure il centurione, cavò dal cassetto una gigantesca lente d'ingrandimento, analizzò millimetro per millimetro la statuina senza dire una sola parola. Non una. Finché, dopo avere grattato leggermente il piedistallo con una taglierina per capire chissà cosa, finalmente disse: «Pezzo straordinario. Straordinario».

«Grazie, professore.»

«Civiltà olmeca. Secondo, forse Terzo secolo dopo Cristo.»

«Ha visto che è un…»

«Un centurione. Certo. Per questo parlavo di Secondo, forse Terzo secolo. Vede l'elmo? Somiglia a quello di tipo gallico e ha una doppia cresta a forma di T. Eccola, la vede? Ampio paraguance, spazio per le orecchie, una visiera un po' incurvata in basso per riparare dal sole, un disco saldato sotto la nuca a proteggere il collo. Secondo, forse Terzo secolo.»

«Il che vuol dire…»

«Che i Romani arrivarono in America. O che almeno ci arrivò una galera. Magari col timone in avaria. Senza riuscire poi a tornare indietro. Interessante, eh? Molto interessante. Immagino che la galera fosse andata alla deriva. Del resto, lo stesso Cristoforo Colombo, se non si fosse imbattuto in un'isola delle Bahamas, avrebbe potuto essere portato dalle correnti fin sulla costa messicana. Non è che le navi dei romani e degli spagnoli, a distanza di oltre mille anni, fossero poi così diverse.»

«Allora…»

«Pezzo straordinario. Straordinario. Inestimabile.»

«Inestimabile quanto?»

«Inestimabile. Dove è stato trovato?»

«Non lo so.»

«Non lo sa?»

«Non lo so. Come le dicevo è un'eredità. L'avvocato messicano che me l'ha mandato da Huatusco dice che questo mio zio (in realtà non era uno zio, ma la storia è troppo complicata…) lo comprò da uno huaquero.»

«Un tombarolo?»

«Sì.»

«L'ha comprato da un tombarolo?»

«Così mi ha scritto.»

«Caro maestro, si tenga forte.»

«Cioè?» chiese Osto in apprensione.

«Il suo pezzo non vale niente.»

Osto si sentì morire. Tutto il castello di sogni che si era

costruito in due giorni di gioia assoluta andò in pezzi: la casetta col giardino, la 1800 familiare con l'Autovox, la cucina nuova Naonis, il televisore Minerva, le sei coperte Lanerossi... Tutto. «La maledizione della Colonia Cecilia...» borbottò. «La maledizione della Colonia Cecilia...»

«Prego?»

«Niente, niente... Ma scusi, professore: non è originale?»

«Sicuramente. Ci scommetterei la testa.»

«E allora?»

«Maestro Aliquò: l'archeologia è una scienza. Per valutare un pezzo, conoscerlo, studiarlo, catalogarlo e dargli insomma il valore che ha, dobbiamo sapere dove è stato trovato, quando, quanti metri sottoterra, quanti strati di altro materiale aveva sotto, quanti sopra, cosa c'è nei dintorni... Insomma: dobbiamo sapere tutto. Tutto. Sennò un pezzo come questo, stupendo, fa solo rabbia. Rabbia perché quel maledetto tombarolo che ha venduto la statuetta al suo parente ha derubato la scienza della possibilità di stabilire, con uno scavo serio, che una galera romana toccò terra nel golfo di Campeche. Rabbia.»

«Quindi?»

«Lo metta in vetrinetta vicino al cappello da alpino o alla gondolina di Venezia.»

* * *

Ripartì verso casa che si sentiva immensamente stanco. Gli occhi lucidi. Oppresso dal dolore di dover spazzare via i piccoli grandi sogni di tutte le persone alle quali voleva bene. Appena vide da lontano il palazzone in cui viveva, quel palazzone che gli era sembrato quasi una residenza di lusso il giorno in cui lui, Ines e i figli avevano traslocato, gli sembrò improvvisamente orrendo. Si ricordò anzi, con dolore, che doveva ancora pagare quattordici anni di mutuo. Lungo la strada, nel cortile di una cascina non ancora abbattuta per far posto a un complesso di condomini, vide un tacchino che dondolava la testa. Frenò, fece inversione, tornò in centro, si fermò davanti all'insegna di Roggio Clemente e F.lli dove vendevano di tutto, dalle lavatrici alle bombole a gas, dai televisori alle pentole a pressione.

La sera, a tavola, erano tutti a lutto. Occhi fissi. Musi lunghi. Sospiri lunghissimi. Nessuno aveva voglia di parlare. Finché Osto non si alzò, andò di là, tornò con in mano un mangiadischi rosso nuovo di zecca: «Almeno Rosetta voglio che abbia il suo». Spinse giù, a fondo, il disco che sporgeva. La piccola si illuminò: «Il caro nonno Asdrubale lasciò un'eredità / a noi toccò una macchina di sessant'anni fa / un tipo di automobile che ridere può far / ma ridere per ridere papà ci volle andar...».

«"Aratro aratrino / puoi fare un pisolino / dormire a tutte l'ore / tanto c'è il trattore." Maestro Aliquò, che storia è questa?» Ostò guardò la «sua» lavagna, guardò la direttrice Tommasina Jurich in Nadalut, di nuovo la «sua» lavagna e di nuovo la direttrice, che forse per accentuare la sua riprovazione impugnava una bacchetta.

«Non capisco.»

«È o non è la sua lavagna?»

«Sì, ma…»

«Ma?»

«Quella cosa non l'ho scritta io.»

«Oh bella: e chi sarebbe stato?»

«Non ne ho idea.»

«Maestro Aliquò, esigo di sapere che storia è questa: che ci fa un proverbio sovietico, cretino e comunista (più cretino che comunista, direi) sulla sua lavagna?»

«Ma…»

«Lei è un contestatore?»

«Signora direttrice!»

«La vedremo presto coi capelli a paggetto?»

«Ma non è neppure la mia grafia.»

«E allora che ci fa sulla sua lavagna?»

«Non lo so.»

«Ci vediamo lunedì. Sappia che martedì, se non mi darà una spiegazione plausibile, sarò costretta a fare rapporto al provveditorato.»

Passò una domenica infernale. Già la convocazione, di sabato pomeriggio, in una scuola deserta, gli aveva messo addosso una certa inquietudine. Ma quella lavagna con la filastrocca russa l'aveva davvero lasciato secco. Come poteva essere successo? A cena, una cosa svelta svelta alle otto in punto per non perdere lo sceneggiato in arrivo, non mangiò niente. E quando tutta la famiglia, tolta Rosetta spedita a letto dopo Carosello, si accomodò davanti al televisore per vedere la terza puntata di *Resurrezione*, dove Alberto Lupo faceva la parte del principe Dimitri Neklidov pieno di sensi di colpa verso la povera Katiuscia, lui preferì andarsene di là, in camera. L'aveva aspettata tutta la settimana, quella terza puntata. Con l'impazienza di un adolescente. Ma questa faccenda della lavagna gli aveva rovinato la serata. Fatto venire un mal di testa terribile. Impastato la bocca. E mentre, steso sul letto con gli occhi al soffitto, sentiva arrivare dal salotto scoppi di pianto e suppliche accorate, si chiedeva chi potesse essere stato il «suo» personale traditore. Chi?

«Voltati, ti prego!» gridò dall'altra stanza la povera Katiuscia.

Voltati, voltati, voltati... Questa cosa gli ronzava... «Minchia! Il supplente!» Ecco quello che era successo! Si alzò e piombò in salotto: «È stato il supplente!».

«Zitto: si sono rivisti!»

«Chi?»

«Lui e lei!»

«E cu sinni futti di 'stu curnutu di Dimitri! Ho capito! La storia della lavagna!»

«Piantala, ce lo dici dopo!»

«È stato il supplente!»

«Insomma!»

«Io mi sto giocando il posto e voi...»

«Piantala. Tasi. Te ne lo disi dopo» chiuse Ines.

Uscì sbattendo la porta. Scese in cortile, fece tre passi, sentì i piedi affondare nella neve e si bloccò: «Il cappotto! M'u scurdai!». Faceva un freddo polare. I marciapiedi erano coperti da quindici centimetri di neve, salutati dalla «Stampa» con poesie sulla «bianca visitatrice». Tirava uno di quei venticelli gelidi che ti pizzicano le orecchie. Non c'era un bar aperto, la sera della domenica, nel raggio di sei o settecento metri, aveva lasciato su le chiavi della 600 e aveva addosso solo un maglione. Ma era troppo furente per tornare indietro. Troppo orgoglioso per darla vinta a sua madre, a Ines, ai figli e a tutto il mondo degli egoisti. Tirò dritto puntando verso il centro cercando di ricostruire mentalmente: quanto tempo era passato dall'influenza? Quando era stato assente per una settimana?

Finché si ricordò: si era alzato dal letto, per tornare a tavola con tutti, la sera che al telegiornale avevano mostrato un servizio su Lyndon Johnson alla Casa Bianca. Primi di dicembre. «E per un mese non ho mai girato la lavagna! Cose di pazzi!» Mai al mondo si sarebbe immaginato di aver compiuto l'ultima volta quel gesto, così ordinario da esser diventato meccanico, addirittura più di un mese prima. Ora, se quel disgraziato di supplente testa calda si era permesso di scrivere una cosa così sulla lavagna, cos'altro gli aveva combinato?

Girò sui tacchi bruscamente e puntò a testa bassa verso casa. Rientrò mentre tutti, finito lo sceneggiato, si stavano alzando per andare a letto: «Cosa dicevi, del supplente?». «Affari miei» rispose. Si tolse le scarpe e i calzini, si spogliò e si infilò sotto le coperte. Ines arrivò che stava leggendo una cosa qualsiasi con l'aria di chi ha voglia di attaccar briga. Una polveriera che aspettava un cerino. Non disse niente. Posò l'orologio sul comodino e spense la luce.

La mattina alle otto meno dieci già suonava il campanello di Tempestilli Cristiano, il più diligente di tutti i suoi trentasei scolari e l'unico del quale conosceva abbastanza bene il padre, un meccanico casertano gran lavoratore, da potergli fare la domanda che aveva qui, nel gozzo: «Mario, ti ricordi se Cristiano ti ha raccontato delle cose strane, quando è venuto il supplente?».

«Strane in che senso?» si allarmò quello.

«Strane.»

«Ho capito, ma in che senso?»

«Diciamo politico. "Rivoluzionario."»

«Politico?» si rilassò. «Non mi ricordo...»

«Vabbè, fa niente... Meglio così.»

«A parte la filastrocca agricola, si capisce» rise il meccanico.

«Cioè?»

«Un giorno se n'è uscito dicendo: "Il solco è cattivo / se non è collettivo". Me lo ricordo perché ci siamo scoppiati tutti a ridere. "Cristia'" gli ho detto, "ecchéè 'sta filastrocca?" "Ce l'ha 'mparato 'o maestro. Dice che è russo."»

«E tu?»

«Io cosa?»

«Che gli hai risposto?»

«Niente. Ho riso: "Cristia', simme arreventat' communist'?". Fine.»

«Te lo porto a scuola io?»

«Se non ti pesa…»

«Visto che sono già qua…»

«Cristiano» disse il meccanico girandosi verso il figlio, «ti porta il maestro Aliquò.»

Mise in moto e partì. Girò l'angolo e si fermò: «Mostra il quaderno. Quello dei dettati». Il bambino glielo consegnò. Era cominciato da poco. Una ventina di pagine, forse trenta. «E il vecchio?» «A casa.» Tre minuti dopo, era di nuovo dal meccanico: «Abbiamo dimenticato una cosa. Cristiano deve prendere il quaderno vecchio». Ripartì, rigirò l'angolo e si fermò: «Mostra».

Lo sfogliò febbrilmente, partendo dalla fine. Una delle ultime pagine era occupata dal «Riassunto dell'alfabeto».

A a = Albania comunista, l'alba dell'Europa.

B b = Bandiera rossa, la bandiera degli oppressi.

C c = Cuba, la sfida all'America.

E via così: F come falce, G come Gramsci, L come Lenin, O come operaio, P come pugno chiuso, Q come *Quaderni dal carcere*, S come sciopero, Z come Emiliano Zapata. Osto si sentì montare dentro il fuoco. Ripartì, ignorò per purissimo odio un semaforo rosso, guidò assai sconsideratamente fino a scuola, parcheggiò di sbieco nel cortile interno, portò Cristiano in classe, gli ordinò di non muoversi dal suo banco, salì dalla direttrice ed entrò senza neanche annunciarsi.

«Chi era?»

«Maestro Aliquò! Non si bussa più?» s'irrigidì la preside. «Chi era?»

«Chi era chi?»

«Il supplente.»

«Ma santo Iddio: mi vuole spiegare compiutamente cosa vuole?»

«Voglio sapere chi era il supplente che mi ha sostituito quando ho avuto l'influenza il mese scorso.»

«E perché?»

«La lavagna.»

«Ah... Vuol dire che...»

«Guardi il quaderno di uno dei miei bambini. Non me n'ero accorto perché è nelle ultime pagine del vecchio e al mio ritorno usavamo già quello nuovo.»

«"Riassunto dell'alfabeto. A a = Albania comunista. B b = Bandiera rossa..." Ma è pazzo? Come si è permesso...»

La lasciò lì e tornò in classe. Si sentiva finalmente leggero: «Ragazzi, questa mattina si ripassa l'alfabeto. Lo so che lo conoscete tutti. Ma lo ripassiamo lo stesso. Pagina bianca. In alto e stampatello: "Ripasso dell'alfabeto". Prima riga: A come albero, B come banana, C come casa, D come dattero, E come elefante...».

* * *

«Pronto, vuoi saperla l'ultima di Zinzani?» rise Ines al telefono.

«Dimmi» rispose Osto.

«Mi fa: signorina Ines, mi scarichi questo centromediano.»

«Ancora signorina ti chiama? Ancora signorina?»

«Sempre, lui...»

«Ma che bravo. Un gentiluomo.»

«È il suo modo di fare lo spiritoso. Sai com'è fatto. Ma ti dicevo...»

«Mascalzone!»

«Mi stai a sentire? Mi ha chiesto di scaricargli un centromediano!»

«Un centromediano? Con gambe, maglietta e calzoncini?»

«Esatto.»

«Scaricarlo come?»

«Ovvio: dalle tasse.»

«E che razza di novità è questa?»

«L'ingegnere si è comprato una squadra.»

«Ancora! Un muratore è. Un muratore che ha fatto i soldi mettendo su un'impresa edile e andando a costruire palazzine dove non poteva. Palazzine orrende, dove la gente sta male. Polo d'inverno, tropici l'estate. E come se li è fatti dare, volta per volta, i permessi? Pagando. Dnè! Dnè.»

«Lo sai com'è fatto. Non lo scopri mica adesso. E sai che non ha tutti i torti quando dice che lo fanno tutti.»

«No: tutti no.»

«Tutti.»

«Io no.»

«Tu. Giusto. Tu no. È vero, però, che lo Stato ti dà lo stipendio tutti i mesi. Non dico che non saresti così rigido se dovessi guadagnarti i clienti giorno per giorno, però…»

«Però cosa? Non me li guadagno forse? Tu lo sai cosa vuol dire avere trentasei alunni in classe? Piglia Giacomo o Graziella quando avevano sette anni e moltiplicali per trentasei. Certo, non lo puoi ricordare bene…»

«Aliquò: stai dicendomi che ho trascurato i miei figli?»

Era così, Ines. Nei momenti in cui era esasperata, dimenticava il nome e passava al cognome: «Aliquò: stai dicendo questo?».

«Beh, non puoi negare che hai concesso loro meno tempo che al tuo muratore arricchito.»

«Vergognati.»

«Ma scusa…»

«Non ti voglio neanche stare a sentire. Vergognati! Secondo te avrei preferito stare in ufficio o coi bambini?»

«È un problema che non si è mai posto: tu avevi già deciso.»

«"Noi" avevamo già deciso. Perché non avevamo scelta. Perché solo con la tua paga saremmo rimasti tutta la vita a casa della zia Malvi e poi alle Casermette. Nella nostra fetta di camerata chiusa da due tramezze di legno.»

«Forse sarebbe stato meglio. Almeno non sarei stato un vedovo bianco fino alle sette di sera.»

«Vedovo no, visto che non siamo sposati...» rise lei, amara.

«Non per colpa mia...»

Improvviso, calò il silenzio. Un silenzio lacerante. Ostile. Doloroso. Come gli era venuto in mente di dire quella cattiveria? Come gli era scappata? Attese la risposta come un condannato aspetta la scarica di fucileria. Attese e attese. Pochi secondi, ma interminabili. Finché gli fu così insopportabile, quel silenzio, da sperare in un insulto. Una cattiveria. Una parola di disprezzo. Non arrivò nulla. Solo il fruscio inconfondibile di chi si soffia il naso per non piangere. Sentì un clic. Aveva messo giù.

Quel fruscio di dollari californiani

«Scusi maestro, sono la vedova Capocaccia, del sesto.» Non occorreva neanche guardare dallo spioncino: era lei. Solo lei cinguettava, in tutto il palazzo, con quella vocina omicida: Gemma D'Itri vedova Capocaccia. Quella che alle assemblee condominiali, quando tutti erano esausti e non vedevano l'ora di andarsene e perfino Luiso si era rassegnato a chiudere, aveva sempre un'obiezione in più da fare, un chiarimento in più da chiedere, una lira in più da contestare nelle spese di manutenzione. Dicevano tutti, lì sulla scala, che il marito l'aveva fatto fuori lei. Rendendogli la vita giorno dopo giorno così insopportabile che il poveretto, il compianto perito fonico Carmine Capocaccia, si era reso celebre nel quartiere con una sola battuta: «Pieuveta». A qualunque ora lo incontrassi, in qualunque giorno, in qualunque stagione, con qualunque tempo atmosferico, alla domanda «Come va, signor perito?» rispondeva con un sospiro: «Pieuveta». Pioggerella. E così lo chiamavano tutti, dal giornalaio al ciabattino: il perito Pieuveta.

Per non dover dare ascolto alla moglie, che lo assediava di rimbrotti con l'accanita petulanza della signora Geltrude di *Giamburrasca*, aveva preso a dirle che ci sentiva sempre meno e che a questa sordità si accompagnava una labirintite via via più acuta che lo spingeva, nei momenti più impensati, ad accasciarsi in poltrona come fosse stato fulminato da un colpo apoplettico. Finché, denunciato di giorno in giorno un progressivo abbassamento delle capacità uditive, una bella mattina aveva comunicato alla moglie di esser diventato completamente sordo. Da quel momento, a ogni sua rimostranza aveva dunque preso ad allargare le braccia per poi portare gli indici dclla mano destra e della sinistra alle orecchie urlando a pieni polmoni: «Non ti sentooo!».

Assolutamente certa che fosse tutto un trucco e assolutamente decisa a smascherarlo, la velenosissima Gemma D'Itri (non ancora vedova Capocaccia) aveva quindi preso a tendere al marito trappole di ogni genere. Gli piombava improvvisamente alle spalle barrendo come un'ossessa. Abbassava la voce e storpiava il movimento delle labbra se doveva dirgli una cosa che a lui premeva. Lo pedinava mentre lui andava in ufficio per sparargli nelle orecchie il clacson a tutto volume. Metteva insomma in atto tutto ciò che poteva per cogliere nello sguardo dell'uomo, in un suo brivido, in un suo sbattere di palpebre, la prova dell'infame inganno.

Tutto inutile. Dopo mille tentativi, si era dunque rassegnata alla sconfitta. E aveva dirottato la sua collera vendicativa nella correzione stizzita di ogni singolo gesto quotidiano che faceva il poveretto. Finché, finalmente, lo aveva seppellito. Assumendo quel ruolo che le pareva così intonato alla sua personalità: vedova.

«Ha capito?» chiese la donna.

«Cosa?» si scosse Osto.

«A che stava pensando?»

«A niente. Scusi, mi ero distratto.»

«Le dicevo: ho scoperto il mistero della bolletta.»

«Lei?» si stupì il maestro.

«Io» gongolò la vedova. «Lei ricorderà che ogni tanto arrivavano, ora a lei, ora a me, ora ai Gasparotto, delle bollette follemente esagerate, giusto?»

«Giusto.»

«Lei ricorderà anche che pure il maresciallo Spampinato, usando quelle che chiama ridendo "intercettazioni ambientali", cioè l'abitudine di sua moglie, la Marescialla, di passare le giornate a origliare e raccogliere pettegolezzi, non era riuscito a venire a capo della vicenda, giusto?»

«Giusto pure questo.»

«Lei ricorderà che io, all'assemblea di condominio, dissi che mai mi sarei rassegnata e che ho un parente che fa l'impiegato all'Enel, giusto?»

«Vedova Capocaccia: vogliamo chiudere?»

«Risponda lei a una domanda: può un uomo, per quanto scapolo (io proprio non li capisco), per quanto assente quasi tutto il giorno da casa (chissà se sta sempre in officina), per quanto nottambulo (e lasciamo perdere con chi torna quando rientra alle due), non pagare una lira di luce?»

«Prego?»

«Manco una lira!» rispose la vedova trionfante.

«Vuol dire che...»

«Vuol dire che il nostro carissimo gommista del settimo non risulta avere un contratto e, non so dove e non so come, ha trovato il sistema di succhiare la luce attaccandosi un mese a uno e un mese all'altro di noi.»

«Non mi dica.»

«Terroni!»

«Prego?»

«Così sono fatti.»

«Chi?»

«I terroni.»

«Ma lei di dov'è scusi?»

«Che c'entra?»

«Non ha preso pure lei il Treno del sole per salire a Torino?»

«E allora?»

«Non è di Casoria?»

«Ero.»

«Era?»

«Ero: passato.»

«E pure il gommista "era": passato.»

«Non si direbbe.»

«Ma che discorsi sono?»

«Evidentemente non si è abbeverato come noi alla fonte della civiltà sabau...»

«Anzi, credo sia venuto su a Torino prima di lei e della compianta buon'anima del perito che ha sotterrato.»

«In che senso "ho sotterrato"?» sibilò la serpe.

«Basta. Grazie per l'interessamento. Faccia la sua denuncia e finiamola qui.»

Sbatté la porta più forte che poteva, raddrizzò il quadro con la veduta dell'Etna che si era piegato da una parte, aggredì la madre che stava lavorando a maglia: «Tu dài troppa confidenza alla vedova Capocaccia! Troppa!».

«Ma...» balbettò la madre senza capire.

«Troppa confidenza!»

* * *

«Oooh, finalmente!»

«Prego?»

«Il maestro Aliquò?»

«Sono io.»

«Saranno due ore che la mia segretaria cerca di telefonarle: sempre occupato!»

«Mi dispiace. Abbiamo il duplex e c'è capitato di far coppia con un disgraziato che sta sempre al telefono. Ore e ore... Ma chi parla?»

«Mario Maria Quattrone.»

«Professore...»

«Senta, quel pezzo...»

«Il centurione?»

«Ce l'ha ancora, no?»

«L'ho messo dove ha detto lei, sulla credenza, vicino alla gondolina di Venezia» rispose Osto con la bocca amara.

«Non ci ho dormito per settimane, sul suo pezzo. Ora, non voglio che lei si illuda ma...»

«Ma?» chiese il maestro mentre il cuore prendeva a battergli all'impazzata.

«Insomma, c'è una grande collezione privata, in California, che sarebbe interessata. Ho visto a un convegno il suo direttore. Abbiamo maledetto insieme i tombaroli, s'intende. Ma loro hanno su queste cose un approccio meno... Come dire? Meno rigido del nostro. Certo, ci scriverebbero sotto, nella targhetta, che è stato scientificamente possibile datarlo intorno al Secondo secolo (quindi non è un falso) ma che purtroppo, per i motivi che le dicevo, non se ne può trarre alcuna conclusione né scientifica né storica...»

«Beh, quella storica…»

«Sbaglia: in teoria potrebbero essere stati gli Olmechi a sbarcare in Portogallo e a riportarsi la statuetta a casa.»

«È assurdo!»

«Sto solo spiegandole la differenza tra il buonsenso, che ci fa dire che lei ha in mano un pezzo eccezionale, e la scienza. Ma le dicevo: questo mio collega californiano è molto interessato al suo centurione. Ed è disposto a pagarlo fino a trentamila dollari. In lire sarebbero una ventina di milioni.»

«Venti mi…» balbettò il maestro.

«Venti milioni. In realtà, secondo me, lei può arrivare a chiederne anche quaranta. O cinquanta, addirittura. Ma…»

«Ma?»

«Dovrebbe dargli un minimo di garanzie. Vuol sapere dove, quando e come è stato trovato il pezzo.»

«E io come posso fare a saperlo?»

«Va rintracciato lo huaquero.»

«Il tombarolo?»

«Esatto.»

«E come…»

«Ci ho pensato e non vedo alternative: in Messico ci deve andare lei.»

«In Messico? Io? Ma…»

«Il mio collega vuole una dichiarazione firmata dal notaio, qualche fotografia del luogo, un campione di terra per controllare la compatibilità sui residui che restano sulla statuetta. Lei si fiderebbe di una cosa fatta per posta?»

«No.»

«Il mio collega è disposto a fidarsi di me, io a fidarmi di lei. Di più non posso. Ripeto: non vedo alternative. D'altra parte immagino che tutto il giro di amici e parenti di quel suo zio sarebbe più disponibile a dare una mano a lei che a un intermediario. Giusto?»

«Sì, questo è possibile…»

«Mi faccia sapere.»

* * *

«Messico?» La parola sganciata da Osto deflagrò in tavola come una bomba. Agata lasciò cadere la forchetta come se fosse incandescente e si portò le mani alla testa: «In Messico? Vicino al Brasile della Colonia Cecilia?». Ines scoppiò a ridere: «Questa poi! Non siamo mai stati neanche a Mentone...». Graziella sbarrò gli occhi entusiasta: «Fantastico! In Messico!». Rosetta si offrì subito di partire anche lei per vedere Speedy Gonzales e attaccò a strillare: «Arrrriba! Arriba arriba!».

Due ore dopo, messa a letto la bambina e spenta la tivù nonostante trasmettessero *Scarface* di Howard Hawks, erano ancora lì a parlare, parlare, parlare. Quanto costava il viaggio in nave? Quanti giorni impiegava a solcare l'Atlantico, ammesso che esistesse una linea da Genova al Messico? Quante settimane avrebbe impiegato, la ricerca di quello sconosciuto tombarolo? Quali rischi poteva correre lì un italiano che non sapeva una parola di spagnolo? Valeva la pena di buttare tanti soldi in un'impresa che forse era destinata al fallimento?

«E poi chi ce li potrebbe prestare, Ludovico?»

«Ma per carità! Lascia stare mio fratello. Piuttosto che chiedergli un piacere...»

Ines, che assorbita la sorpresa aveva preso in pugno la situazione esaminandone ogni aspetto con una piega alle labbra d'ironica perplessità, stava facendo due conti su un foglietto quando, erano già le undici di sera, sentirono la chiave girare nella serratura e subito dopo dei passi leggeri in corridoio. «Ancora alzati?» si affacciò Giacomo. Aprì il frigo, scartò le polpette lasciategli da sua nonna arricciando il naso un po' schifato, tirò fuori il grana e due patate lesse avanzate su un piattino, afferrò con il mignolo rimasto libero una bottiglia di rosso sfuso e si accomodò a tavola mentre suo padre, per fargli posto, spostava l'atlante aperto sul Messico.

«Ancora il Messico?» chiese addentando il formaggio.

«Di nuovo il Messico» rispose Osto. E gli spiegò tutto. La telefonata del professor Quattrone, l'offerta dei californiani, la richiesta di garanzie, la necessità di andare di persona, i dubbi, le paure, la difficoltà di tirar su i soldi... Il ragazzo afferrò l'atlante per guardarlo meglio, masticò, buttò giù un bicchiere di vino, si grattò la testa e ridacchiò: «Così a occhio, in due vi costerebbe sulle quattrocentomila. Forse cinque».

«In due?» domandò il maestro, perplesso.

«Tu e la mamma, no?» rispose allegro.

«Cosa c'entra…»

«Pago io.»

«Cooosa?»

«Il viaggio. Ve lo pago io il viaggio. A tutti e due.»

«Tu?» chiesero insieme, sbalorditi.

«Io.»

«Sei matto?»

«Per niente» rispose lui, tranquillo.

«Ma tutti quei soldi…»

«Li ho già. Ho in banca un milione e novecentomila lire.»

«Un milione e novecentomila?» sbiancò Osto.

«Un milione e nove» ribadì Giacomo, assaporando fino in fondo lo stupore sbigottito della nonna che certe cifre le aveva sognate solo immaginando una vincita col 43 sulla ruota di Palermo, il divertimento di Graziella che era l'unica a sapere come gli affari del fratello andassero davvero a gonfie vele, l'occhiata un po' perplessa del padre putativo che si stava chiedendo come diavolo avesse fatto a metter tutti quei soldi da parte, lo sguardo intenerito di Ines che lo fissava mordendosi un labbro orgogliosa. Nella stanza, improvviso, scese il silenzio.

«Onesti» riprese il ragazzo.

«Cioè?» trasalì il padre.

«Sono soldi messi via facendo bene un lavoro perbene.»

«Pensi che io possa avere il dubbio…»

«Sono io che ci tengo a dirtelo: ho lavorato tantissimo. Vedi a che ore torno. E stando sempre sotto ai prezzi degli altri. Poi, certo, forse non è giusto che io prenda, nei mesi buoni, anche il triplo di quello che guadagni tu facendo scuola ma…»

«Il triplo?»

«Arrivo a trecento.»

«Trecentomila lire?»

«Le ho anche passate.»

«Ah.»

«Perché anch'io?» interruppe la madre per tagliare l'aria.

«Così è la volta buona che vi sposate» ammiccò il figlio.

«Ci sposiamo? In Messico?»

«Ovvio: in Messico.»

«Ma…»

«Tutti lì vanno, no? Tutti. La Loren, Rossellini, Mirna Loy…»

«Non so se è giusto…» balbettò Osto guardando Ines.

«Ti tiri indietro dopo avermi compromessa?» rise lei.

«Ma…»

«Provaci…»

«Mettiamola così: ve li presto» chiuse Giacomo. «Poi, quando tornate, coi soldi della statuetta me li ridate. Penso a tutto io. Anche alle carte. Partenza fine luglio, va bene? Un mese. Fine. Andiamo a letto, domani ho la sveglia alle cinque…»

«Dormi troppo poco» si oppose la nonna.

«Buonanotte!»

Osto lo raggiunse in corridoio, mentre già si stava sbottonando la camicia per andare a letto. Non disse niente. Gli diede uno strattone al braccio, un bacio sulla guancia. Un attimo. E si slacciò subito come se quella debolezza, quel cedimento all'affetto, quella intimità, gli fossero quasi insopportabili. «Sei un testone, a non voler studiare» disse fingendo di assestargli un pugno. «Un testone. Però…»

«Buonanotte, papà.»

«Buonanotte.»

Il pappagallo delle Molucche

Alvaro di cumpari Anacleto apparve infine sul pianerottolo sconvolto dal caldo, le ginocchia piegate per la fatica, sepolto sotto un immenso scatolone: «L'ascensore quando lo mettete, ah?» ansimò, «quando lo mettete, ah?». Posò lo scatolone, tirò fuori il fazzoletto e se lo passò sulla fronte: «Vi ho portato un regalo».

«Ma tu sempre a quest'ora arrivi?» l'aggredì Osto.

«E vabbè.»

«A Zurigo ti vorrei vedere, a suonare i campanelli all'una di notte!»

«L'una è?»

«L'una. Di notte.»

«E dài! Scusa. Siamo partiti appena finito il turno. Il tempo di caricare la macchina e arrivare. Alba è giù. Abbiamo il portabagagli carico, non mi fidavo a lasciar tutto lì senza custodia. Guarda qua!» e spacchettò lo scatolone sul divano.

«Una trapunta?» chiese il maestro.

«Piuma d'oca! Prima qualità» rispose trionfante.

«Alva', ma tu non li senti?»

«Che cosa?»

«Trentotto gradi ci sono stati oggi, qui in casa: trentotto gradi! Lo senti il frigo? Ronza come russava tuo padre!»

«Passerà. Erano anni che te la volevo regalare, la trapunta di piume d'oca. Da quella sera gelata che ti portai la bambina, tre anni fa.»

«Quattro» precisò Osto.

«Quattro anni sono passati?»

«Quattro. Aveva tre anni e mezzo, adesso va per la terza elementare.»

«Però, vola il tempo. Vabbè, la possiamo portar via?»

«È pronta. Pure le sue cose sono pronte. Ma dorme.»

«Me la carico in braccio. Basta che mi porti giù i pacchi.»

«Ma come: vuoi partire subito?»

«Proseguiamo per la Sicilia stanotte. Da qui a Salerno, con l'autostrada nuova, ci mettiamo dieci ore.»

«Non è meglio se dormite qui e ripartite domani mattina? Lo dico anche per la piccola…»

«No. Domani sera, se va bene, sto sul ferribbotte per Messina.»

«Tu sei pazzo. Ti sei già fatto cinque ore di macchina dopo aver lavorato e…»

«Hiiih!»

«Sei pazzo. La bambina…»

«Figlia tua è?» chiese ostile il cugino.

«No: tua» si irrigidì Osto. «Anche se in questi anni…»

«Continua.»

«Niente.»

«Continua, dillo, sputa! Che c'è, ah? Che c'è? Mi stai rinfacciando qualcosa? Non ti ho mandato regolarmente i soldi, ah? Non te li ho mandati?»

«Regolarissimo: sei stato un orologio svizzero, in quello. Solo che…»

«Ti è costata di più? Che fai: batti cassa?»

«Alvaro, tu non puoi…»

«La pensione ha alzato le tariffe?»

Con un sorrisetto cattivo stampato sulla bocca, l'aria di chi si rassegna a una seccatura, l'uomo allungò la mano alla tasca posteriore dei pantaloni, tirò fuori un portafoglio mostruosamente gonfio e prese ostentatamente a contare una mazzetta di franchi svizzeri.

Fu allora che un fuoco improvviso si impossessò di Osto. Teso come la corda di un violino, il viso rosso di rabbia, portò i pugni serrati sotto il muso del cugino e sibilò: «Rosetta non è mai stata qui a pagamento, disgraziato! Mai! Manco un milione al giorno la potevi pagare la sua "pensione"! Manco un milione! Una telefonata di un minuto la settimana hai fatto, per quattro anni. Una telefonata! Dov'eri, il suo primo giorno di scuola, ah?».

«In Svizzera ero, a Zurigo, impossibilitato...»

«Impossibilitato a che: a telefonare? Fino alle undici aspettò alzata, quella sera. E quando ci decidemmo a chiamare noi, ché 'a picciliddra ti voleva raccontare com'era andata, voi non eravate a casa. E una telefonata quando fece la scarlattina, quanti franchi ti sarebbe costata? E la volta che ti dimenticasti del suo compleanno, ah? Si è mai dimenticata, Rosetta, del compleanno tuo?»

«Ma come ti permetti...»

«Me lo permetto sì, me lo permetto!» si voltò chiedendo il sostegno di Ines che si era affacciata nella stanza. «Viene a trovare la piccola tre o quattro volte l'anno, la fa scoppiare in pianto dimenticando sul tavolo il disegno delle giostre che lei gli aveva fatto perché lo portasse a Zurigo, se ne infischia per anni e poi ti viene a dire qui, a noi, che l'abbiamo tirata su come una figlia, di farci gli affari nostri?»

«Dammela!» tagliò invelenito Alvaro.

«Ehi ehi! Un momento... A quest'ora e con questo caldo è facile farsi saltare i nervi» li interruppe Ines. «Osto, lascia stare un momento. Alvaro, ha ragione anche Osto: perché non ti riposi un po' e parti domani mattina alle sei o alle sette? Lo dico per te, per Alba, per la piccola...»

«Voglio mia figlia» rispose acido il cugino.

«Ragiona...».

«Voglio-mia-figlia!»

«Futtiti!» lo fulminò Osto. Andò nella camera di Agata, prese delicatamente tra le braccia la bambina, le sussurrò «sssch! dormi amore» al primo lamento, ricomparve in corridoio, fece cenno a Ines di prendere i vestitini, i giochi e la borsa e cominciò a scendere le scale, piano piano, cercando di trattenere le lacrime.

«La porto io» si offrì Alvaro.

«Futtiti!» rispose il maestro con la voce rotta.

Uscirono, raggiunsero la macchina, la portiera si aprì, ne uscì Alba che guardò senza capire prima l'uno e poi l'altro: «Che è successo?». Osto le adagiò la bambina tra le braccia: «Attenta. Pesa». Le diede un bacio sulla fronte, si voltò per rientrare in casa mentre Ines, muta di dolore, passava meccanicamente ad Alvaro le cose da sistemare tra i bagagli. Era già sul primo pianerottolo quando si ricordò, di colpo, della raccolta di figurine *Animali di tutto il mondo*. Rosetta passava delle ore, a sfogliarla. Scattò su per le scale, aggredì gli scalini tre alla volta, maledì Nisticò nel preciso istante in cui attaccava ad abbaiare, fece irruzione in casa, accese tutte le luci, si impossessò dell'album, fece per uscire, tornò a rovistare sulla credenza dove era quasi certo di avere visto la figurina preferita della piccola, il pappagallo cacatua delle Molucche, la trovò, si voltò, andò a sbattere col ginocchio contro la cassapanca, uscì, si catapultò rischiando l'osso del collo giù per le rampe e finalmente sbucò all'aperto. Vide Ines immobile, le spalle che fremevano, le mani che portavano un fazzoletto al naso. Vide la macchina che si allontanava. Vide l'ombra di una mano che salutava. Si buttò all'inseguimento sventolando l'album e la figurina del cacatua col fiato rotto dalla fatica. Finché si fermò, si accasciò su uno scalino, cercò di respirare, gli occhi fissi nel vuoto.

* * *

«Ma carissimo maestro, lei non mi può partire così senza farmi finire la storia!» intimò con un sorrisone l'avvocato Lo Surgi Lo Surgi. E appoggiò il bastone, dal quale non si separava mai, sulle valigie posate sul pianerottolo. Come a dire: qui stanno!

«Avvocato, ci scusi, abbiamo un treno...»

«Tre ore. So tutto. Torino-Roma stanotte in treno, domani mattina in pullman all'aeroporto di Fiumicino, poi partenza. Tre ore avete, prima che parta quel treno. Tre ore.»

«Dica» si rassegnò Osto.

«Si ricorda di quella maledetta mosca? Questo insetto oserei dire neutronico e protonico, e comunque infinitesimale, che mi faceva impazzire?»

«Dica.»

«Siamo arrivati in Cassazione. Ora, dirà lei, può l'avvocato Lo Surgi Lo Surgi porsi il problema della Cassazione?»

«Immagino di…»

«Di no: esatto. Infatti, essendo cassazionista, non mi pongo il problema. Di più, mi pregio d'aver appreso l'arte oratoria cogliendo fior da fiore da un grande, non so se lo conosce, il principe del foro Aldo Ceccarelli.»

«Mai sentito.»

«Scherza? Le citerò soltanto (a memoria lo conosco: a memoria) l'incalzante brano col quale egli, descrivendo l'ebbrezza dei sensi di una serata in un night-club, scosse le certezze della giuria in un processo che vedeva imputata una sua cliente: "Scroscianti roboanti ritmi tempestano la sala da ballo. Musiche elettrizzanti, squassanti, squilibranti, tra contorsioni e contorcimenti dei facinorosi danzatori, saltellanti, saettanti, mentre il Rodolfo Valentino sempre più allupato abbraccia più avidamente Fulvia, che si sente il lupo dell'accompagnatore diventare un pezzo di acciaio imperdonabile".»

«Avvocato: il treno…»

«Senta senta: "Quando un numero strepitoso di strip-tease, un'egiziana ingressa, alta un pioppo, si contorce come un serpente, emettendo lamenti spasmodici, allettanti, capricciosi, vogliosi, capelli sino alle ginocchia, lisci e neri, occhi di luna al mese di giugno, due braccia imperterrite come canne di fucile da caccia, seni come uova di struzzo, gambe due tronchi di autostrade".»

«Avvocato, dalle parti mie si dice: una minchiata col botto!»

«Infatti lei fa il maestro, io il cassazionista. Ma vado a chiudere: la mosca! Lei s'immagini, divisi solo da una rete a maglie strette, due vicini di casa. Uno fa il contadino, l'altro il rappresentante di commercio. Uno è selvatico, ruspante e bestemmiatore, l'altro domestico, pignolino e mammone, un po' come il nostro Luiso. Li chiameremo Gaspare e Galdino. Due cose sole hanno in comune. La prima è la rete che divide i rispettivi terreni. La seconda la cocciutaggine d'un mulo: l'uno e l'altro rifiutano la sola ipotesi di non vincere la loro guerra personale. Ora, dirà lei, qual è la guerra?»

«Qual è la guerra?» sospirò rassegnato il maestro.

«Quella rete non divide solo il podere di Gaspare dal giardino di Galdino, ma è proprio sul confine tra due comuni, due province e due regioni, il Piemonte e la Lombardia. Ora, la discussione tra i due va avanti da anni poiché il podere di Gaspare sta giusto ai margini dell'area agricola del comune d'appartenenza, non so se mi spiego, mentre il giardino di Galdino sta ai margini dell'area residenziale del suo comune. Ora, pure lei ammetterà che, *ope legis*, la cosa confligge.»

«Confligge» ammise il maestro.

«Sostiene infatti Gaspare di avere tutti i diritti, sul suo terreno, di condurre l'impresa agricola con dotazione di bestie bovine, aviarie e financo equine, la cui produzione di sterco è essenziale all'andamento produttivo dei campi. Sostiene per contro il nominato Galdino che detto sterco, che il confinante ha sistemato in un letamaio esattamente a ridosso della rete di frontiera, puzza. E rende pertanto inutile anche la barriera profumata di rose, gladioli, lavande che egli ha piantato. Perfino il *viburnum fragrans*, principe delle fragranze, nulla può contro i ributtanti miasmi della decomposizione delle feci animali che...»

«Avvocato!»

«A farla breve: la disputa amministrativa è deflagrata davanti ai magistrati quando una mosca *stomoxis calcitrans*, partita a dire del Galdino dal letamaio del Gaspare, circostanza che lo stesso Gaspare nega risolutamente sfidando il Galdino a portare le prove dell'asserzione, ha punto l'anziana e stizzosa madre del medesimo Galdino, la signora Finocchiaro Vittoria, facendo sì che la donna, che pulendo i vetri sporgevasi in quel momento dalla finestra del piano terra, piombasse rovinosamente nel vuoto.»

«Nel vuoto?»

«Esatto.»

«Dalla finestra del piano terra, cioè da un metro?»

«Sì.»

«Rovinosamente.»

«Con lesione della cuffia dei rotatori! Lei dirà: tutto

chiaro. Per niente: fino a oggi se ne sono occupati, di ricorso in ricorso, ventisei avvocati e quattordici giudici. E siamo finiti in Cassazione. Lei mi chiederà: che fine fece, quell'insetto che da anni impegna i tribunali nella definizione della giusta sentenza?»

«Io le chiederò, avvocato: perché non toglie il "suo" bastone dalle "nostre" valigie e ci lascia partire?» rise Ines piombando in quel momento sul pianerottolo dopo aver sistemato le ultime cose.

«È in un sacchettino di plastica» riprese l'avvocato indifferente all'interruzione. «Reperto di prova Prot. 426/CT65.»

«Hasta luego, abogado!» rise Osto afferrando le valigie e assaggiando le prime parole di spagnolo, a parte El choclo e le canzoni mandate a memoria, che aveva imparato.

«Buon viaggio. Mi raccomando: una cartolina!»

Sulle tracce del Doctor tombarolo

Mosche negre, caldo bestiale, bucce di arance e tanfo di fogne, alla stazione degli autobus di Xalapa, la capitale del Veracruz. «Il nostro Luiso o quel Galdino di Lo Surgi Lo Surgi, qui li vorrei vedere» fece Ines sgomitando sudata tra la folla dietro Osto. Il viaggio in pullman da Città del Messico, dov'erano atterrati, era durato un mucchio di ore tra indios cotti dal sole, bambini muti che pisciavano nei panni una pipì dall'odore dolciastro ma almeno non piangevano mai, qualche gabbia di pollame, sei turisti americani dai capelli lunghi che puzzavano più degli indios e delle galline, due capre e un maiale che, legati e sistemati sul tetto tra i pacchi e le valigie, non avevano smesso un solo momento, povere bestie, di lagnarsi. Al punto che le loro urla riuscivano a volte a farsi spazio nel fracasso della musica a tutto volume della radio che l'autista seguiva accompagnando con la sua voce i ritornelli e masticando foglie di tabacco.

L'avvocato Ignacio Vicente Albacete, gentilissimo, aveva mandato a prenderli, con una vecchia Chrysler di un incredibile color ciclamino, il meccanico di Huatusco, che in paese faceva le funzioni di tassista. L'uomo si presentò come Pablo Lizardo Gregolin, porse cerimoniosamente a Ines un monumentale mazzo di fiori, si impossessò dei bagagli e, caricati gli ospiti in macchina, si mise al volante solcando la folla, i muli e i carretti finché non furono fuori dalla città su una sterrata. «Huatusco!» rideva cordiale ogni tanto indicando con l'indice un punto lontano, «Huatusco!».

Un paio d'ore e l'avvocato Albacete, baciata la mano alla signora e riempiti tre bicchieri di sangrita resa incendiaria dal peperoncino, spiegava ai due amigos italianos che sì, come aveva scritto al loro figlio Giacomo prendendo accordi per la visita, qualche possibilità di rintracciare il tombarolo che aveva trovato la statuetta, probabilmente alla fine degli anni Quaranta, c'era. Ma non dovevano farsi illusioni: «Será muy, muy, muy difícil». Messo in chiaro il suo scetticismo, raccontò che in quegli anni lontani in cui probabilmente aveva comprato il centurione di giada, el señor Xavier Cardias Urugoa Crisafulli aveva vissuto dalle parti di San Andrés Tuxtla e del lago Catemaco, «muy bonito», non lontano dal confine col Tabasco, e che proprio quella, secondo il direttore del museo locale che aveva consultato, avrebbe potuto essere la zona in cui il centurione era stato ritrovato.

Tutto quel che lui poteva fare, concluse, era di affidare Osto e Ines ad Alicio Lizardo Gregolin, il figlio del meccanico che era venuto a prenderli a Xalapa. Un ragazzo a posto che, come molti abitanti di Huatusco, capiva l'italiano perché apparteneva a una delle centinaia di famiglie di origine trentina, bellunese e mantovana finite laggiù nel golfo di Campeche nel 1881 e negli anni seguenti. «Quanto ci costerà?» chiese Osto apprensivo. «No hay problema» rispose l'avvocato: aveva già pagato tutto, con un vaglia, il figliolo. Quindi, visto che il maestro era a disagio, aggiunse: «No se preocupe señor Aliquò: per queste cose, aquí en México, no necesita mucho dinero». Aggiunse, ammiccando, che al ritorno, se gli avessero lasciato come d'accordo le carte necessarie, avrebbero trovato senz'altro tutti i documenti pronti per il matrimonio.

Girarono per giorni e giorni, battendo a tappeto tutta la zona intorno alla laguna del Mezcalapa. Si avventurarono su strade impossibili per raggiungere paesini appena appena segnati sulle carte come Tres Zapotes, La Magdalena, Saltabarranca... Riuscirono miracolosamente a ricostruire gran parte della rete di clienti ai quali Xavier Cardias Urugoa Crisafulli, che ormai era diventato più familiarmente «el tío Xavier», aveva venduto le sue benedette macchine per cucire. Trovarono perfino una donna che, al solo nome di Xavier Cardias, prese a strillare chiamando in soccorso la Virgen Mestiza, María Auxiliadora e la Santa Madre de la Candelaria perché, non potendolo più far morire una seconda volta tra mille dolori, facesse marcire il cadavere della buonanima avvelenando tutti i terreni dei dintorni. Boccheggiarono nel caldo asfissiante che ti incolla la camicia alla pelle e si chiesero come avevano fatto a sopravvivere lì dei contadini cresciuti nelle valli trentine. Scoprirono frutta che non avevano mai visto prima come il mango, il mamey, la papaya o l'aguacate. Sentirono gli strilli della scimmia urlatrice. Videro tapiri, formichieri, iguane e animali di ogni genere e Osto si pentì mille volte di avere portato così pochi rullini: e in bianco e nero! In bianco e nero!

Si adattarono a dormire in posti impossibili e a mangiare pesce secco e fagioli, fagioli e pesce secco. Impararono a riconoscere il nigua, una specie di pulce che può creare problemi seri. Risero come ragazzini facendosi sorprendere non una ma più volte da acquazzoni improvvisi che in pochi attimi incupivano il cielo, ammutolivano gli uccelli e scaricavano sulla foresta, le lagune e gli acquitrini una pioggia torrenziale che lasciava le foglie luccicanti e le strade rosse solcate da mille rivoli di acqua. Riuscirono a superare le diffidenze della gente e a guadagnarsi la fiducia di diversi tombaroli. Ma inutilmente. Nessuno aveva mai sentito parlare di quella statuetta.

Una mattina che boccheggiavano per l'afa, si concessero una gita turistica al Salto de Eyipantla, una fantastica cascata dove l'acqua si rovesciava spumeggiando in mezzo a una selva di piante e di fiori. Non c'era nessuno. Ines, chiesto ad Alicio d'andarsene per un po', fece un bagno, riempì il cappello e lo svuotò in faccia a Osto che se ne stava disteso a sonnecchiare sulla riva. Lui si alzò di scatto, finse di bestemmiare, rise, si asciugò gli occhi, arrotolò la camicia per strizzarla, guardò lei che buttava indietro i capelli raccogliendoseli sulla nuca, la trovò ancora bellissima e le urlò: «Siamo i primi!».

«Cosa?» gridò lei, felice.

«I primi al mondo!» insistette lui ridendo.

«I primi in cosa?» Il frastuono della cascata, degli uccelli, del frusciar delle foglie era assordante.

«A fare il viaggio di nozze prima di esserci sposati!»

«Non ti sento!» rispose lei nel fragore dell'acqua che veniva giù, puntando gli indici alle orecchie e allargando le mani aperte: «Non ti sento!».

«Non importa, te lo dico dopo» rise Osto. E si stese di nuovo, gli occhi chiusi, il sole che batteva. Statuetta o no, era forse il momento più bello di tutta la loro vita.

Finché un pomeriggio, quando ormai mancava una decina di giorni al ritorno e la battuta paese per paese, casa per casa, era ormai diventata uno stanco rito ripetitivo, successe. E successe là dove «doveva» succedere. In un piccolo pueblo che si chiamava El Tesoro. Dove la vecchia Beatriz, un'india malmessa in salute e vestita di verde e di rosso, afferrò la foto del centurione con grosse dita rugose, la avvicinò agli occhi fin quasi a toccarla col naso e disse che sì, un suo parente le aveva mostrato una statuetta strana di giada come quella ma non sapeva dove fossero finiti né lui né la statuetta. Forse, aggiunse, ne sapeva qualcosa sua cugina Armida. Cinque minuti dopo, trepidanti, Osto e Ines entravano in una casupola ai margini del villaggio. Dove le due donne, con l'aggiunta di una terza amica che era lì di passaggio, diedero vita a un dialogo da capogiro.

«Agustín?»

«Sí, Agustín.»

«He entendido, pero cuál Agustín?»

«El primo de Benemerito.»

«Cuál Benemerito: el carpintero?»

«No el carpintero: el hidráulico.»

«El hidráulico no se llama Benemerito sino Benicio!»

«Estás cierta? Yo creo que se llama Benemerito.»

«No, no: Benicio.»

«Puede ser... Benicio Galdés?»

«No Galdés: creo Benicio Azueta.»

«El hermano de José Antonio Azueta?»

«Cuál José Antonio? El esposo de Felicita?»

«No creo que es casado.»

«Yo creo que sí: tiene tres o cuatro hijos!»

«Tu entiendes la morena que vive en la casa amarilla, Juanita la Gorda?»

«No aquella, la otra Felicita: la hermana de Matilda la modista!»

«La modista? Cuál modista?»

«La prima de Domingo Barroso, la que vive en calle Porfirio.»

«Modista Matilda? Yo se coser una blusa o una falda mejor que ella!»

Il povero Alicio, spostando dall'una all'altra uno sguardo smarrito nel funambolico chiacchiericcio, pareva non capirci niente. Parlarono delle cure medicamentose della comunità popoluca, piansero su un parente morto annegato nelle acque del lago Catemaco, rievocarono cugini che avevano fatto i dollari in Colorado, si disperarono ricostruendo un elenco dei bambini uccisi dal nigua, si accapigliarono in una disputa infernale sul nome di un compaesano che aveva fatto un figurone all'ultima sagra di un paese vicino dove avevano riproposto la famosa giostra dei voladores totonachi di Paplanta e si avventurarono insomma in una interminabile circumnavigazione di tutto il parentado, il paese e la regione, finché, dopo un'ora, non misero a fuoco una dozzina di tombaroli e finalmente strinsero su un nome: Agustín Choapa Tahuinco.

«Dónde está? Dónde está Agustín?» chiese affannato Osto.

«Quién sabe...» sospirò Beatriz.

«Quién sabe...» si accodò Armida.

Concordarono insieme che no, probabilmente non era morto perché, anche se doveva essere piuttosto avanti con gli anni, era sempre stato un uomo in salute. All'epoca in cui aveva incontrato il señor Xavier Cardias Urugoa Crisafulli, che aveva preso a comprargli buona parte dei pezzi che trovava, batteva la selva dalle parti di Santiago e le pendici del vulcano San Martin. Era un solitario, «muy solitario». E non diceva mai una sola parola più del necessario. Ma un giorno, improvvisamente, era scomparso. Era girata allora la voce, rivelò Armida, che svuotando una tomba si fosse imbattuto nella più fantastica maschera funeraria che mai si fosse vista. Un pezzo eccezionale che aveva deciso di andare a vendere personalmente in California. Fatto sta che da allora, ed erano passati sedici anni, nessuno aveva più avuto sue notizie.

«Neanche un indizio?» chiese Osto, sentendosi le gambe molli.

«Ninguno.»

Quattro giorni più tardi, esaurite le ultime speranze dopo aver inutilmente parlato a uno a uno con tutti gli abitanti di El Tesoro e con un po' di parenti sparsi nei paesi dei dintorni, Osto e Ines erano di nuovo a bere una sangrita incendiaria a Huatusco, nello studio di Ignacio Vicente Albacete. L'avvocato si rammaricò con loro del fallimento, assicurò che nel caso avesse saputo qualcosa si sarebbe fatto vivo, spiegò che almeno per il matrimonio era già tutto a posto. Solo che, come ben sapevano, la maggiore o minore elasticità sui matrimoni variava in Messico da Stato a Stato.

Recenti chiusure nel Veracruz consigliavano un trasferimento pochi chilometri al di là di Tampico, sulla costa più a nord, dove, appena entrati nello Stato di Tamaulipas, c'era il municipio di Altamira dove l'alcalde, «voi lo chiamate el sindaco, creo», li aspettava ben volentieri. Era un amico suo. Sapeva già tutto: «Necesíta solamente che, prima della cerimonia, troviate due persone che, in cambio di una propina, una piccola mancia, possano farvi da testimoni». Ciò detto consegnò loro i documenti necessari e un foglietto con gli orari dei bus per Tampico e da Tampico a Città del Messico, si alzò, girò intorno alla scrivania, batté amichevole la mano sulla spalla di Osto, fece un inchino a Ines e accompagnandoli alla porta diede loro un pacchetto: «Un regalo. Personale».

La sera stessa, comprati due panini col jamon e due bottiglie di aranciata, erano già sbatacchiati tra campesinos, turistos americanos, cani, galline e un paio di scimmie sul bus notturno per Tampico. Faceva caldo. Troppo caldo. Attaccò a piovere e chiusero tutti i finestrini. Cercarono di dormire, non ci riuscirono. Aprirono il pacchetto dell'avvocato Albacete. C'erano due maschere di giaguaro, di legno colorato, di quelle che avevano già visto su un paio di bancarelle alla stazione delle corriere di Città del Messico. La radio era accesa a tutto volume. A un certo punto, nel faticato dormiveglia, mentre dietro una collina si stagliava bellissima una luna lattea, Osto intercettò nella canzone *Cielito lindo* le parole «de contrabando». Fu un attimo. Ma bastò per fargli ricordare il Polesine, gli sguardi storti delle beghine, don Olimpo, le lacrime di Ines il giorno della comunione negata, quel baciapile spietato del dottor Serrajotto, l'alito cattivo dell'impiegato all'anagrafe la mattina in cui era andato a registrare la nascita di Grazia...

Cercò di scacciare i ricordi, che ancora gli davano dolore, per concentrarsi su quella luna immensa, bella come mai l'aveva vista in tutta la sua vita. Guardò Ines, che tentava di dormire, tutta storta, con la testa appoggiata sul palmo della mano, lo spigolo della borsa di un'anziana india che le premeva su un fianco. Si chiese dove Giacomo, a quell'ora, stesse sgobbando per ricostruire in fretta quel patrimonio che aveva messo a disposizione sua e della madre. Tirò fuori la penna e si appuntò su un foglietto che, oltre a una collanina per Grazia, doveva trovare qualcosa per la vecchia Agata. Pensò con una fitta dolorosa a Rosetta, che forse questa volta non sarebbe tornata dalle vacanze per restare giù, in Sicilia, dai nonni che quasi non conosceva. Nel buio gli sembrò di riconoscere nella sagoma di un albero il «suo» carrubo secolare. Chissà che albero era, ruminò. E scivolò nel sonno.

* * *

Il municipio di Altamira era un edificio bianco, modesto, con un lungo porticato color ocra che si apriva su una piazzetta alberata. Erano le dieci meno un quarto di mattina. Accanto alla fontana, su una panchina all'ombra, c'era un signore magrissimo che aveva qualcosa di James Stewart e leggeva il giornale apparentemente senza troppo interesse. Poco più in là, all'angolo, un vecchio indio con una cassetta a tracolla vendeva manghi sbucciati e conficcati su bastoncini color fucsia. Osto si avvicinò prima all'uno, poi all'altro: «Una preguntita, porfavor...». Spiegò il problema suo e di Ines, chiese se avevano con loro un documento d'identificazione, si offrì di ricompensarli per il disturbo masticando nello spagnolo che aveva imparato: «Media ora, porfavor, solamente media ora. Maximo una ora, si l'alcalde non es

puntual. No mas». I due fecero docilmente sì con la testa,
seguirono Osto e Ines su per le scale, si accomodarono in
una stanza dove un vecchio ventilatore marron appeso al
soffitto girava così lentamente che tutta la gente in attesa si
aiutava facendosi aria con un ventaglio o una rivista.

Alle undici e mezzo erano ancora lì. Ogni tanto, Osto get-
tava imbarazzato un'occhiata ai due testimoni di nozze che lo
rassicuravano con un sorriso e un cenno della testa: «No hay
problema». Un bambino che correva per la stanza sbandò e
gli rovesciò sui pantaloni una granita verde, la madre si scusò
e mollò al piccolo una sberla così violenta che un impiegato si
affacciò curioso dalla stanza accanto. Quando le campane della chiesa suonarono a mezzogiorno, tornò dalla segretaria,
trovò che si stava spennellando le unghie e chiese ancora:
«L'alcalde?». «Un momentito» rispose quella, un po' seccata,
avvicinando l'indice e il pollice per mostrargli quanto infinite-
simo fosse quello spazio temporale dell'attesa in confronto
con la vastità dell'universo. All'una, dopo aver comprato al
vecchio indio tre o quattro manghi, non sapeva più cosa fare.
Fu allora che, negli occhi di Ines, notò qualcosa.

«Beh?» chiese.

«Beh cosa?»

«Lo sognavamo un po' diverso.»

«Un po'…»

«Stai pensando quel che penso io?»

«Perché, tu cosa stai pensando?»

«Che un po' mi urta, dargli ragione.»

«Anche a me.»

«Pensa a don Olimpo, a Serrajotto, a quella vipera della
portinaia. A tutti quelli che ci hanno ferito in questi anni.
Siamo qui per noi o per loro?»

«Per noi o per loro… Dopo tanti anni è anche facile
confondersi.»

«Tu?»

«Tu cosa?»

«Sei qui per noi o per loro?»

«Non lo so. Credevo di saperlo. Ma non ne sono più così sicura.»

«Neanche io.»

«Mi seccherebbe, farlo solo per loro.»

«Anche a me… Quanti anni sono, che aspettiamo?»

«Boh… Quasi venti, no?»

«Da quel pomeriggio in cortile con la fisarmonica?»

«Più o meno.»

«Ci tenevi sul serio?»

«A cosa?»

«Le nozze, i fiori, il riso…»

«Mah…»

«Ci tenevi?»

«Sì. Credevo di sì.»

Il ventilatore, esausto, diede ancora qualche giro e si bloccò. La donna che aspettava con il bambino della granita si stufò, afferrò la sua borsa e se ne andò. I due testimoni se ne stavano quieti, lo sguardo fisso sulla parete di fronte, come non avessero altro da fare da lì all'eternità. L'impiegata dietro il bancone, conclusa l'operazione estetica e avvitato con mille precauzioni il coperchietto dello smalto, si soffiò sulle unghie rosse, si ricordò dei due italianos mandati dall'avvocato Albacete e con una smorfietta allegra che voleva essere gentile fece ancora quel gesto con le dita: «Un momentito, un momentito…».

Osto guardò in faccia Ines, si grattò la testa, capì tutto e scoppiò a ridere. Lei rispose alla risata, gli schiacciò l'occhiolino, si sollevò dalla panca e disse: «Ma chi ce lo fa fare?». In quel momento, allacciandosi la giacca, fresco e riposato e per nulla in imbarazzo per le tre ore di ritardo, avanzò con passo elastico un ciccione monumentale. Era il sindaco e tuonò allegro: «Vamos?».

«Gracias. Non è più importante» si scusò Osto senza riuscire a trattenere l'euforia. «Gracias, gracias. Perdone mi español y la molestia… Adiós!»

Quando furono fuori, allargò le braccia per scusarsi coi due testimoni: «Yo espero cue ustedes comprendan… Scusate. Scusatemi davvero. Perdón».

Allungò la mano al portafoglio, tirò fuori qualche banconota, la ficcò tra le dita prima dell'uno, poi dell'altro: «Perdón, perdón…».

Quelli ringraziarono con un cenno, si misero accuratamente i soldi nei portafogli, si portarono la mano al cappello per salutare e presero ad allontanarsi. Muti come muti erano rimasti per tutto quel tempo. Chissà chi erano, si domandò il maestro. Gli venne in mente che forse se lo sarebbe chiesto per tutta la vita, come diavolo si chiamavano quei due testimoni del matrimonio mai celebrato. E si affrettò meccanicamente dietro quelli che se ne andavano: «Porfavor... Una domanda».

I due si fermarono.

«Mi nombre es Ariosto Aliquò» disse tendendo amichevole la mano.

«Encantado, Miguel Ángel Jaurena» rispose quello che pareva James Stewart.

«Agustín Choapa Tahuinco» rispose l'indio dei manghi.

«Agustín Choa...» trasalì Osto, piegandosi sulle ginocchia.

«Agustín Choapa Tahuinco» insistette il vecchio.

«Agustín el huaquero?»

«Una vez...» E fece un cenno come parlasse di anni lontanissimi.

«Agustín del pueblo de El Tesoro?»

«Sí señor» rise il tombarolo a riposo. E sollevando con un dito il cappello, mostrò una bocca quasi senza denti.

Ringraziamenti

Grazie a Danilo Fullin e agli amici dell'archivio del «Corriere della Sera», da Cesare a Cristina, da Daniela a Paola, da Silvia a tutti gli altri che mi hanno aiutato nella ricerca, sulle riviste e i quotidiani dell'epoca, di una miriade di episodi, annunci pubblicitari, processi e personaggi straordinari che mi sono serviti a ricostruire quegli anni e a dimostrare che a volte nulla appare più incredibile che la pura e semplice realtà.

Grazie al direttore de «La Stampa» Marcello Sorgi, che mi ha generosamente aperto le porte del centro di documentazione del quotidiano torinese, e ad Alfonso Bugea ed Emanuele Lauria che, con l'affetto degli amici, mi hanno dato una mano a trovare certe storie della Sicilia del dopoguerra. Grazie a Mauro Mellini per le preziose memorie di casi paradossali capitati a certe coppie «di contrabbando». A Gabriele D'Autilia, per i suggerimenti sui filmati dell'Istituto Luce. A Mimmo Cuticchio, Antonino Buttitta e al compianto Antonio Pasqualino per avermi offerto mille spunti sui pupi con le loro opere e i loro racconti. Alla cooperativa el Tamiso per avere riscoperto e fatto conoscere il *Catechismo agricolo* del canonico Giovanni Rizzo. Ad Antonio Cornoldi e al suo *Ande, bali e cante del Veneto* così ricco di atmosfere. A Gualtiero Bertelli, per i consigli intorno alla musica e alla fisarmonica. E grazie ad Aldo Cazzullo, Gian Antonio Cibotto, Goffredo Fofi, Emilio Franzina, Marina Frigerio, Marco Giusti, Aldo Grasso, Carla Muschio e a tutti gli autori che mi hanno aiutato con i loro libri a capire il Polesine, l'emigrazione interna ed estera, gli anni del boom, la storia della televisione, gli stereotipi degli anni Cinquanta e tante altre cose.

Indice